Macaber complot

Bezoek onze internetsite www.awbruna.nl
voor informatie over al onze boeken en softwareproducten.

Jefferson Bass

Macaber complot

A.W. Bruna Uitgevers B.V., Utrecht

Oorspronkelijke titel
Flesh and Bone
© 2007 by Dr. Bill Bass and Jon Jefferson
Published in agreement with the author,
c/o BAROR INTERNATIONAL, INC., Armonk, New York, U.S.A.
Vertaling
Joost van der Meer en William Oostendorp
Omslagontwerp
Wil Immink
© 2007 A.W. Bruna Uitgevers B.V., Utrecht

ISBN 978 90 229 8942 5
NUR 332

Ter nagedachtenis aan agent Ben Bohanan
1976 – 2004

DEEL I

Wat voorafging

I

Kermend als een krolse kater ging het gaashek open in het waterige licht van de ochtendschemering. Toen mijn kaken zich weer ontspanden, nam ik mij voor om de volgende keer dat ik naar de Bodyfarm ging wat smeerolie mee te nemen. En vooral niet vergeten, maande ik mezelf, net als de vorige vijf à zes keer dat ik het me had voorgenomen en het toch had vergeten...

Niet dat mijn geheugen me in de steek liet, tenminste, dat wilde ik graag geloven. Het was alleen dat elke keer als ik op weg was naar de Anthropology Research Facility, zoals de universiteit van Tennessee de Bodyfarm liever noemde, ik interessantere dingen aan mijn hoofd had dan smeerolie. Zoals het experiment dat ik op het punt stond te gaan uitvoeren met het lijk achter in de pick-up, die Miranda nu achteruit door het hek het terrein opreed.

Telkens weer verbaasde en frustreerde het me dat de Bodyfarm nog altijd het enige instituut ter wereld was dat zich wijdde aan onderzoek naar postmortale ontbinding. Als een onvolmaakt mens, met al zijn tekortkomingen en ijdelheden, was ik best een beetje trots op het unieke karakter van mijn schepping. Maar als forensisch antropoloog – een 'bottendetective' die zijn onderzoeksgebied had uitgebreid door ook naar aanwijzingen in rottend vlees te speuren – verheugde ik me op de dag dat onze data over snelheid van ontbinding in het vochtige, gematigde klimaat van Tennessee konden worden vergeleken met die van vergelijkbare onderzoekslaboratoria in de laaggelegen woestijn van Palm Springs, de hooggelegen woestijn van Albuquerque, het regenwoud van het Olympic Peninsula of de berghellingen van de Montana Rockies. Maar elke keer als ik dacht dat een collega in een van deze ecosystemen op het punt stond om een tegenhanger van de Bodyfarm op poten te zetten, schrok de universiteit in kwestie er toch voor terug, en bleven wij uniek, geïsoleerd en wetenschappelijk op onszelf.

In de afgelopen 25 jaar hadden mijn promovendi en ik honderden menselichamen op diverse locaties en onder verschillende omstandigheden bewaard om de ontbindingsprocessen te bestuderen. In ondiepe graven, diepe graven, waterige graven, met beton afgedekte graven. In gebouwen met airconditioning, verwarmde gebouwen, afgeschutte veranda's. In kofferbakken van auto's, op achterbanken, in campers. Naakte lijken, in katoen gehulde lijken, in polyester, in plastic. Maar nog nooit had ik een ontbinding zo geënsceneerd als in het gruwelijke scenario dat Miranda en ik nu voor Jess Carter gingen heropvoeren.

Jess – dr. Jessamine Carter – was de lijkschouwer van Chattanooga. Het afgelopen halfjaar was ze tevens waarnemend lijkschouwer voor het Regional Forensic Center van Knoxville geweest. De promotie, als dat het juiste woord is, tot deze dubbele status had ze te danken aan een dramatische blunder van onze eigen lijkschouwer, dr. Garland Hamilton. Tijdens een autopsie, die niemand anders behalve hijzelf als zodanig zou hebben omschreven, had hij de doodsoorzaak van een man volkomen verkeerd gediagnosticeerd – namelijk door een oppervlakkig en toevallig sneetje te omschrijven als een 'fatale steekwond' – waardoor een onschuldige omstander uiteindelijk van moord was beschuldigd. Toen zijn vergissing aan het licht kwam, werd Hamilton prompt van zijn functies ontheven; inmiddels stond hij op het punt ook zijn medische vergunning kwijt te raken, als de beoordelingsraad zijn werk tenminste goed deed. Totdat er een bekwame vervanger kon worden aangewezen, viel Jess ondertussen in en legde ze telkens wanneer zich in ons stukje van de bossen rond Tennessee een onverklaarbaar of gewelddadig sterfgeval had voorgedaan de 160 kilometer van de I-75 tussen Chattanooga en Knoxville af.

Voor Jess was deze autorit niet zo tijdrovend als hij voor mij zou zijn geweest. Haar Porsche Carrera – toepasselijk genoeg zo rood als een brandweerwagen – legde de afstand doorgaans in zo'n vijftig minuten af. De eerste politieagent die haar aan de kant zette, was getrakteerd op een vluchtige glimp van haar insigne en had een korte reprimande aangehoord over de dringendheid van haar missie, waarna ze ervandoor was gesjeesd en hij in de berm langs de snelweg was achtergebleven. De tweede onfortuinlijke diender was een week later onderworpen aan een verbale vivisectie, gevolgd door twee vernietigende telefoontjes met haar mobieltje naar de districtscommandant en de commissaris van de verkeerspolitie. Een derde aanhouding was uitgebleven.

Om zes uur vanmorgen had Jess gebeld dat ze vandaag naar Knoxville zou komen, dus tenzij ze in het afgelopen halfuur naar een moord in Chattanooga was geroepen, snelde de Porsche nu als een kruisraket onze kant op. Ik hoopte maar dat het me lukte om het lijk op zijn plek te krijgen voordat Jess in Knoxville arriveerde.

Terwijl Miranda de pick-up voorzichtig naar het hek reed, hielp het schijnsel van de achteruitrijlichten me om de sleutel in het hangslot aan de binnenpoort te steken. Deze poort maakte deel uit van een bijna tweeën-halve meter hoge houten schutting, neergezet om rovende coyotes en teer-gevoelige zielen – of voyeurs – af te schrikken. De eerste paar jaar hadden we slechts een gaashek gehad, maar na een paar klachten en een handjevol sensatiezoekers hadden we boven op het gaas prikkeldraad aangebracht en om de hele achthonderd meter lange omtrek ook nog eens de houten omheining geplaatst. Voor behendige beestjes en vastberaden types was het nog steeds mogelijk om eroverheen te klimmen of te kijken, maar je moest er wel wat voor doen.

Het hangslot dat de houten poort afgrendelde, sprong met een tevreden stemmende klik open. Ik haakte het ene uiteinde van de ketting los van de beugel en stapte naar binnen. Terwijl de opening breder werd, kronkelde de ketting het gaatje in dat in de rand van het hek was geboord, als vermi-celli die met smaak werd opgeslorpt. In de muil des doods gezogen, dacht ik bij mezelf. Is dat een lachwekkende metafoor, of gewoon een akelig beeld dat ik maar beter voor me kan houden?

Terwijl ik de poort openhield, wurmde Miranda de pick-up moeiteloos door de smalle opening, alsof ze dagelijks aan de dienstingang van de dood bezorgde. Wat ook wel bijna klopte. Dankzij een stroom van tv-documentaires en de populariteit van CSI – een serie die ik slechts één keer vol ongeloof had bekeken – waren we de afgelopen drie jaar bedolven onder de gedoneerde lijken, en de wachtlijst (zoals ik de rij levenden noemde die ons hun lichaam hadden toegezegd) telde nu bijna duizend zielen. Nog even en we zouden ruimte tekortkomen; het was in feite nu al lastig om een stap te zetten zonder over een lichaam te struikelen of op een glibberig stuk grond uit te glijden waar onlangs nog een mensenlijk had liggen ontbinden.

Ongeveer de helft van de lijken diende enkel om te ontbinden totdat er een geraamte resteerde. Het was een stuk gemakkelijker om de tijd, bac-teriën en insecten – vooral de laatste – het vieze werk van het scheiden van vlees en been te laten doen, maar het duurde wel iets langer. Dankzij de efficiëntie van moeder Natuur in het opeisen van haar doden, hoefden we na het verblijf van een lijk in de Bodyfarm niets anders te doen dan de bot-ten af te boenen en reukloos te maken, ze nauwkeurig te meten, deze gege-vens in onze forensische database in te voeren en het geraamte in onze groeiende collectie op te bergen. Inmiddels bezat de universiteit van Tennessee 's werelds grootste verzameling hedendaagse geraamten waarvan de leeftijd, het geslacht en het ras waren vastgesteld. Dat was belangrijk, niet omdat het ons het recht gaf om onszelf op de borst te slaan, maar omdat het ons een geweldige, zich voortdurend ontwikkelende bron van vergelijkbare data verschafte, die forensische wetenschappers konden raadplegen wanneer ze het skelet van een onbekend moordslachtoffer onder hun neus kregen.

Het lijk dat nu achter in de pick-up lag, was echter voorbestemd om meer bij te dragen dan alleen maar zijn geraamte. Het zou een alles beslissend licht gaan werpen op een vooralsnog onbeantwoorde forensische vraag. Jaarlijks werden ongeveer vijftig lijken gebruikt voor onderzoeksprojecten van de faculteit of van studenten, waarbij doorgaans een of andere variabele werd onderzocht die invloed had op de snelheid van het ontbindingsproces. Een recentelijk experiment, bijvoorbeeld, toonde aan dat het lichaam van iemand die kort na het ondergaan van chemotherapie komt te overlijden, veel langzamer ontbindt dan wat ik vanaf dat moment was gaan beschouwen als 'organische' of 'geheel natuurlijke' lijken. Met andere woorden, chemotherapie vertoont meer dan een toevallige gelijkenis met balseming voordat de dood zijn intrede heeft gedaan, een niet bepaald geruststellende gedachte.

Toen Miranda het terrein op was gereden, duwde ik de poort weer dicht en stopte ik de ketting terug in het gat; het hangslot liet ik open, zodat Jess zo direct binnen kon komen. Miranda was al uitgestapt om het doek open te slaan en de laadklep te openen. Langzaam lichtte ze de klinken op en bijna teder opende ze de achterklep, een gebaar dat op deze vredige morgen toepasselijk en attent leek. Het was nog vroeg; het ziekenhuispersoneel dat dagdienst had, stroomde nog niet binnen op het naastgelegen parkeerterrein, en dus vormde het verre geronk van auto's op Alcoa Highway, ruim anderhalve kilometer verderop aan de westzijde van het complex, het enige verkeersgeluid. Zachtjes ontwaakte Tennessee, met net voldoende kou in de vroege maartse lucht om onze adem te zien. Ook zag ik van een aantal van de versere lijken damp opstijgen – niet van adem of restwarmte, maar van de krioelende massa maden die zich eraan te goed deden. Om een of andere reden deed het me goed behept te zijn met de esoterische kennis dat eten voor de naar verluidt koudbloedige made iets exotherms was en dat het gepaard ging met warmteontwikkeling. In de wetenschap waren maar weinig dingen zo zwart-wit als termen als 'koudbloedig' deden vermoeden, en ik vroeg me terloops af of deze warmte werd gevormd door de chemische reacties in de spijsverteringskanalen van deze insecten of door de omzetting van calorieën om hun kronkelende spiertjes van brandstof te voorzien. Misschien zou ik dat nog eens gaan bestuderen.

De eiken en esdoorns her en der op de helling begonnen al blad te krijgen. In hun takken tjirpte en kwinkeleerde een koor van rode kardinalen en spotmerels. Langs de stam van een dertig meter hoge pijnboom joegen een

10

paar eekhoorns elkaar achterna. Hierbuiten bij de Bodyfarm bruiste het van het leven, zolang je maar iets verder kon kijken dan de ruim honderd lijken die hier in verschillende stadia van verval rondslingerden.

Miranda en ik bleven een poosje zwijgend staan om het vogelgezang en het ambergele ochtendlicht in ons op te nemen. Een van de dartelende eekhoorns begon drukte te maken tegen de andere omdat die een van hun spelregels overtreden zou hebben, en Miranda glimlachte. Ze draaide zich naar me om en haar glimlach werd breder. Ik werd er volledig door verrast, bijna door overrompeld.

Miranda Lovelady was inmiddels al vier jaar mijn postdoctoraal assistente. Samen vormden we een goed functionerend team; als we in het lab de skeletachtige overblijfselen van een verkeers- of moordslachtoffer sorteerden, leken onze handelingen vaak gechoreografeerd en grensde onze onuitgesproken communicatie aan telepathie. Maar de laatste tijd maakte ik me zorgen dat ik bij haar een onzichtbare grens had overschreden; dat ze te zeer aan me gehecht was geraakt en ik dat had laten gebeuren, of misschien was het wel andersom. Hoewel Miranda officieel nog steeds een student was, was ze geenszins een kind; ze was een pientere, zelfverzekerde vrouw van 26 – of was het 27? – en ik wist dat de ivoren toren tot de nok gevuld was met hoogleraren die het met protegees hadden aangelegd. Maar ik was dertig jaar ouder, en zelfs als dat leeftijdsverschil haar op dit moment toelaatbaar leek, kon ik me niet voorstellen dat dit altijd zo zou blijven. Nee, dacht ik, ik was een mentor, en misschien ook een beetje een vriend, maar verder niets. En dat was voor ons beiden maar het beste zo.

Ik reikte achter in de pick-up, rommelde wat met een paar paarse nitrilhandschoenen en dwong ondertussen mijn gedachten terug naar het experiment dat we hier gingen opzetten. 'Jess – dr. Carter – moet hier elk moment zijn,' zei ik. 'Laten we een mooie boom zoeken waar we deze kerel aan vast kunnen binden.'

'Aha, dr. Carter.' Miranda grijnsde naar me. 'Ik méénde al dat je een tikje nerveus was. Zie je tegen haar op of ben je verliefd?'

Ik moest lachen. 'Allebei een beetje, vermoed ik. Ze is intelligent en ze is een harde, maar ook grappig en een streling voor het oog.'

'Allemaal waar,' beaamde Miranda. 'Ze zou je vast achter de broek zitten. En weet je, dat werd onderhand eens tijd.'

Ik wist het maar al te goed. Kathleen, met wie ik bijna dertig jaar getrouwd was geweest, was meer dan twee jaar geleden aan kanker gestorven, en pas nu was ik de klap een beetje te boven. Vorig najaar had ik de eerste vlinders in mijn buik gevoeld. Ze waren gaan fladderen, zo herinnerde ik me tot mijn schaamte, toen een studente me impulsief had gekust; de kus was gelukkig, hoewel gênant genoeg, verstoord door Miranda's verschijning in de deuropening van mijn werkkamer. Kort na deze ongepaste maar gedenkwaardige kus had ik een vrouw van iets meer mijn eigen leeftijd – niemand minder dan dr. Jess Carter – uitgenodigd voor een etentje. Jess was erop ingegaan, maar op het allerlaatste moment had ze moeten afzeggen omdat ze naar een moordzaak in Chattanooga was geroepen. Ik had nog niet de moed verzameld om haar nog eens te vragen, maar elke keer dat we door onze overlappende zaken – haar verse moordslachtoffers, mijn niet meer zo verse – met elkaar in contact kwamen, was de gedachte weer in me opgekomen.

'Maakt het nog wat uit aan wat voor soort boom we deze vent vastbinden?' Miranda's vraag herinnerde me aan wat ons te doen stond.

'Ik vermoed van niet, maar ze zei wel dat het slachtoffer aan een pijnboom vastzat, en daar hebben we er hier een paar van, dus we kunnen het net zo goed zo realistisch mogelijk maken. Dat kost ons niets extra.' Ik wees naar de boom waar de eekhoorns net nog hadden rondgerend. 'Wat zeg je van die daar?'

Miranda schudde haar hoofd. 'Nee, niet die,' antwoordde ze fronsend. 'Die lijkt me iets te veel... in het zicht staan. Als dit het eerste is wat een agent van de campuspolitie of een gastonderzoeker ziet als hij hier door de poort naar binnen loopt, kan hem dat weleens rauw op zijn dak vallen.' Daar zat iets in. 'Bovendien, zei je niet dat het slachtoffer ergens diep in de bossen werd aangetroffen?' Ook daar had ze een punt.

'Dat had ik wel begrepen, ja. Prentice Cooper State Forest. Dat beslaat een aardig ruig gebied langs de Tennessee River Gorge, iets stroomafwaarts van Chattanooga.' Ik wees verder omhoog langs de helling, naar een andere hoge pijnboom vlak bij de noordgrens van het complex. 'Alsjeblieft. Ziet dat er afgelegen genoeg uit?'

Ze knikte. 'Ja, dat lijkt er meer op. Het wordt wel zeulen om hem daarboven te krijgen, maar een beetje lichaamsbeweging kan geen kwaad, denk ik dan maar.'

'Zo van: als het niet onze dood wordt, maakt het ons sterker?'

'Precies.' Ze stak haar tong naar me uit.

Tegelijk bogen we ons over de achterbak van de pick-up en grepen we ieder een van de riempjes die aan de zijkanten van de zwarte lijkenzak waren genaaid. We trokken hem naar ons toe over de achterklep totdat hij ongeveer dertig centimeter uit de bak hing. 'Klaar?' vroeg ik.

'Klaar,' antwoordde ze, en daarop grepen we ieder nog een riempje, nu op ongeveer tweederde van de laadbak. Naarmate we de lijkenzak verder van de laadklep schoven, kregen we meer gewicht van het lijk te torsen. Het was zwaar – ruim tachtig kilo, ongeveer het gewicht van het slachtoffer, wiens plaats van overlijden we op het punt stonden na te bootsen. Hoe waarheidsgetrouwer de herschepping van het werkelijke misdrijf – niet alleen wat het lichaamsgewicht van het slachtoffer betrof, maar ook zijn verwondingen, kleding en positie – hoe accurater we konden inschatten hoe lang het slachtoffer al dood was, zodat de politie haar onderzoek beter kon toespitsen.

We waren amper vijftien meter opgeschoten op de helling, toen het zweet me al uitbrak op deze kille morgen. Ik wist zeker dat Miranda het net zo zwaar had, maar ook dat ze eerst moest instorten voordat ze zou klagen. Met dat laatste had ik zelf geen moeite; ik was best bereid om voor ons beiden te jammeren. 'Misschien dat je die eerste boom nog een keer wilt overwegen? Zou wel zo makkelijk zijn.'

'Hm-hm,' bromde ze knarsetandend, waarbij ze nadrukkelijk het hoofd schudde.

'Oké,' hijgde ik, 'jij bent de baas. Als ik een beroerte krijg voordat we boven op die heuvel zijn, gebruik mijn lichaam dan maar voor een of ander spectaculair onderzoek.'

'Graag,' pufte ze.

Tweemaal stopten we om even op adem te komen en ons het zweet van het voorhoofd te wissen, maar zelfs met deze rustpauzes lieten we de zak al half over de grond slepen voordat we de pijnboom vlak bij de omheining hadden bereikt. Maar terwijl ik de lange C-vormige rits langs drie kanten van de lijkenzak opentrok, moest ik toch toegeven dat voor dit experiment een afgelegen plek inderdaad veel geschikter was.

In het lijkenhuis hadden we het lijk geprepareerd, dus ik wist wat ik kon verwachten, maar toch hield ik de adem in terwijl ik de flap terugvouwde om ons proefkonijn te onthullen. De blonde pruik bleek iets te zijn verschoven en lag nu over het gezicht, waardoor veel van het letsel dat ik had toegebracht nu aan het zicht onttrokken werd, maar wat zichtbaar bleef, was nog altijd tamelijk heftig. Volgens Jess was het gezicht van het slachtoffer met brute kracht verbrijzeld, met behulp van een tamelijk groot voorwerp, giste ze, misschien een honkbalknuppel of een metalen pijp, en niet door iets kleiners, bijvoorbeeld een krik, wat scherpere, duidelijker sporen op het bot zou hebben achtergelaten. Ik kon mezelf er niet toe brengen om een gedoneerd lichaam met zulk grof geweld te lijf te gaan, en dus had ik me ertoe beperkt de jukbeenderen en de onderkaak op meerdere plekken met een autopsiezaag door te zagen en vervolgens op de huid eromheen een royale hoeveelheid bloed uit te smeren om het bloeden te simuleren dat de verwondingen zo rond het moment van overlijden zouden hebben veroorzaakt. Aangezien Miranda meer bedreven was in de kunst van het opmaken had zij op de wangen wat foundation en rouge, plus violette oogschaduw en een paar lange valse wimpers aangebracht. Ik had zo mijn twijfels of de make-up invloed zou hebben op de snelheid van ontbinding, maar ik wilde geen onnodige variabelen in de gelijkschakeling inbrengen.

Het leren korset dat we strak om de romp van ons proefkonijn hadden gesnoerd, bleek gemakkelijker verkrijgbaar dan ik had verwacht. Nog geen 24 uur eerder had Miranda vijf minuutjes wat gegoogeld en gesurft en vervolgens om mijn creditcard van de universiteit verzocht. 'Klaar is Kees,' had ze na een paar aanslagen op het toetsenbord verkondigd. 'Om zes uur morgenochtend arriveert er een bustier, maatje extra large, met dank aan het efficiënte teamwerk van FedEx en Naughty&Nice.com.' Zodra het afschrift van American Express op de deurmat viel, voorzag ik dat ik de accountants van de universiteit met rode konen enige uitleg zou moeten verschaffen, maar goed, authentiek onderzoek eiste zo af en toe zijn tol.

'Heb je het touw?' vroeg ik. 'Of moet ik terug naar de pick-up om het te pakken?' Miranda droeg een zwarte overall die wemelde van de zakken.

'Nee, ik heb het al.' Ze ritste een grote zak vlak boven haar linkerknie open en diepte een pakje nylonkoord en een groot, legerachtig zakmes op. Met één duimbeweging schoot er een gemeen getand lemmet tevoorschijn.

'Zo! Dat ziet er behoorlijk scherp uit,' reageerde ik. 'Hoe lang is dat wel niet, vijftien centimeter?'

Ze snoof minachtend. 'Geloven mannen nou echt dat vijftien centimeter er zo uitziet? Hou het maar op negen centimeter.' Met het puntje van haar mes tikte ze handig de plastic wikkel van het pakje weg, waarna ze twee meter koord afwond – of was het één meter tien? – en het met een snelle haal doorsneed. 'Wil jij zijn handen vastbinden terwijl ik zijn voeten doe?'

Ik nam het stuk touw en begon de polsen voor de borst van het lijk te binden. Miranda sneed nog een stuk af en snoerde de enkels aan elkaar vast. Terwijl ze het touw boven de stilettohakken strak aanhaalde, bleef het even haken aan de netkousen. 'Wat er zo spannend is aan het dragen van kleren van het andere geslacht heb ik nooit zo begrepen,' zei ze, 'of het nu gaat om de kerels die het doen of om de mensen die travestietenshows bezoeken. Maar ik begrijp net zomin dat iemand zich zó kwaad kan maken om een kerel die een pruik en een hoerig outfitje draagt, dat ie hem dood slaat.'

'Ik ook niet,' beaamde ik. 'Wat ik na al die jaren en al die moorden wél begrijp, is dat ik heel wat dingen van de menselijke aard niet begrijp.'

Zodra onze stand-in was gekneveld als het Chattanooga-slachtoffer, was onze volgende taak hem aan de boom vast te binden. 'Jess zei dat zijn handen boven zijn hoofd zaten,' zei ik half tegen Miranda en half tegen mezelf.

'Maar het is wel lastig om ze zonder een ladder daarboven te krijgen.' Ik zocht naar een lage tak. 'Misschien als ik een touw over die tak gooi, we die als een katrol kunnen gebruiken om hem omhoog te hijsen.' Miranda sneed nog een stuk touw af, dat ik vervolgens vlak bij de stam over de tak wierp. Het ene uiteinde bond ik vast bij de polsen, en samen trokken we aan de lijn. Het nylonkoord was dun en sneed in onze handen, maar toen we het lijk overeind hadden, hielp de wrijving van het touw aan de tak het in positie te houden.

'Kun jij hem houden, denk je, als ik zijn benen aan de boom vastbind?'

'Ja,' antwoordde Miranda, en ze draaide het touw nog een keer om haar hand.

Knielend bij de boom trok ik de voeten dicht bij de stam en begon ze daaraan vast te binden. Een wesp zoemde om mijn nog altijd zweterige gezicht, en met een hand sloeg ik hem weg. Plotseling hoorde ik een harde schreeuw – 'Verdomme!' – gevolgd door een kletsend geluid. Vervolgens: 'O, shit, pas op!'

Met een plof kieperde het lijk naar voren, drapeerde het zich over mijn hoofd en schouders en wierp het me plat tegen de grond. Kronkelend als een reusachtig insect lag ik vastgepind aan de voet van de boom, neergedrukt door het bizar uitgedoste lijk. 'Sorry, sórry,' reageerde Miranda, en ze begon te grinniken. Maar plotseling hield het gegrinnik op, en ik zag al snel waarom.

Twee laarzen van ratelslangenleer, met daarboven een zwarte spijkerbroek, verschenen in beeld en hielden stil op amper dertig centimeter van mijn gezicht. Zelfs voordat ze een woord sprak, wist ik dat deze slangenleren laarzen zich om de voeten van dr. Jess Carter hadden gekronkeld. Het volgende moment begon haar rechterteen langzaam en, naar mijn inschatting, sarcastisch te tikken.

'Laat je niet kisten, Brockton,' zei ze eindelijk. 'Volgens mij kun je hem wel aan. Twee uit drie, dan win je.'

'Heel grappig,' reageerde ik. 'Zouden jullie deze meneer misschien even van me af willen halen?'

Jess greep het touw om de polsen van de dode man; Miranda pakte een been. Samen gaven ze een ruk, en het lijk rolde naast me op zijn rug. Ik kwam overeind en redde daarmee zo veel mogelijk van mijn waardigheid. Met het oog dat Miranda niet kon zien, knipoogde Jess even naar me. Als ik niet al een rode kop had gehad, zou ik gebloosd hebben.

'Dit is niet een van de punten die je me hebt verzocht te onderzoeken,' liet ik haar weten, 'maar volgens mij waren er meerdere mensen bij de moord betrokken. Zonder hulp is het tamelijk lastig om zijn armen zo hoog aan de boom vast te binden.'

'Ik begrijp wat je bedoelt,' zei ze, 'maar de technische recherche kwam er niet uit. Het terrein is daar vrij rotsachtig, en we hebben een paar weken droogte gehad, dus wat voetafdrukken betreft was er niets bruikbaars.'

'Jammer dat ik niet in de stad was toen hij werd gevonden,' zei ik. 'Mijn secretaresse vertelde me dat je net belde toen mijn vliegtuig opsteeg met bestemming Los Angeles.'

'Ja, verdomd onattent van je dat je de politie van LA met een zaak hebt geholpen,' zei ze. 'Straks moeten we je zo'n elektronische enkelband omdoen zodat je Tennessee niet verlaat.'

'Dat zal niet gaan,' zei ik wijzend naar mijn verschoten spijkerbroek en werkschoenen. 'Dat zou mijn modebeeld verpesten.'

'Onzin,' reageerde ze. 'Het gerucht gaat dat Martha Stewart binnenkort met een designerlijn van correctiekleding en accessoires komt. Ik weet zeker dat het Martha-enkelbandje jou geweldig zal staan.' Jess reikte me het touw aan. 'Zullen we nog een poging wagen?' Deze keer zorgde ik ervoor dat, zodra we het proefkonijn overeind hadden gehesen, ik het touw meteen aan de tak knoopte. Ik bond de benen vast, en toen Jess te kennen gaf tevreden te zijn met de positie, sneed Miranda de losse uiteinden van het touw af.

'Het vreemde is dat het hoofd en de hals in betere conditie verkeerden dan ik had verwacht,' zei ze. 'Veel letsel, maar weinig ontbinding als je bedenkt hoeveel bloed er was om de vliegen aan te trekken. Je zou denken dat hij helemaal niet zo lang buiten heeft gestaan, behalve dat er op de onderbenen bijna geen zacht weefsel meer zat.'

'Denk je dat vleeseters dat misschien deden? Coyotes, vossen of wasberen?'

'Wie weet,' antwoordde ze, 'maar ik zag weinig tandafdrukken. Ik zou graag willen dat jij een keer naar hem komt kijken, misschien dat ik iets over het hoofd heb gezien.'

'Mij best,' zei ik. 'Ik kan waarschijnlijk later in de week naar Chattanooga komen. Toch vroeg ik me één ding af: waarom doe je deze zaak eigenlijk? Ik heb op de kaart gekeken, en Prentice Cooper State Forest ligt toch over de grens in Marion County?'

Ze glimlachte. 'Jij was in je padvindertijd zeker een kei met kaart en kompas, hm?' Ik grijnsde; ze had gelijk, ook al maakte ze een grapje. 'De politie kreeg een paar weken geleden op een avond een melding van een ontvoering vanaf het parkeerterrein van Alan Gold's. Dat is een homobar in Chattanooga, waar ze de beste travestietenshow in heel East Tennessee hebben. Een vrouw – of iemand die zich daarvoor uitgaf – werd volgens een getuige in een auto gedwongen, die daarna snel wegreed. We gaan uit van de theorie dat het misdrijf in Chattanooga begon.' Ze zweeg even, alsof ze overwoog of ze nog meer moest vertellen. 'Bovendien,' ging ze verder, 'is Marion County het platteland en heeft het maar een klein bureau met één sheriff. Ze beschikken gewoon niet over de forensische middelen om deze zaak aan te pakken.'

'Zit wat in,' reageerde ik. 'Goed, ik geloof dat we zover zijn om de natuur haar werk te laten doen. We gaan deze meneer elke dag controleren, en de buitentemperatuur in de gaten houden. De weersverwachting voor de komende twee weken – als je AccuWeather mag geloven – luidt: temperaturen zoals jullie die de afgelopen paar weken in Chattanooga zo'n beetje hebben gehad. Het tempo van de ontbinding hier zou dat van het slacht-offer dus min of meer moeten volgen. Zodra zijn toestand overeenstemt met die van jouw man, zouden we moeten weten hoe lang hij daar buiten heeft gestaan toen die arme wandelaar hem vond.'

Jess keek nog eens naar het lijk aan de boom. 'Er is nog één detail dat we moeten aanbrengen om de herschepping helemaal authentiek te laten lij-ken.' Ik keek haar vragend aan. 'Ik heb je er nog niet over verteld,' legde ze uit, 'want je werd al wat nerveus van het letsel aan het hoofd en het gezicht, dus ik dacht dat je hier wel helemaal een zenuwinzinking van zou krijgen.' Ze trok een lang, scherp mes uit de schede aan haar riem, zette een stap naar het lijk, rukte het zwarte satijnen slipje en de netkousen waar wij hem nog in hadden gehesen van zijn lijf en sneed zijn penis er helemaal af.

'Goeie god,' hijgde Miranda geschokt.

'Integendeel,' zei Jess. 'Dit was eerder het werk van de duivel.' Ze zuchtte eens diep. 'Bill, zeker weten dat deze kerel niets onder de leden had?'

Ik wist amper een woord uit te brengen. 'Nou, ik kan je zeggen dat hij geen hiv of hepatitis had. Maar op meer hebben we niet getest, dus ik kan niet garanderen dat hij geen syfilis of een druiper had.'

Ze bekeek de penis. 'Ik zie geen duidelijke symptomen,' zei ze, en ze trok haar linkerhandschoen uit, duwde zacht met haar duim op het afgesneden orgaan en walste er een duimafdruk op. Terwijl Miranda en ik vol ongeloof en afgrijzen toekeken, wrikte ze de kaak van het lijk open en propte ze de penis in de mond.

'Ziezo,' zei ze. 'Nú lijkt het er precies op.'

2

'Politie Knoxville.'

Wat dommig staarde ik naar de hoorn in mijn hand, alsof het politiebureau wel de laatste plek was waar ik criminalist Art Bohanan zou hebben verwacht te bereiken. De afgelopen twintig jaar hadden Art en ik bij tientallen zaken samengewerkt. Niet alleen bleek hij op een plaats delict over haviksogen te beschikken, maar ook in het lab had hij zich haarscherp getoond en wist hij in tapijtvezels, stukjes bekleding, kogelbanen en ogenschijnlijk willekeurige spatjes bloed belangrijke aanwijzingen te ontdekken. Bovendien had hij zich ontwikkeld tot een van de meest vooraanstaande experts van vingerafdrukken, en had hij apparatuur en technieken bedacht die zelfs door de FBI werden gebruikt om latent aanwezige vingerafdrukken zichtbaar te maken, waaronder de ogenschijnlijk onzichtbare afdrukken op iemands lichaamshuid.

'Politiebureau Knoxville. Waarmee kan ik u van dienst zijn?'

De man aan de andere kant van de lijn, een te dikke brigadier die al op zijn pensioen afstevende, zo stelde ik me voor, klonk kregelig, ook al stelde hij zich dienstbaar op.

'O, sorry,' stamelde ik. 'Ik was op zoek naar Art Bohanan. Ik verwachtte hem of zijn voicemail te horen.'

'Hij is er niet, meneer. Kan ik een boodschap aannemen?'

'Weet u wanneer hij weer bereikbaar is?'

'Nee, meneer. Ik weet alleen dat hij nu niet te spreken is. Wilt u een boodschap achterlaten of niet?'

'Eh, ja. Graag. Zeg hem – vraag hem – dr. Brockton te bellen zodra hij in de gelegenheid is, alstublieft.'

'Dr. Brockton? Hé, hallo doc!' Opeens was het een en al hartelijkheid. 'U spreekt met brigadier Gunderson. Ik was degene die indertijd die vent onder het viaduct over Magnolia Avenue vond, zo'n tien jaar geleden. Herinnert u zich dat nog?'

'Zeker weten,' antwoordde ik, terugdenkend met een glimlach, maar dat laatste ook vanwege mijn talent voor deduceren. Gunderson was inderdaad een te dikke brigadier die op zijn pensioen afstevende. De zaak was mede gedenkwaardig geweest omdat Gunderson het zowaar op een looppas had moeten zetten. 'U zat toch die avond een dief achterna, als ik me het goed herinner?'

Hij grinnikte. 'Klopt. Totdat ik verdomme over dat lijk struikelde en op m'n paasei terechtkwam. Schrok me te pletter. En ook nog eens bijna m'n broek aan gort. Vlak voordat ik op m'n bek ging, hoorde ik de vent die ik achternazat opeens een gil slaken, dus hij moest het ook hebben gezien.'

'Lijkt me inderdaad geen pretje om in het maanlicht over iets dergelijks te struikelen,' zei ik. Het lichaam behoorde toe aan een van de plaatselijke drankorgels. Afgaand op de mate van ontbinding – de schedel was bijna geheel ontveld, met hier en daar nog wat zacht weefsel op zijn borst en ledematen – moest hij die hete zomer ongeveer een week onder dat viaduct hebben liggen rijpen. Zijn omtrek was haarscherp en vettig afgetekend op het beton, dankzij de vetzuren die uit zijn lichaam waren gevloeid en zo zijn uitgespreide armen en benen, ja zelfs de stand van zijn vingers hadden afgetekend. Onder de agenten ter plekke werd druk gespeculeerd over wie het op deze man kon hebben gemunt, en wat voor voorwerp de schedel met zo'n kracht had kunnen verbrijzelen. Ik had toen gewezen naar een lege fles Mad Dog 20/20 zonder dop, die netjes op de reling van het viaduct boven ons lag, een fles, zo ontdekte Art later, die vol zat met de vinger- en lipafdrukken van de overleden man. De dia's van die zaak heb ik later, tijdens mijn colleges voor politieagenten, nog vaak getoond om er nog eens op te wijzen hoe belangrijk het is om op een plaats delict je ogen de kost te geven.

'Art zit met een speciale opdracht, doc,' legde Gunderson uit. 'Maar ik zal hem even oppiepen, dan kan hij u terugbellen.'

'Bedankt. Leuk u even gesproken te hebben, brigadier,' zei ik. 'Kijk voortaan maar goed uit waar u loopt. Je weet nooit waar het volgende lijk verborgen ligt.'

Hij grinnikte nogmaals. 'Nou, hier op het hoofdbureau weet ik alle kasten wel te vinden, hoor. Tot ziens, doc. Bel gerust nog eens.'

Twee minuten later ging mijn telefoon. 'Bill? Met Art.'

'Art Bohanan, geheim agent?'

'Wie zal het zeggen. Wie wil dat weten?'

'Niemand, nu je het mij vraagt,' antwoordde ik. 'Heb je even tijd voor een snelle tip, wat vingerafdrukken betreft?'

'Eigenlijk ben ik nu even met iets anders bezig, maar een paar minuutjes heb ik wel voor je. Je hebt zeker weer iets goors, zoals gewoonlijk?'

'Ik zou niet durven je teleur te stellen.'

'Pen bij de hand?' vroeg hij. Snel gleden mijn ogen over mijn bureau en ten slotte vond ik een potloodstompje. 'Kan ermee door. Hoezo?'

'Broadway, nummer 2035. Kom hierheen.'

'Hoezo? Waar zit je eigenlijk? Waar ben je mee bezig?'

'Kan nu even niet praten. O, heb je een gettoblaster in je kantoor?'

Zo zou ik het niet willen noemen. Het was een radio die ik op de zender van de universiteit had afgestemd, met klassieke muziek, en zo zacht dat het bijna subliminaal was, maar ik antwoordde bevestigend.

'Neem mee.'

'Waarom?'

Maar hij had al opgehangen, en dus moest ik het zonder uitleg stellen.

Voor de tweede maal staarde ik dommig naar de hoorn in mijn hand. Daarna hing ook ik op. Mijn gettoblaster stond op een dossierkast vlak achter de deur van mijn werkkamer. Het snoer, bedekt met stof en spinrag, verdween achter de kast die dicht tegen de muur stond, of in elk geval tegen het stopcontact. Ik sloeg mijn handen om de achterkant van de kast en gaf een ruk. Niets. Sinds ik de radio had geïnstalleerd en de kast weer op zijn plek had geschoven, was deze door de jaren heen geleidelijk aan met kilo's papier gevuld.

Ik verschoof mijn handen iets, en kruiste mijn polsen, wat op de een of andere manier de kracht over beide armen beter verdeelde. Daarna plaatste ik mijn linkervoet bijna op heuphoogte en mijn handen tegen de deursponning, en strekte mijn been. Met een gekerm dat bijna het glazuur van mijn tanden deed springen, schoof de kast zo'n tien centimeter naar voren. Triomfantelijk reikte ik in de kier, trok de stekker uit het stopcontact en trok het snoer en mijn arm vrij, beide bedekt met spinrag en vuil. 'Je moet wel iets heel bijzonders in petto hebben, Art,' mompelde ik.

3

Honderd jaar geleden was Broadway nog een van de toonaangevende brede lanen in Knoxville, met links en rechts elegante victoriaanse herenhuizen op grote, schaduwrijke percelen. Sindsdien was de straat echter in verval geraakt, vooral in de buurt van het adres dat Art me had gegeven. Vanuit de binnenstad in noordelijke richting rijdend, passeerde ik twee van de daklozencentra van de stad. Ze gingen pas om vijf uur in de middag open, dus het grootste deel van de dag doolde hun clientèle rond op Broadway; een aantal hing wat rond of lag te pitten op nabijgelegen begraafplaatsen. De laatste decennia waren enkele naburige straten, die door een blok huurwoningen werden afgeschermd van het verderf van Broadway, weer wat opgeleefd. Deze enclaves van wijkverbetering, die konden bogen op pastelkleurige huizen met schitterende opschik, vormden een stimulerende herinnering aan hoe prachtig Old North Knoxville ooit was geweest voordat de Interstate 40 er zijn verwoestende spoor had getrokken en Broadway zelf een verkeersslagader was geworden, compleet met slijterijen en pandjeshuizen.

Ik had enige moeite om het adres te vinden waarnaar Art me had ontboden. 'Verdomme,' mopperde ik, 'waarom zetten mensen geen huisnummers meer op gebouwen?' Ik reed langs de afslag naar St. Mary's Hospital – waar enkele decennia geleden, toen de thermostaat van onze aarde nog niet zo hoog was opgedraaid, mijn zoon Jeff tijdens een sneeuwstorm was geboren – en ontwaarde eindelijk een huisnummer op een van Broadways handjevol resterende herenhuizen. Het was nu een rouwcentrum, dat een redelijk aantal geliefde overledenen naar de Bodyfarm had verzonden.

Naar het adres te oordelen, dat ik me overigens had moeten herinneren vanwege alle bedankbriefjes die ik hun had gestuurd, was ik Arts locatie langs meerdere straten voorbijgereden. Ik stoof het parkeerterrein op, reed om de glimmend zwarte lijkwagen heen en keerde om op Broadway, terug in de richting van de binnenstad. Terwijl ik voort kroop, speurend naar het huisnummer, ontstond er een kleine file achter me. Ten einde raad draaide ik ten slotte het parkeerterrein van een klein, vervallen winkelcentrum op, waar de voornaamste huurder vanwege de surrealistische types die er winkelden in heel Knoxville bekendstond als 'de Fellini

Kroger'. Aangezien Old North Knoxville vrij dicht bij de campus lag en huisvesting bood die neigde naar interessant maar goedkoop, woonden er redelijk wat promovendi. Een van mijn forensische studenten die nooit zijn belangstelling voor culturele antropologie had verloren, liet zijn bezoekjes aan de Fellini Kroger graag samenvallen met de uitbetaling van arbeidsongeschiktheidsuitkeringen bij de sociale dienst. Op die dagen, zo zwoer hij, kon de rij voor de kassa wedijveren met elke circusattractie ter wereld.

Iets voorbij de Kroger reed ik stapvoets langs nummer 2043 – eindelijk, een nummer! – een Dollar General Store, en ik parkeerde de pick-up. Met het gevoel dat ik behoorlijk in de gaten liep en nogal imbeciel overkwam, tilde ik de gettoblaster van de passagiersstoel, alsmede de kleine koelbox die Jess uit Chattanooga had meegenomen, en begaf ik me langs de rij winkels. Aan het andere eind van het winkelcentrum, naast een door klimplanten overwoekerde afvoergeul, belandde ik opeens voor een deur met nummer 2035. Op de deur en de ramen zat weerspiegelende folie; een met de hand geschilderd bord op het vensterglas gaf aan dat hier BROADWAY JEWELRY & LOAN gevestigd was. Onzeker wilde ik naar binnen gaan, maar de deur zat op slot. Ik zette de gettoblaster en de koelbox neer, drukte mijn neus tegen de deur en sloeg mijn handen om mijn ogen om het zonlicht te weren. Binnen zag ik een reus van een vent achter een toonbank staan. Ik tikte tegen de ruit; hij keek op en wees nadrukkelijk rechts van me. Op het deurkozijn zat een knop die wel iets weg had van een deurbel. 'Goeie genade,' mompelde ik, maar ik drukte erop. Binnen hoorde ik een metalige zoemer gaan – ik was enigszins verrast dat ie het deed – en vervolgens klonk er een luide klik in het kozijn. Ik pakte mijn spullen op en duwde de deur open. Achter de winkelpui was het een krappe boel, en langs een van de muren hingen planken die doorbogen onder het gewicht van stereo's, tv's en zwaar gereedschap; langs de tegenoverstaande muur stond een lange glazen toonbank waarop de man die me had binnengelaten geleund stond. Zijn stevige onderarmen rustten op een bordje waarop stond NIET OP DE TOONBANK LEUNEN.

'Neemt u me niet kwalijk,' begon ik, 'ik geloof dat ze me het verkeerde adres hebben gegeven.'

Hij nam me op en keek naar de gettoblaster. 'Hangt ervan af,' zei hij. 'Wie heeft het u gegeven?'

'Mijn vriend Art. Art Bohanan. Hij werkt bij de politie.'

Als een hond die achter een postbode aan zit, sprong de reus over de toonbank. Voordat ik wist wat er gebeurde, stond ik met mijn neus tegen het glas gedrukt en met mijn rechterarm omhoog tussen mijn schouderbladen. 'Ik wil weten wie u bent, meneer, en wat u met uw geklets over de politie komt zoeken, verdomme.'

'Bill? Bill, ben jij dat?' Vanachter de zaak dreef Arts stem de winkel in. 'Niks aan de hand, Tiny. Hij hoort bij ons.'

Net voordat mijn arm op het punt stond te breken, liet Tiny mijn arm los. 'Verdomme, Tiffany, waarom heb je me niet gezegd dat er iemand zou komen? En waarom hier eigenlijk? Je weet toch zeker wel beter?'

Tiffany? Nu was ik het spoor helemaal bijster. Door een gordijn achter in de winkel verscheen Art. 'Sorry hoor, ik had het nog willen zeggen, maar ik was het vergeten. Tiny, dit is dr. Bill Brockton. Bill, dit is Tiny.'

'Tiny en ik hebben al kennisgemaakt,' zei ik, over mijn arm wrijvend.

Tiny nam me nog eens aandachtig op en zag nu iets anders dan daarnet. 'U bent die vent van de Bodyfarm?' Ik knikte bevestigend. 'Nou zeg, het is een eer met u kennis te maken, doc,' zei hij terwijl hij mijn hand beetpakte en mijn gemangelde arm op en neer pompte. 'Sorry dat ik net een beetje opgewonden reageerde. U bent niet bepaald het soort klant dat we hier bij Broadway Jewelry & Loan helaas gewend zijn. Ik was even bang dat onze dekmantel was verknald.'

Plotseling had ik door waar ik was en waarom Art me had gevraagd om de gettoblaster mee te nemen. 'Dus jullie leiden hier een undercoveroperatie om mensen in de val te lokken? Handel in gestolen waar?'

'Tiny wel,' antwoordde Art. 'Ik zit achter, waar ik nuttig gebruikmaak van een deel van de inventaris. Kom binnen. Welkom in mijn wereld. En die van Tiffany.'

Terwijl ik door het gordijn stapte, moesten mijn ogen even wennen aan het duister. Afgezien van wat er langs het gordijn naar binnen lekte, kwam het enige licht hier van twee grote computerschermen. Toen ik me realiseerde wat erop te zien was, draaide mijn maag zich om. 'O, jézus, Art.'

Op een scherm was een dikke, poedelnaakte man van middelbare leeftijd te zien. Hij had geslachtsgemeenschap met een meisje dat niet ouder dan een jaar of negen kon zijn geweest. Het andere scherm toonde dezelfde man, die nu oraal bediend werd door een jongetje dat zelfs nog jonger leek dan het meisje.

'Walgelijk, hè?' zei Art. 'Ik zit hier dagelijks urenlang naar dit soort vuiligheid te kijken. Het grijpt me aan, dat kan ik je wel vertellen.'

'Ik kan me er zelfs geen voorstelling van maken. Hoe kreeg je hier in vredesnaam mee te maken? En waaróm, in godsnaam?'

Hij zuchtte. 'Herinner jij je nog dat kleine meisje dat een paar maanden geleden werd ontvoerd, verkracht en vermoord? En dat de dader werd verdedigd door je maatje Grease?' Ik knikte en grimaste; Art was zwaar over de rooie geweest door deze zaak, met name door het feit dat de advocaat van de ontvoerder, Burt DeVriess, – 'Grease', zoals de meeste politiemensen hem noemden – de zoektocht naar de auto waarin het kind was gekidnapt, had opgehouden. 'Nou, toen we eindelijk het huis en de computer van die vent doorzochten, troffen we tonnen kinderporno aan. Niet verrassend; veel kinderverkrachters handelen in kinderporno via internet, en sommigen struinen online chatrooms af, op zoek naar slachtoffers.' Ik knikte. 'Na die zaak besloot de commissaris dat het tijd was om achter dat soort lui aan te gaan vóórdat ze toesloegen, in plaats van erna. En raad eens wie dat mocht doen?'

Hij klonk verbitterd over de opdracht, maar ik kende Art wel beter. Waar hij verbitterd over was, was dat kinderverkrachters bestonden. Om dag en nacht in hun virtuele gezelschap te moeten verkeren, zou hem beslist niet koud laten, maar ik wist dat hij met niet-aflatende ijver jacht op hen zou maken.

'En wat heeft dat gedoe met "Tiffany" te maken?'

'Dat is een van mijn chatroomnamen. Ik ben een dertienjarige meid die een bloedhekel heeft aan haar ouders, die graag chat en niet kan wachten om te ontdekken hoe de liefde echt in elkaar steekt. Ik heb al een stuk of tien vieze oude mannetjes in Tennessee die gewoon staan te popelen om me in te wijden in de geneugten van het vlees.'

'Het is wel duidelijk dat ze een heel ander beeld van jou hebben dan ik,' merkte ik op met een blik op zijn gedrongen lijf en grijzende haar.

'O, absoluut,' zei hij. 'Ik ben eigenlijk lang en slank, maar alle jongens zeggen dat ik mooie tieten en een lekkere kont heb.'

Ik huiverde. 'Gatver. Ik kan gewoon niet geloven dat je zo moet denken.'

'Vertel mij wat. Een zo'n engerd wil me nu overhalen om stiekem ergens af te spreken. Een of andere zakkenwasser in Sweetwater, die denkt dat ik daar dit weekend op bezoek ben bij mijn tante die o zo toevallig vlak bij het Motel Six woont. Ik kan gewoon niet wachten om de blik op zijn smoel te zien als ik de deur van de motelkamer intrap, met mijn penning zwaai en roep: "Hallo, kloothommel, ik ben Tiffany, en jij staat onder arrest."'

Ik moest wel lachen, ondanks het minder mooie onderwerp. 'Maar Sweetwater ligt tachtig kilometer zuidelijker. Is dat niet een beetje buiten je rechtsgebied?'

'Vroeger wel,' antwoordde Art. Hij pakte een penning van het bureau op en gaf hem aan me. Het was een vijfpuntige gouden ster, omcirkeld door de woorden UNITED STATES MARSHAL.

Ik floot. 'U.S. Marshal? Hoe speelt een eenvoudige agent van het korps van Knoxville zoiets klaar?'

'We werken samen met de FBI,' legde hij uit. 'De federale en postale recherche. Ik mag overal in de staat mensen aanhouden. Geloof het of niet, maar dit hier' – hij gebaarde met een boog naar het smoezelige vertrek – 'is het hoofdkwartier van de Tennessee Task Force on Internet Crimes Against Children. Voorlopig behelst dat alleen mij en wat gestolen computers, maar we staan op het punt een serieuze geldinjectie en extra mankracht te krijgen.'

'Da's heel fijn voor je,' reageerde ik. 'Doet me denken aan mijn eigen werk: dat stinkt ook, maar iemand moet het doen. Ik kan niemand bedenken die dit met meer toewijding en integriteit zou doen dan jij.'

'Maar ik weet niet zeker hoe lang ik er nog tegen kan,' zei hij. 'Ik ben hier pas twee maanden mee bezig, en mijn bloeddruk bereikt nu al ongekende hoogten, ik kan amper slapen en als ik wél slaap, heb ik vreselijke nachtmerries.'

Het verbaasde me niets, want ik wist dat Art een fatsoenlijke vent was. 'Je staat nu op een behoorlijk heftig dieet,' zei ik. 'Niets anders dan verrot fruit van de boom der kennis.'

'Hoort er niet ook wat goed fruit aan die boom te zitten? De laatste keer dat ik de bijbel las, werd hij de boom der kennis van goed en kwaad genoemd.'

'Ja, maar het goede spul hangt aan takken waar wij geen van beiden van mogen plukken,' reageerde ik. 'Over slecht fruit gesproken: ik zal je even laten zien waar je voor mij een vingerafdruk van moet maken. Misschien dat je liever eerst even handschoenen aantrekt.' Ik reikte in mijn broekzak en trok een paar latexhandschoenen voor hem plus een paar voor mezelf tevoorschijn. Vervolgens opende ik de kleine koelbox die Jess me had meegegeven. Daarin, op een bedje van ijs en verzegeld in een plastic zakje, lag de penis van het Chattanooga-slachtoffer. Door het zakje was duidelijk een bloedige duimafdruk – groter dan die Jess op ons proefkonijn had geplant – te zien.

Als ik had geweten dat Jess dit weerzinwekkende bewijsstuk mee zou nemen, zou ik Art hebben verzocht om ons bij de Bodyfarm te treffen. Ik had er echter geen bezwaar tegen om koeriertje te spelen, want ik had Art al in geen weken meer gezien en verwelkomde de kans om wat met hem bij te praten, ook al was het maar voor even.

Toen hij het voorwerp in het zakje herkende, sperden Arts ogen zich wijd open. Zachtjes floot hij tussen zijn lippen door. 'Ai, man. Nou, je bent in elk geval naar de juiste plek gekomen,' zei hij, knikkend naar de beeldschermen. 'Het lijkt hier wel het themapark van de hel. Wat is het verhaal hierachter? Dat is er toch wel, hè? Ik bedoel, er komt hier niet elke dag iemand langs met een afgesneden pik op ijs.'

'Natuurlijk zit hier een verhaal achter. Alleen weten we nog niet welk. De bezitter hiervan werd vastgebonden aan een boom in een staatsbos buiten Chattanooga gevonden. Hij droeg een vrouwenpruik, make-up en een leren korset. Hoofd en gezicht waren flink in elkaar gebeukt. En deze jongeheer zat in zijn mond gepropt.'

'Ik kan nog wel wat kerels bedenken die eenzelfde behandeling verdienen,' zei hij. 'Sorry,' verontschuldigde hij zich, 'ik wil niet zeggen dat deze kerel dit verdiende. Ik moet mijn denken niet laten vergiftigen door wat ik hier doe.'

'Maakt niet uit,' zei ik. 'Het lijkt me moeilijk dat te vermijden.'

'Wat denk je? Zit hier een homohater achter?'

'Nou, daar lijkt het op het oog wel op. In eerste instantie, in elk geval.'

Art knipte een kleine bureaulamp naast een van de beeldschermen aan; gelukkig zette hij ook beide schermen uit. Terwijl hij het afgesneden orgaan behoedzaam in de palm van een gehandschoende hand hield, bracht hij zijn hoofd omlaag en bestudeerde de bloedige afdruk aandachtig. 'Geen slechte afdruk, alles wel beschouwd,' concludeerde hij. 'Als je moordenaar zo attent is geweest om ergens vingerafdrukken in een dossier te hebben, zouden we weleens een match kunnen vinden. Maar dan moet ik er wel mee naar het lab. Zin om mee te gaan?'

'Moet je dan niet hier blijven... Tiffany?'

Hij keek me boos aan en zette een hand achter een oor. 'Ik geloof dat ik mijn irritante oude moeder hoor roepen,' zei hij aanstellerig. 'Ze zegt dat ik moet stoppen met sms'en en mijn stomme wiskunde moet gaan maken. Du-huh, wat een onwijze trut, hè?'

Hij knipte de monitors weer aan en dwong me daarmee meteen naar de voorzijde van het pandjeshuis te vluchten, waar ik Tiny's handelswaar aan een inspectie onderwierp. De glazen vitrine bevatte verscheidene iPods, een handvol zware gouden halskettingen en minstens een stuk of vijf pistolen, in prijs variërend van honderd tot driehonderd dollar. Ik zag geen verschil tussen het goedkoopste en het duurste, en dus vroeg ik Tiny om uitleg. 'Dit hier is een Hi-Point,' zei hij terwijl hij het pistool van honderd dollar oppakte. 'Daar stikt het van op straat, omdat ze zo verdomd goedkoop zijn. Sommige mensen zeggen dat ze slecht zijn omdat ze blokkeren, maar dat is volgens mij meestal te wijten aan slechte munitie. Natuurlijk, als je je slechts een pistool van honderd dollar kunt veroorloven, moet je waarschijnlijk ook goedkope munitie kopen. Dus je kunt hoe dan ook in de aap gelogeerd zijn.' Hij pakte het dure vuurwapen uit de vitrine. 'Dit is een SIG Sauer,' zei hij. 'Alles aan dit wapen is top. Als ik een of andere klootzak moet omleggen, dan moet ik op mijn blaffer kunnen vertrouwen, of niet soms?'

'Eh, tuurlijk,' antwoordde ik. 'Zeker weten.'

'Oké, scherpschutter, we gaan,' zei Art. 'Ik moet nog een heel uur huiswerk maken, en daarna moet ik terug, want ik heb een afspraakje in de chatroom.'

4

Het politiebureau van Knoxville was gehuisvest in een gebouw van grijs beton en bruine bakstenen, en van een vooralsnog niet te bepalen bouwjaar, eind jaren zestig, begin jaren zeventig, zoiets. De hoogtijdagen van de 'stadsvernieuwing', toen complete huizenblokken tegen de vlakte gingen om ruimte te maken voor parkeerplaatsen en harde, zakelijke blokkendozen. Vanwege de locatie, op een steenworp afstand van de goedkope woonwijken van de stad, bespaarde de politie de stad jaarlijks waarschijnlijk duizenden dollars aan benzinekosten.

Terwijl Art en ik de balie passeerden, zocht ik naar Gunderson, de brigadier met wie ik eerder die dag nog even wat had gedold, maar zijn dienst zat er blijkbaar op, want de balie werd nu bemand door een jonge Latijns-Amerikaanse vrouw. Ze zwaaide naar Art, keek mij en mijn koelbox eventjes onderzoekend aan en drukte op een knop die voor ons de liftdeur opende.

Jarenlang was het lab voor vingerafdrukken in de kelder ondergebracht geweest, maar tegenwoordig was het op de eerste verdieping gevestigd. Art knikte naar een tafelblad, wat ik opvatte als een teken om de koelbox daar neer te zetten. Goed geraden, zo bleek, want hij deed het deksel open en trok het zakje met de penis tevoorschijn.

'Ga je hem besproeien?' vroeg ik. Ik wist niet veel van vingerafdrukken, maar wel dat Art patent had op een apparaatje waarmee je superlijm kon laten vernevelen, waarna de nevel zich vervolgens aan latente vingerafdrukken hechtte, ongeacht het voorwerp, en alle kringeltjes en cirkeltjes strak wit deed afsteken.

'Nee,' antwoordde hij. 'Voor deze gebruik ik leuko-kristalviolet. Dat is beter zichtbaar dan superlijm. Het reageert chemisch op bloed, indien aanwezig. De hemoglobine werkt zelfs als een katalysator tussen het violet en de waterstofperoxide, die samen een felpaarse kleur opleveren. Zelfs als het bloed op het lid van ons slachtoffer een stuk vager was geweest, dan nog zou het resultaat navenant zijn.'

Hij liep naar een kastje met flessen, doosjes en zakjes en pakte een bruin plastic flesje met gewoon waterstofperoxide en een flesje met een heldere

oplossing. In een klein bekerglas mengde hij vijftig cc leuko-kristalviolet
– hooguit een gram of veertig – met tweehonderd cc waterstofperoxide.
Ten slotte liet hij langs het glas een langwerpig, capsulevormig voorwerp
in het mengsel glijden.

'Wat is dat?' vroeg ik. 'Het magische ingrediënt?'

'Bijna. Het magnetische roerstaafje.' Hij plaatste het bekerglas op een
rond metalen schijfje boven op een apparaatje en draaide aan een knop
aan de voorzijde. Het roerstaafje begon te roteren. Eerst langzaam en
daarna steeds sneller terwijl hij de knop verder opendraaide. 'Werkt ook
prima om drankjes mee te mixen. Zolang je maar onthoudt dat je er geen
ijs mee fijn kunt malen.' Hij schonk de inhoud in een plastic flesje met
een verstuiver, richtte het mondstuk in een gootsteen en pompte een paar
keer om de verstuiver te vullen. 'Goed. Laten we deze jongen hier eens
nader bestuderen.'

Uit een doosje op de tafel nam hij een paar latexhandschoenen, pakte
daarna een tang van een blad, opende het zakje en reikte met de tang naar
binnen om de penis te pakken. 'Wil je die lamp even voor me aanknip-
pen?' vroeg hij, en hij gebaarde met de penis in de tang naar een grote loep
waaromheen een ronde tl-lamp was gemonteerd. Ik drukte op de rode
knop op de voet en de lamp knipperde aan. 'Ik neem aan dat we niet
weten hoe groot dit geval was toen de afdruk erop werd achtergelaten,
toch? Ik bedoel, het maakt nogal een verschil of een ballon al dan niet
gevuld is als er een versiering op wordt aangebracht.' Zelf had ik daar nog
niet bij stilgestaan, maar in dit bijzondere geval leek grootte wel degelijk
iets uit te maken.

'Ik zou het eigenlijk niet weten,' antwoordde ik. 'Tenminste, niemand zei
iets over een foto of een aantekening over de grootte op het moment van
amputatie.'

Aandachtig bestudeerde hij de afdruk. 'Hm, deze lijkt ongeveer net zo
groot als de afdruk van mijn eigen duim,' constateerde hij. 'Niet dat er
verdere overeenkomsten zijn, overigens. De arme drommel verkeerde niet
in staat van opwinding, lijkt mij, tenzij de amputeerder uiterst sluw te
werk is gegaan.'

'Als ik iemand met een slagersmes naar mijn private delen zou zien wijzen, zou ik die zo snel mogelijk willen laten verschrompelen, lijkt mij.'

Art lachte. 'Tja. Ik herinner me dat ik zelf ook een paar keer een derge-
lijke terugtrekkende beweging heb gemaakt. Als jochie plaste ik ooit door
een schuifraam naar buiten, toen opeens het raam omlaag klapte. Het was
op het randje, om maar te zwijgen van de natte troep die moest worden
opgeruimd. Later, ik was toen negentien, was ik in Mississippi op bezoek

bij mijn vriendin op de campus, toen ze net was gaan studeren. We hadden elkaar al geen twee maanden meer gezien, en eindelijk ging het dan gebeuren. Precies op het moment suprème bescheen een zaklantaarn door de ruit van de auto mijn fiere mannelijkheid. Mijn eerste en uiterst vernederende kennismaking met de arm der wet.'

Hij draaide de penis en bestudeerde de eikel. 'Jammer dat deze meneer besneden was. Stel dat zijn voorhuid nog intact was, wie weet had er dan nog genoeg vocht onder gezeten dat we met een wattenstaafje op speeksel en aanwijzingen voor recente seksuele contacten konden onderzoeken. Bij een paar andere moordzaken hebben we op die manier bij de slachtoffers DNA-overeenkomsten verkregen. Ze liggen nu stijf in hun graf, maar met hun apparaat intact.'

Met deze woorden liep hij met de penis en de verstuiver naar een afzuigkap. Hij trapte op een voetschakelaar, waarna het licht aanfloepte en de ventilator begon te draaien. Vervolgens begon hij de penis voorzichtig te bestuiven. Bijna onmiddellijk kleurde de schacht van het afgesneden orgaan felpaars, een ogenblik later verscheen de lichte, roodbruine tint van de afdruk, op tweeënhalve centimeter van het uiteinde. Art benevelde de gehele omtrek. Al snel tekenden zich meerdere afdrukken af, zoeven nog weinig meer dan wat vage vlekjes. 'Moet je eens kijken,' zei Art. 'We hebben een complete set. Hij had hem behoorlijk stevig vast toen hij hem er afsneed. Je hebt de duim, bovenop en het dichtst bij de basis, en een rij vingerafdrukken langs de zijkant. Zie je de pink, hier vlak achter de eikel?'

'Krijg nou wat,' zei ik. 'Stel dat de afdrukken van deze meneer in een dossier zitten, ben jij dan in staat om de overeenkomst aan te tonen?'

'Bill, als de vingerafdrukken van deze meneer bekend zijn, kun jíj dat zelfs. Deze zijn net zo maagdelijk als die van een stagiair op de personeelsafdeling boven.'

'Dus van alle politieambtenaren zijn de vingerafdrukken bekend?'

Hij knikte. 'Die zetten we in het AFIS, het automatische identificatiesysteem. Dus als we ze aantreffen op een plaats delict, dan weten we dat dit komt doordat deze agenten daar hun werk deden, en niet omdat ze de dader zijn. In theorie, in elk geval.'

'Bevat het systeem verder nog niet-criminelen?'

'Zeker. Soldaten en brandweerlieden. Soms helpt het bij het identificeren van een lichaam als het gezicht onherkenbaar is verminkt. Tegenwoordig denkt iedereen dat het allemaal met DNA gebeurt, maar vingerafdrukken zijn nog altijd een stuk sneller en goedkoper.'

'En wie nog meer?'

'Wapenbezitters,' was het antwoord. 'En ook leraren en kinderverzorgers, om te kijken of ze in het verleden geen seksmisdrijven hebben begaan.'

Hij haalde de penis onder de afzuigkap vandaan en legde hem op een stukje tissue op de tafel. Met een tweede tissuetje depte hij het orgaan droog. 'Ik denk dat de beste manier om deze afdrukken vast te leggen, is om ze plat te drukken onder een stuk glas en ze te fotograferen.'

'Je hecht ze niet aan tape?' vroeg ik.

'Leuko-kristalviolet hecht lang niet zo goed als poeder,' antwoordde hij. 'Fotograferen moet op zich prima lukken. Bovendien hebben we ook nog de originele afdrukken: hup, de kleine pielemaus in de vriezer en hij kan nog jaren mee. Ik kan bijna niet wachten om hem aan de jury in de rechtszaal te laten zien.'

'Nou, ik ben blij dat ik hem in jouw capabele handen mag achterlaten,' zei ik. 'Maar schrijf wel even een bonnetje, want anders geeft Jess Carter me ervan langs omdat ze haar penis kwijt is.'

'Jess? Valt ze nog steeds in als lijkschouwer?' Ik knikte bevestigend. 'Nou, als dat het geval is, dan neem ik aan dat Jess in no-time een nieuwe bij de hand heeft, als ze dat wil.'

'Ik denk dat als ze dit hoorde, ze wellicht de jouwe ter hand zou nemen, met mes en al.'

'Daar twijfel ik niet aan. Ze is niet voor de poes, zeker weten. Je moet een flinke cowboy zijn om haar te mennen. Eentje met ballen, of eentje die levensmoe is.' Ter onderstreping wees hij naar mij, met de paarsgevlekte penis nog altijd tussen zijn tang geklemd.

'Hmmm,' mompelde ik.

Wat ik verzweeg, was dat Jess over een paar uur bij me voor de deur zou staan voor een drankje en een steak. In de lift, en bij het verlaten van het politiebureau, spookte Arts opmerking nog steeds door mijn hoofd en ik vroeg me af wie het vanavond op wie zou hebben voorzien. Ik vond Jess intrigerend, bewonderenswaardig en opwindend. Ze was slim, vakbe-kwaam, zelfverzekerd en grappig, en bovendien zag ze er ook nog eens goed uit: golvend kastanjebruin haar, groene ogen, klein, maar sportief gebouwd. Ze had alleen iets intimiderends. Ik had al jaren geen serieus contact meer met vrouwen, en alleen al de gedachte aan daten maakte me nerveus. In concrete dan wel lichamelijke zin – Jess Carter, een dame die zich niets liet aanleunen – leek het hele vooruitzicht zelfs hachelijk. Niet in de zin dat ik niet voor haar durfde te koken toen ze dat voorstelde, maar wel hachelijk genoeg om in elk geval bij de les te blijven. En volgens Miranda, ook niet een van de domste, werd het misschien weleens tijd dat een vrouw me bij de les hield.

5

*T*erwijl het late middagverkeer door het slaapstadje Farragut kroop, waren de naar het westen voerende rijbanen van Kingston Pike net zo dichtgeslibd als de aderen van een vetzak. Ik herinnerde mezelf aan de eed die ik jaren geleden had afgelegd om tussen drie en zeven uur 's middags nooit, maar dan ook never nooit niet naar Farragut te rijden, maar diep vanbinnen wist ik gewoon dat ik vandaag geen keus had, tenzij ik op zoek wilde gaan naar een nieuwe accountant. Ik was permanent op proef bij mijn accountant, en met voldoende reden. Zonder enige twijfel was ik zijn slechtste klant. Om te beginnen had ik de neiging om elk jaar rond de eerste april – voor mij vroeg genoeg om me een brave burger te voelen, maar voor hem veel te laat om nog enige hoop te koesteren dat mijn aangiftebiljet op tijd werd ingediend – met een boodschappentas vol bonnetjes en reçuutjes naar zijn kantoor af te reizen. Daarnaast had ik elke keer dat hij me wegens slordig boekhouden of dom investeren streng toesprak de neiging om te zeggen: 'Niet te brutaal, hè! Ik verschoonde vroeger altijd je luier.'

Mijn accountant was mijn zoon Jeff. Zijn firma, Brockton & Associates, telde nog twee erkende accountants en een aantal tijdelijke medewerkers. Ze waren gespecialiseerd in dokterspraktijken en rijke artsen, dus behalve zijn slechtste was ik vermoedelijk ook zijn armste klant, een klein maar betekenisvol onderscheid.

Ik had afgesproken om mijn boodschappentas – twee volle weken eerder dan gebruikelijk – thuis bij Jeff af te geven zodat ik zijn kinderen, mijn kleinzoons, even op mijn rug kon laten rijden. Tyler was zeven; Walker was vijf. Beide jongetjes waren onstuimig en zelfverzekerd, nog onbeschadigd genoeg om zichzelf zonder enige reserve op het leven te werpen, ervan overtuigd dat het leven klaarstond om hen met onfeilbare armen op te vangen.

Tyler zwaaide de deur voor me open. 'Opa Bill! Opa Bill! Mama, opa Bill is er!' Ik zette mijn papieren tas neer en pakte hem op. Hij gaf me een stevige knuffel. Hij voelde warm en klam aan en rook licht kruidig en scherp – die mix van schoon zweet en verse aarde die kleine kinderen afgeven als ze lekker buiten hebben gespeeld. Walker kwam om de hoek van de speelkamer gestormd en greep mijn benen vast, zodat ik geen kant meer op kon. Ook hij voelde aan en rook als een woelig jongetje. Ze droegen allebei hun voetbaltenue, wat het zweet en de aarde verklaarde.

'Opa Bill, opa Bill, ik speelde net Sonic en ik heb drie extra levens!' zei Walker enthousiast.

'Drie extra levens? Drie is geweldrie!' reageerde ik. Ik had geen idee wat hij bedoelde, maar als hij blij was, was ik het ook.

Hij giechelde. 'Geweldrie, gekkie.'

'Drie is niks,' zei Tyler. 'Ik heb er zeven.'

'O ja? Ik heb er... ik heb er zevenenzéventigzeventig,' zei Walker.

'Nietes. Bovendien is dat getal niet eens, poepchinees.'

'Tyler Brockton!' klonk een waarschuwende stem vanuit de keuken. 'Dat getal bestáát niet, is het. En niet schelden, anders wordt er ook niet gecomputerd.' Met een pizzadoos in de ene hand en een cola light in de andere verscheen Jeffs vrouw Jenny in de deuropening. 'Hé, hallo. We zijn net terug van een voetbalwedstrijd in Oak Ridge. Zin om wat van Big Ed's mee te eten met ons?'

'Graag,' reageerde ik, 'als er genoeg is.'

'Meer dan genoeg,' zei ze. 'Jeff heeft net gebeld; hij zit helemaal vast in een gigantische belastingaangifte van een of andere chirurg – wat een verrassing, hè? – dus hij is voorlopig nog niet thuis. Je mag zijn portie wel opeten. Walker, laat opa Bills benen eens los zodat hij kan lopen. Tyler, jij helpt me met tafeldekken.'

Ik zette Tyler neer, en hij wankelde de keuken in alsof het zijn laatste restje kracht vergde. Gezien de manier waarop jongens vaak hardlopen tot het moment dat ze opeens volkomen uitgeput raken, kon hij inderdaad weleens aan het eind van zijn krachten zijn geweest.

Met een ontspannen, soepele gratie bewoog Jenny zich door de keuken. Ze had zelf gevoetbald op de middelbare school en de universiteit; zij, en niet Jeff, was degene die hielp bij het coachen van de teams van hun jongens. Van beroep was ze grafisch ontwerper; ze werkte parttime als freelancer vanuit een kantoor boven de garage. Ik had wat van haar werk gezien – vooral bedrijfsbrochures, maar ook een aantal tijdschriftenreclames en zelfs een paar albumhoezen – en vond het mooi. Van een afstandje oogden ze als duizenden andere grafische kunstwerkjes: kinderen en honden, volmaakte stellen, golvende landbouwgrond in zacht licht. Maar als je er goed naar keek, viel je altijd wel iets kleins en geestigs op wat je deed glimlachen: een hondenkoekje in de mond van een kind, een maïskorrel tussen de tanden van een glimlachende echtgenoot, een koe die in een hoek van de wei een verse vlaai produceerde. Die droge humor was

Jenny's houding ten opzichte van het leven, haar huwelijk en haar moederschap, zo zag ik het tenminste, en ik wist dat het goed was geweest voor Jeff. Jenny vormde een gezond en ontspannen tegenwicht voor het ordentelijke en duffe in Jeff, een karaktertrek die hem in staat stelde jaarlijks tweeduizend uur te wijden aan het optellen en aftrekken van cijfertjes die andermans geld vertegenwoordigden.

De pizza – extra kaas, extra salami – had een dunne maar luchtige korst, van onderen bestoven met maïsmeel. Al zo lang als ik in Knoxville woonde, was Big Ed's Pizza in het nabijgelegen stadje Oak Ridge een begrip. Het was gehuisvest in een hol en donker gebouw met hoge plafonds, dat stamde uit de tijd van het Manhattan Project in het stadje, en binnen zag het eruit alsof de vloeren sinds de atoombom op Hiroshima niet meer waren geboend, en mogelijk niet meer waren geveegd. Big Ed zelf was een paar jaar geleden overleden, maar zijn stevige karikatuur en zijn motto – 'Ik maak mijn eigen deeg' – bleven het doen, net zoals het recept voor zijn gedenkwaardige korstbodem. De pizza was machtig, vet en buitengewoon lekker. We aten snel en dankbaar.

'Ik heb je naam de laatste tijd niet meer in de krant gelezen,' zei Jenny, terwijl ze een derde pizzapunt nam. 'Is alles zo rustig in de broeiende onderbuik der forensische antropologie?'

'Daar is het nooit rustig. Het is alleen rustig in de pers, godzijdank.'

'Wat is een onderbuik?' vroeg Tyler.

'Dít is een onderbuik,' antwoordde ik, terwijl ik hem in de buik kietelde.

'Waar zit míjn onderbuik?' vroeg Walker, en ik kietelde hem ook.

Ik vroeg Jenny naar haar laatste projecten, wat een veiliger onderwerp voor een tafelgesprek was dan mijn werk. De wintermaanden waren wat slap geweest, maar ze had net een contract in de wacht gesleept om voor de universiteit van Tennessee een serie folders en advertenties te ontwerpen. Ze wilden een campagne lanceren om een miljard dollar in te zamelen. 'Vergeet vooral niet een paar mooie foto's van mijn onderzoeksobjecten te gebruiken,' opperde ik.

'Lijkt mij wel leuk,' mijmerde ze hardop. 'Mensen duidelijk maken dat als ze niet over de brug komen, dit het lot is dat hen te wachten staat. Volgens mij zou het geld meteen binnenstromen.' Vervolgens vertelde ze me over de toestanden tijdens een fotosessie met de kudde melkkoeien van de universiteit van Tennessee. Kennelijk had die foto van de golvende landbouwgrond en de poepende koe een veelvoud van opnamen gevergd. 'Wie had ooit kunnen vermoeden, met al die koeien, dat we een hele week en de magie van PhotoShop nodig zouden hebben om die poepende koe op de foto te krijgen?'

'Poepiekoe, poepiekoe,' kraaide Walker.

'Jij bent de poepiekoe,' zei Tyler.

'Nietes, jíj bent de poepiekoe.'

'Ik hoop maar dat we geen chocolade-ijs als toetje hebben,' zei ik.

'Oeoeoe,' klonk het in koor.

Jenny wist ons tafelgesprek weer tot een enigszins beschaafd niveau op te krikken. 'Tyler, wil je opa Bill niet even vertellen over je project voor school?'

'Ja hoor,' antwoordde hij. 'Het is een PowerPoint over zeeschildpadden.'

Een PowerPoint? De knul zat in groep vier. Ik had zelf ooit geprobeerd een PowerPoint-presentatie te maken en had uiteindelijk een nieuwe harde schijf in mijn computer nodig. 'Zeeschildpadden? Die vind ik mooi. Mag ik het eens zien?'

'Ja hoor,' zei hij. 'Kom maar mee.' Ik volgde hem naar de speelkamer, waar Walker al verdiept zat in een game met een draaiend en kronkelend wezentje met een piekerige vacht. Sonic, nam ik aan, die zijn extra drie levens er in warptempo doorheen joeg.

Tyler klikte met de muis op de Apple-computer, die op een tafel in de speelkamer stond, en het grote flatscreen – dat Jenny tot voor kort voor haar grafische werk had gebruikt – kwam tot leven. Het bureaublad bestond uit een fotocollage van Tyler en Walker vanaf hun babytijd. In een close-up staarde Walker als verlamd naar een monarchvlinder op zijn wijsvinger; op een andere foto tuurde Tyler boven een reusachtige paarse kauwgombal uit, die half zo groot was als zijn hoofd. Elke foto toonde een kind met een stralend gezicht van verwondering, en plotseling voelde ik angst en verdriet opwellen. Al die blijdschap en onschuld herinnerden me aan de twee andere kinderen wier gezichten ik slechts een paar dagen geleden nog op computerschermen had gezien: het jongetje en het meisje die door een corpulente man van middelbare leeftijd seksueel werden misbruikt.

Ik moest me tot het uiterste concentreren op Tylers diaserie over zeeschildpadden: hun lange leven, het buitengewone instinct om naar het oude nest terug te keren en de nestgewoonten van de vrouwtjes, de manier waarop vele van deze soort door jacht en strandbebouwing met uitsterven werden bedreigd. Toen hij eindelijk klaar was, complimenteerde ik hem overdreven en verontschuldigde ik me. Ik trof Jenny in de keuken, bezig met de lunchpakketjes voor de volgende schooldag. 'Mag ik je iets vragen?'

Ze keek me aandachtig aan. 'Ga je gang; wat is er? Je lijkt wel van streek.'

'Ik ben de laatste tijd iets te innig geworden met de broeiende onderbuik,' zei ik. 'Mijn vriend Art is bezig met misbruik van kinderen via internet; hij maakt jacht op pedofielen die online op zoek zijn naar kinderen.' Nu leek zij ook van streek. 'Toen Jeff nog klein was, hoefden we ons hier god-zijdank geen zorgen over te maken. Hoe ga jij om met dat soort bedrei-gingen en angsten?'

'Voortdurend alert blijven,' antwoordde ze. 'Ik ben dol op internet; wat ik doe, en hoe en waar, zou ik zonder e-mail en Google en al die andere din-gen niet kunnen doen. Maar cybertechnologie is zowel het beste als het slechtste hulpmiddel. Behalve dat het mensen in staat stelt dingen sneller en beter te doen dan ooit, stelt het hen ook in staat dingen sneller en slechter te doen dan ooit. Waaronder dus kinderen zover krijgen dat ze hun hoofd helemaal verliezen voor ze het doorhebben.'

'Ik weet wel dat je de geest niet meer terug in de fles krijgt, maar hoe bescherm je de jongens hiertegen? Ik bedoel, ik doe weinig met internet, maar dan nog ontvang ik voortdurend e-mails waarin me wordt verzekerd dat ik mijn penis kan vergroten of dat wilde meiden voor me klaarliggen. Zijn er manieren om dat eruit te filteren, om te voorkomen dat kinderen dat zien?'

Ze trok een gezicht. 'In theorie wel. Wij hebben CyberPatrol en Net Nanny geprobeerd, die beloven dat soort dingen te blokkeren. Maar de werkelijkheid is dat zelfs als ze 99 procent effectief zijn, wat ze dus niet zijn, die éne procent nog altijd een enorme hoeveelheid vuiligheid is. Verdorie, jij kent me, Bill, ik ben een voorstander van vrije meningsuiting, ik geef aan Planned Parenthood en de American Civil Liberties Union, en ik was tegen de doodstraf totdat ik hoorde over het soort lui met wiens hobby's jij uiteindelijk te maken krijgt. Maar ik zweer, slappe liberaal die ik ben, dat de ouder in mij vindt dat we aan internet veel meer beper-kende eisen moeten stellen.'

'Mee eens,' zei ik. 'Maar wat doe je intussen om Tyler en Walker te beschermen?'

'Ze mogen van ons niet in chatrooms. Ze mogen geen bestanden down-loaden; als ze op een verwijzing stuiten naar iets wat ze nodig hebben, dan downloadt Jeff of ik het voor hen. Ze mogen alleen met een zeer beperk-te groep vrienden e-mailen – we hebben een lijst van goedgekeurde con-tactpersonen gemaakt, en de computer houdt alles naar of van iemand tegen die er niet op voorkomt. Maar we proberen vooral goed in de gaten te houden waar ze mee bezig zijn, en daarom zullen ze ook nooit een com-puter op hun slaapkamer krijgen. Tenminste, niet voordat ze gaan stude-ren.'

'Jullie zijn dus supervoorzichtig, lijkt me.'

'Inderdaad,' zei ze, 'maar we kunnen er niet de hele tijd bij zitten. Op school hebben ze toegang tot computers, in de bibliotheek, en bij vriendjes thuis. We doen ons best om ervoor te zorgen dat er ook daar strikt op wordt toegezien, maar vroeg of laat worden ze geheid nieuwsgierig en zijn ze met dingen bezig die ik liever niet zou hebben. Het enige wat je dan kunt doen, is hopen dat ze tegen die tijd redelijk stevig in hun schoenen staan.'

6

Er klonk een roffeltje op mijn voordeur. Voordat ik aanstalten kon maken om naar de deur te lopen, ging deze al rammelend open en hoorde ik de stem van Jess Carter. 'Bill? Ik ben er, en ik heb honger. Waar zit je? En waar is het eten?'

'Hier, in de keuken,' riep ik. 'Gewoon rechtdoor naar achteren.' Haar hoge schoenen klosten over de leistenen vloer van de hal. Ik weet dat het materiaal voor zolen slechts dient om slijtvast te zijn, maar ik heb het altijd fascinerend gevonden dat vrouwenschoenen zich veel luider aankondigen dan mannenschoenen. Deze ontwerpstrategie, als je daarvan mag spreken, mist haar uitwerking niet, althans niet op mij.

Ze verscheen in de deuropening van de keuken, met in elke hand een linnen boodschappentas, die ze neerzette op het granieten aanrecht. 'Nog steeds geheelonthouder?' Ik knikte. 'Dat dacht ik al. Ik heb er rekening mee gehouden.' Ze reikte in een van de tassen en trok er een flesje wodka en een fles cranberry-cocktailsap uit.

'Wat zit er in die andere tas? Sigaren voor na het eten?'

Ze trok een gezicht. 'Gatver, nee. Iets veel lekkerders. Je had het over steak, asperges en aardappelen, maar geen woord over een toetje.' Uit de tweede tas diepte ze een lage, brede doos op. Op het deksel prijkte een foto van een goudbruine vruchtentaart die trots als 'Razzleberry' werd aangeprezen.

'Razzleberry? Wat voor bessensmaak is dat?' vroeg ik. 'Nooit van gehoord.'

'Twee bessensmaken dus,' antwoordde ze. 'Framboos- en bramensmaak. Stuk voor stuk al heerlijk, en gecombineerd helemaal. Het perfecte koppel, zou je kunnen zeggen. Een beetje zoals wij, zeg maar.' Ze keek me recht aan en haar linkerwenkbrauw schoof minstens tweeënhalve centimeter naar boven, zo leek het, terwijl de rechter perfect op zijn plaats bleef.

Ik lachte. 'Hoe krijg je dat in hemelsnaam voor elkaar?'

'Wat? Dit?' Ze deed het nog eens, ditmaal met haar rechterwenkbrauw.

'Ja. Waanzinnig. Hoe heb je dat geleerd?'

'Vooral veel oefenen. Terwijl mijn studiegenoten lijken aan het ontleden waren, oefende ik mijn gezichtsgymnastiek in de spiegel, ter perfectionering van onontbeerlijke vaardigheden als deze.' Nu vormde één kant van haar mond zich plotseling tot een glimlach terwijl de andere kant als een clowneske frons omlaag hing. Het was alsof twee onzichtbare handen de beide kanten van haar gezicht in tegenovergestelde richting trokken. Verbijsterd schudde ik mijn hoofd. 'Je prikkelt gewoon afzonderlijke spiergroepjes,' legde ze uit. 'Net als buikdansen, maar dan meer "high-brow", zeg maar.' Om haar woordspeling te benadrukken herhaalde ze haar wenkbrauwentrucje.

Ik probeerde het ook en voelde mijn hele gezicht verwringen. Ze keek me quasi-ontsteld aan. Ik deed een tweede poging, en ditmaal voelde ik mijn hoofdhuid opschuiven en mijn oren bewegen. 'Au. Volgens mij verrekte ik een spiertje waarvan ik niet eens wist dat ik het had.'

Ze schudde haar hoofd en gaf een klopje op mijn arm. 'Kom, kom. Ieder mens heeft zo zijn talenten. Ik weet zeker dat jij binnenkort het jouwe zult ontdekken.'

'Hm. Gaan we paternalistisch doen?'

'Niemand kan zonder een beschermheer of -vrouw in zijn leven.'

Ik trok de kastdeur open, pakte een hoog glas, deed er wat ijsblokjes uit het vriesvak in en gaf het haar. Ze zette het op het aanrecht, schonk het halfvol met wodka en voegde er ten slotte het cranberrysap aan toe.

'Je hoeft niet af te meten?' vroeg ik.

'Het is geen labwerk, hoor. De foutmarge is ruim zat.' Ze nam een grote slok en glimlachte tevreden. 'Ah, precies wat de dokter voorschrijft. Je weet zeker dat ik je niet kan verleiden?'

'Tamelijk zeker,' antwoordde ik. 'Zelfs in nuchtere staat kan ik je amper bijbenen. Onder invloed kan ik het wel schudden.'

'Niet als ik méér onder invloed kom,' zei ze, en ze nam nog een slok.

Ik vatte het op als een teken dat het hoog tijd was om met de steak aan de slag te gaan. Ik trok de koelkast open, haalde de steaks tevoorschijn en sloeg het witte, vetvrije pakpapier open. Het waren grote, dikke lappen, bijna net zo dik als breed, en met spek omwikkeld. Ik had ze gekocht bij de Fresh Market, de supermarkt aan de rand van Sequoyah Hills. Sequoyah is de chicste buurt van Knoxville, tenzij je ook een paar van de wijken van Farragut, aan de westkant, meerekent. Gewoonlijk deed ik altijd boodschappen bij Kroger – niet de Fellini Kroger, maar eentje die veel dichterbij en meer alledaags was – maar het vlees van de Fresh Market was gewoon het beste dat je in deze stad kon krijgen. Genoeg waard om er zelfs een Sequoyah Hill-prijs voor te betalen.

Mijn huis stond weliswaar ín Sequoyah Hills, maar was niet ván de wereld die Sequoyah Hills heette, om maar eens het onderscheid te gebruiken waarmee Jezus de verhouding van zijn volgelingen tot de wereld uitlegde. Mijn bungalow kenmerkte zich als een typisch alledaags onderkomen – extraordinair, zo noemde ik hem soms, die samen met nog een stuk of vijf andere bungalows een bescheiden kring vormde. Het enige opmerkelijke aan de andere bungalows was de manier waarop ze door honderden villa's werden omringd. Zodra het in onze buurt weer eens ostentatief uit de hand dreigde te lopen – een chic huisconcert of een politieke fundraiser in het Versaillesachtige paleis bij mij om de hoek, bijgewoond door spran- kelende gasten in formele kledij – troostte ik me met de gedachte dat onze bescheiden onderkomens als de paard-en-wagens van de pioniers waren, opgesteld in een kring ter bescherming van het eigen goed. Als deze kring ooit werd doorbroken, zou het waarschijnlijk niet lang duren voordat alle bungalows in de straat tegen de vlakte gingen, om plaats te maken voor een of ander gestuukt geval van drie, vier maal de omvang, dat zich met moeite tussen de al even anabole buurpercelen zou persen. Niet dat ik gefrustreerd was of zo.

Ik liet de twee steaks op een bord ploffen, bestrooide beide kanten met peper en zout, wreef ze wat in en besprenkelde de bovenkanten met wat worcestersauce voor een beetje pit.

Jess knikte waarderend. 'Je gaat ze lekker bakken?'

'Proberen, in elk geval.'

'Op welke manier?'

'Op de grill, natuurlijk. Ik ben immers een vent.'

'Gas of houtskool?'

'Het zou zonde zijn om zo'n goeie steak op gas te bakken,' zei ik.

'Inderdaad. Gas is mooi voor een crematorium, maar een steak schreeuwt gewoon om dat beetje extra smaak van die kankerverwekkende houts- koolstoffen.'

'Je hebt inderdaad een goed oog voor het verdorvene. Heeft iemand je dat al eens verteld?'

Ze keek naar haar drankje. 'Oeps. Mij is zelfs weleens verteld dat het een van mijn grootste talenten is,' was het antwoord. Ze keek weer op en ik zag een gekwetste blik.

'Ik maakte maar een grapje,' zei ik. 'Wie bedoelde dat niet als grapje dan? En waarom maakt het je opeens zo terneergeslagen?'

'Mijn ex. De meest recente, om helemaal precies te zijn.'

'Een paar jaar geleden stelde je me voor aan een advocaat annex echtge- noot, bedoel je die?' Ze knikte. 'Hoeveel exen heb je nog meer rondlopen?'

'Nog één, meer niet. Tenminste, als je het over echtgenoten hebt.'

'En de andere wederhelften meegerekend?'

Ze sloeg haar ogen ten hemel. 'Dan moet ik even nadenken. Allemaal opgeteld: vier of vijf halfserieuze relaties, en nog een vrouw voor het experiment.'

In de tientallen jaren sinds mijn laatste afspraakjes was de wereld nogal veranderd. 'Een paar maanden geleden vertelde je me nog dat je een blije lesbo was. Was zij het "experiment"?'

Ze schoot in de lach. 'Nee, dat was alleen maar om je op afstand te houden voor het geval je iets met me van plan was. Je leek nog altijd zo in beslag genomen door het verlies van je Kathleen dat ik wist dat je nog niet aan een ander toe was. Of misschien wilde ik zelf gewoon even niet in al dat verdriet verzeild raken.'

'En nu?'

'Nu lijk je er aardig overheen te zijn, of in elk geval het ergste achter de rug te hebben. Nog niet bruisend van levenslust, maar ja, voor iemand met jouw beroep valt dat ook niet mee. Je lijkt me nu... in balans.'

'En leek ik een paar maanden geleden in balans, toen het net misging met dat etentje?'

'Voldoende in balans,' luidde haar oordeel. 'In de kern stabiel, nog wat beverig aan de randjes, maar voor wie geldt dat niet?' Ondertussen hield ze haar hoofd wat schuin, haalde ze licht haar schouders op, maar glimlachte ze nadrukkelijk. Ik kon zweren dat ik mezelf inderdaad wat beverig voelde, maar diep vanbinnen opwekkend stabiel. Ik deed een stap naar haar toe en streek even met een hand over haar wang. Op haar beurt wreef ze zacht haar wang op en neer. Ik sloot mijn ogen om te genieten van het gevoel van haar huid tegen mijn hand. 'Dus je vond het niet erg dat ik mezelf bij je te eten heb uitgenodigd?' Met nog altijd mijn ogen dicht schudde ik mijn hoofd. 'Dus waarom vroeg je me al die maanden geleden niet meer uit nadat ik moest afzeggen?'

In werkelijkheid was ik toen doodsbang geweest, maar ik wilde nu cool overkomen. 'Ik speelde verstoppertje,' zei ik, en ik hoorde mijn stem hees overslaan als een jongen die net aan zijn puberteit is begonnen. Hoezo cool? Ik moest lachen. 'Ik heb weleens gehoord dat een vrouw niets interessanter vindt dan een man die zich onverschillig gedraagt.'

Ik voelde een pets in mijn gezicht, maar het was een speelse pets. Ik opende mijn ogen en zag Jess hoofdschuddend voor me, maar met een vette grijns op haar gezicht. 'Jij bent een waardeloze leugenaar,' oordeelde ze. 'Als leugenaar stel je helemaal niets voor. Maar als man deug je helemaal.' Ze kwam wat dichterbij en draaide haar gezicht naar me toe. Misschien was er toch niet zo heel veel veranderd in al die jaren, want het kostte me geen moeite om deze uitnodiging tot een kus correct te interpreteren. Met haar hoge schoenen aan reikte ze met haar mond net iets lager dan de mijne. Net laag genoeg om lekker een hand in haar nek te leggen en mijn vingers door haar dikke kastanjebruine haar te laten spelen.

Eventjes ontwaarde ik een aangename tinteling op kruishoogte, maar opeens was het verdwenen. Nu voelde ik het weer, en ik besefte dat het niet vanbinnen kwam, maar dat het iets was wat zich tegen me aan drukte.

'Hè, verdomme!' verzuchtte ze. 'Het is mijn pieper.' Ik voelde hem nog eventjes trillen. Ze deed een stap naar achteren en liet een hand in een van de zakken van haar spijkerbroek glijden. Terwijl ze de pieper tevoorschijn trok, zoemde deze nogmaals, als een boos insect, een cicade die hulpeloos op zijn rug ligt, stelde ik me voor. 'Shit. Moordzaken. Ik moet ze terugbellen.' Uit haar andere broekzak viste ze een mobieltje tevoorschijn en sloeg het open. 'Centrale!' bitste ze, en ik hoorde het apparaatje een melodietje afspelen terwijl het gehoorzaam het bijbehorende telefoonnummer draaide. 'Met dr. Carter,' zei ze. 'Jullie hebben iets voor me?' Al luisterend schrok ze even en schudde ze haar hoofd. 'Verdomme. Hoe laat kwam de melding? Oké, ik ben er over een uur. Zeg dat ze het parkterrein afzetten, de media op afstand houden en vooral overal af moeten blijven.' Ze sloeg haar mobieltje weer dicht en pakte haar tassen op. 'Een moord in Riverfront Park.'

'Is dat het park dat langs de rivier de Tennessee helemaal vanuit het centrum naar de Chickamauga Dam loopt?'

'Ja. Zo'n twaalf kilometer. Deze vond plaats vlak bij het centrum, op een steenworp afstand van het zeeaquarium en het kunstmuseum.'

'Wat is er gebeurd? Een uit de hand gelopen beroving van een toerist?'

'Nee. Iemand uit de buurt. Een jogger met een hond. Die is ook dood.' Er verscheen een bevreemde blik op haar gezicht. 'Misschien doe ik dit werk inmiddels te lang, Bill. Ik ben geschokt.'

Ik streek even over haar arm. 'Dat laat zien dat je nog niet bent afgestompt.'

Ze schudde haar hoofd. 'Nee. Het is vanwege die hond.'

Ze maakte aanstalten om te vertrekken, draaide zich plotseling om en gaf me snel een kusje op mijn mond. 'Sorry dat ik er opeens vandoor moet. Ik had echt zin in dat etentje. En het toetje.'

Ze kloste weer naar de hal en verdween door de voordeur. Op het moment dat die weer in het slot viel, piepte de magnetron ten teken dat de houtskool op temperatuur was. Ik pakte het bord met de twee steaks en liep naar de veranda van de achtertuin.

7

Van ergens ver weg klonk de telefoon, en het voelde alsof ik vanuit een diepe en stroperige slaap omhoog zwom om op te nemen. 'Bill? Met Jess.'

Haar stem en haar naam schudden me wakker. 'Jess? Hoe laat is het? Waar zit je? Is alles goed?'

'Het is een uur of vier. Ik ben net thuis van de plaats delict. Bill, wil je... wil je gewoon even tegen me aan praten? Zodat ik weer een beetje bijkom?' Haar stem trilde en haar neus klonk verstopt, alsof ze al even had gehuild.

'Tuurlijk, Jess. Zeker. Vertel maar wat er aan de hand is.'

'Misschien dat ik er langzaam naartoe moet werken,' zei ze. Haar ademhaling ging even aan de haal met haar; ik hoorde dat ze zich moest inspannen om haar in bedwang te houden. 'Het zag er vreselijk uit. Beestachtig. Als een bijbelse straf. Overal lag bloed. Het slachtoffer zat onder de steekwonden. Meerdere hondenbeten. Twee afgeslachte honden.'

'Twee?'

'Twee. Een was van het slachtoffer; de andere hoorde bij een van de moordenaars.'

'Was het een hondengevecht dat naar de omstanders oversloeg?'

'Nee. Andersom. We hoorden het verhaal van een paar getuigen. Een dakloze die vaak onder de brug slaapt waar het is gebeurd, en een fietser die net op de heuvel reed. Kennelijk was er in het verleden al vaker iets voorgevallen tussen het slachtoffer en een groepje hangjongeren die graag in het park onder de brug zitten. Het slachtoffer was een hardloper; ze hadden hem al een poosje lastiggevallen. Als hij verstandig was geweest, had hij een ander plekje uitgekozen om met zijn hond te gaan rennen.'

'Mensen doen niet altijd wat het beste voor hen is,' zei ik. Het klonk stom, maar ik wist niets beters. Wist niet waar ze behoefte aan had.

'De rechercheurs spraken met zijn vriendin. Hij blijkt een leraar natuurkunde te zijn geweest. Begin dertig. Idealistisch. Gaf pas sinds afgelopen herfst les op een van de elitescholen in de binnenstad. Wilde via het onderwijs de wereld gaan redden, of in elk geval de kids in de binnenstad. Hij was speciaal vanuit Meigs County voor zijn werk verhuisd. Had vroeger een woning op het platteland, met een grote tuin voor de hond, aldus die vriendin. Een Australische herder. Dat dat beest opgesloten zat in een flatje bezorgde hem een schuldgevoel. En dus dacht hij het goed te maken door hem elke dag uit te laten op een plek met gras en bomen.'

'En dat is zijn dood geworden? Dat is triest,' zei ik.

'Het wordt nog triester,' zei ze. 'Die vriendin zegt dat toen die schooiers hem voor het eerst lastigvielen – een week of wat geleden, vermoedt ze – hij nog met hen probeerde te praten. Ik bedoel, het zijn de grote broers van de kinderen die hij dagelijks lesgeeft. Maar ze wilden hem niet met rust laten, en hij verdomde het zich gewonnen te geven. Net als opgehitste honden die halsstarrig om elkaar heen blijven lopen. Ze smeekte hem uit de buurt van het park te blijven, maar hij zei dat als je eenmaal op de loop gaat, je wel bezig kunt blijven. Dus kocht hij een mes, dat hij tijdens het hardlopen bij zich droeg. Net zo'n ding als dat getande exemplaar dat Miranda gisteren bij de hand had.'

'Daar zou je tegen een bende anders weinig mee kunnen uitrichten, of wel?'

'Nou, we hebben nog niets onderzocht in het lab, maar eigenlijk denk ik van wel. Er liepen drie bloedsporen van de plek. Hij heeft zich hevig verweerd.'

'Denk je dat zijn hond misschien ook het een en ander heeft aangericht? Zijn leven heeft gegeven om zijn baasje te beschermen?'

'Nee,' antwoordde ze, 'dat geloof ik niet. Hij...' Ze begon nu gierend naar adem te happen. 'Die man... het slachtoffer... hij heeft de hals van zijn eigen hond doorgesneden, vlak voordat ze hem te pakken kregen.'

'Wát?!'

'Een van de getuigen heeft het gezien.' Ze snikte. 'Ze joegen die man achterna, sloten hem in. Een van hen had een pitbull aan de riem. Zo'n gemeen kreng. Toen ze hem omsingeld hadden, knielde hij neer en sneed hij zijn hond de hals door. Bill, hij wist... hij wist gewoon dat ze het geen van beiden zouden overleven... en hij wilde...' Ik kon haar nauwelijks nog verstaan, maar durfde haar niet te onderbreken. 'Hij wilde er zeker van zijn... dat het beest niet zou lijden... O god, Bill... wat een afschuwelijke, hopeloze, liefdevolle daad.'

Ze hyperventileerde inmiddels, en ik wist dat ze duizelig moest worden en spoedig buiten bewustzijn zou raken. 'Jess, luister naar me,' zei ik. 'Jess? Rustig aan. Je moet rustig worden, Jess. Heb je een handdoek of een laken of een shirt bij de hand? Al is het maar je mouw of je hand, Jess. Doe iets voor je mond en adem erdoor. Wat dan ook om je af te remmen, maak het jezelf lastig om in te ademen.' Ze reageerde niet, maar haar ademhaling klonk opeens gedempt, en langzaam kwam ze tot rust. Ik ving een lang, diep gesnuif door een loopneus op, vervolgens een aanhoudende snaterende luchtstoot in een zakdoek. 'Goed zo, Jess. Langzaam en kalm. Langzaam en kalm.'

Ze ademde diep in en blies de lucht kreunend uit. 'Godverdomme! Ik haat huilen,' zei ze. 'Waar komt dit allemaal toch vandaan? Liters snot en tranen. Elke keer dat ik denk dat ik nu wel leeg ben, wordt de kraan weer opengezet. Grappig; ik zie jaarlijks wel honderd dooien, maar het is een hond die mijn hart breekt. Of nee, niet alleen die hond; de liefde van die man voor zijn hond. Iemand die zoiets doet voor een dier dat hij liefheeft, zelfs als hij de dood in de ogen kijkt.' Ze legde de telefoon neer, snoot haar neus nog eens en ademde huiverend diep in en uit. 'Het was als iets uit het Colosseum van Nero,' zei ze. 'Ze lieten de pitbull op hem los. Rukte bijna zijn linkerarm af. Hij slaagde erin ook de hals van die hond door te snijden. Zelfs terwijl zijn arm er aan flarden gescheurd bij hing, gebruikte hij zijn anatomische kennis en vond hij de halsader. Het volgende moment sloten die rechtoplopende beesten hem in. Vier of vijf man, dat weten we niet zeker; de getuigen deinsden snel terug. Het ziet ernaar uit dat hij meerdere steekwonden opliep terwijl hij nog stond. En nog meer nadat hij was gevallen. Wat een overkill. Misschien dat de eigenaar van die pitbull kwaad was; misschien een van de griezels die hij sneed; iemand was in elk geval kwaad genoeg om hem dat extra letsel toe te dienen.' Ze zuchtte opnieuw. 'De autopsie gaat nog een lastige klus worden. Het zou weleens mijn eerste lijk met een driecijferig aantal steekwonden kunnen zijn.' Ze lachte vreugdeloos. 'Shit. Stelletje gevoelloze lafbekken.'

Ik vatte haar woede op als een goed teken.

'Verdomme, Bill, dit is niet de eerste moord van dit type dit jaar, en het zal ook niet de laatste zijn. Ik vrees dat we hier met een groeiend probleem te maken hebben – verdorie, we hebben in heel Amerika een groeiend probleem – maar niemand wil erover praten.'

'Hoe bedoel je? Stijgt het aantal moorden?'

'Nog niet. Hier bij ons daalt het zelfs, voorlopig, maar ik vrees dat dit niet lang meer zal duren. Ik ben bang dat de woede onder deze jonge zwarte mannen toeneemt. De helft van hen heeft zijn studie niet afgemaakt. Weet je wat het landelijke werkloosheidscijfer is onder zwarte studenten die afhaken?' Nee, dat wist ik niet. 'Zeventig procent, en het stijgt. Blanke drop-outs, dertig procent werkloos. Hispanics, krap negentien procent. Veel van die jonge zwarte gasten hebben geen vooruitzichten. Geen hoop. Ze hebben niets om voor te leven en niets om te verliezen. Het doet hen dus niets om mensen die het goed hebben met zich mee te trekken in die neerwaartse spiraal.'

'Denk je dat de politie deze gasten zal pakken?'

'Wie weet. Het lijkt me vrij makkelijk om achter de eigenaar van de pitbull te komen. En ik vermoed dat we iets van het bloed op de plaats delict kunnen koppelen aan twee of drie van de belagers, als we hen kunnen vinden. Maar als de ooggetuigen zich niet melden of weigeren iets te zeggen, kan het weleens lastig worden om er een zaak van te maken. Sterker nog, deze gasten kunnen zelfs afspreken dat ze het op zelfverdediging gooien; een grote, kwaaie blanke man stormde met een mes op hen af en ze vreesden voor hun leven. Niet de waarheid, maar als vier of vijf man dat met geloofwaardige emotie getuigt, zal het lastig worden om een jury te vinden die hen stuk voor stuk een leugenaar zou noemen.'

Jess was lijkschouwer; het was haar taak om doodsoorzaken vast te stellen, niet om bekentenissen af te dwingen. Maar ze was ook een mens, met een sterk rechtvaardigheidsgevoel, en ik begreep haar frustratie. 'Misschien loopt het wel beter af,' zei ik met meer optimisme dan ik zelf voelde.

'Ja hoor. Weet je wat me verder nog woest maakt hieraan?'

'Wat dan?'

'Dit speelt dus precíés al die godvergeten racistische stereotypen in de kaart tegen wie ik in het zuiden al veertig jaar vecht,' zei ze. 'Als het dan toch moest gebeuren, als deze kerel door een bende tuig vermoord moest worden, waarom dan niet door blánk tuig, Bill?'

'Ik weet het niet, Jess. Ik weet het niet. Ik denk dat je gelijk hebt, als er niets verandert, kunnen we straks misschien weleens met een gigantisch probleem opgescheept zitten. En we lijken de wijsheid noch de wil te bezitten, zelfs na al deze jaren, om het op te lossen.'

We vielen allebei een poosje stil.

'God, wat ben ik moe, Bill. Moe en koud. Altijd als ik zo moe ben als nu, krijg ik het vreselijk koud. Het enige wat ik nu wil, is onder de lakens kruipen en een week lang slapen.' Haar ademhaling was inmiddels diep en gelijkmatig geworden; ik voelde dat mijn eigen ademhaling het tempo van die van haar oppikte en dat mijn hoofd met verrassend gemak weer slaperig werd.

'Denk je dat je nu misschien kunt slapen?'

'Misschien,' antwoordde ze. In haar stem klonken niet langer het afgrijzen en de woede door, hoewel het verdriet nog niet verdwenen was. 'Ik denk van wel. Ik hoop het. Ik moet wel.'

'Als het niet lukt,' zei ik, 'bel je maar terug en zal ik je op een van mijn osteologielezingen trakteren. "Morfologische kenmerken van spadevormige snijtanden bij indianen". Binnen vijf minuutjes ben je gegarandeerd in dromenland. Oké?'

Het enige antwoord was een zacht, elegant gesnurk aan de andere kant van de lijn.

Lange tijd bleef ik luisteren naar de slapende Jess. Ten slotte begon ik zelf in te dutten, wegzakkend en weer wakker wordend, alsof ik op een langzame stroom meedreef, van het zonlicht naar de schaduw en weer terug. Op een van de wakkere momenten realiseerde ik me dat dit de eerste keer was sinds de dood van Kathleen twee jaar geleden dat ik met een vrouw sliep, al was het op afstand. De intimiteit – de kwetsbaarheid, het vertrouwen en het ongekunstelde fysieke samenzijn – brak bijna mijn hart.

'Slaap zacht, Jess,' fluisterde ik, waarna ik voorzichtig de hoorn op de haak legde.

8

M ijn studenten zouden niet blij zijn.

Een week geleden had ik aangekondigd dat het college van vandaag zou gaan over de zaak die door de jaren heen het lievelingsonderwerp van mijn studenten was gaan worden: mijn dia's van de beruchtste seriemoord van Knoxville. Op een beboste heuvelhelling, op steenworp afstand van de I-40 en ongeveer een kleine twaalf kilometer ten oosten van het centrum van de stad, waren vier vrouwenlichamen aangetroffen. De man die van de moorden werd verdacht, werd door de kranten de 'Zoo Man' genoemd, want zo luidde zijn bijnaam onder de prostituees van de stad. De bijnaam verwees zowel naar zijn tijdelijke baantjes aldaar als naar de plek van een boerenschuur waar hij deze vrouwen mee naartoe nam. 'Kijk uit voor de Zoo Man,' waarschuwden de prostituees elkaar, aangezien hij deze vrouwen vaak sloeg. En volgens de politie en de aanklager vermoordde hij hen bovendien graag. De rechtszaak, de langste en kostbaarste uit de geschiedenis van Tennessee, eindigde weliswaar in een nietig geding, maar toch werd de Zoo Man veroordeeld tot 66 jaar vanwege een reeks gewelddadige verkrachtingen. De straten van Knoxville werden weer veilig. Veiliger, in elk geval.

In de bossen waren jagers op het eerste van de vier lichamen gestuit. Het uitkammen van het gebied door de politie en studenten antropologie bracht de overige drie lichamen aan het licht. De foto's vertoonden de slachtoffers in verschillende staat van ontbinding, variërend van bijna vers (één slachtoffer was slechts enkele dagen dood), tot bijna tot op het bot. Dit contrast, plus het feit dat het om een beruchte zaak ging, wekte steevast de belangstelling van studenten. Maar bij het ontbijt besloot ik het college voor vandaag te schrappen.

Ik had slecht geslapen en was met een vermoeid en gefrustreerd gevoel uit bed gestapt. Jess' travestiet uit Chattanooga hield me bezig; het politieonderzoek leek niet echt te vorderen, afgaande op wat Jess me vertelde, en ik betwijfelde of onze reconstructie van de plaats delict enig houvast zou bieden. Als de politie ernaar streefde om het alibi van een verdachte bevestigd dan wel weerlegd te krijgen, zou het hen helpen als ik het tijdstip van overlijden kon vaststellen. Maar zonder verdachte in het vizier kon ik me niet voorstellen dat een opmerking als 'Toen hij werd gevonden, was hij vijf à zes dagen dood' de zaak opeens in een stroomversnelling zou brengen.

Ik was dus al sikkeneurig toen ik plaatsnam achter mijn kom met havermout. Maar toen ik de *Knoxville News Sentinel* opensloeg en mijn oog op een artikel in het katern Binnenlands Nieuws viel, sloeg bij mij de vlam in de pan. Het artikel van Associated Press meldde dat de onderwijsraad van Kansas, een staat waar ik in het begin van mijn carrière ooit had lesgegeven, had ingestemd met de eis dat leraren vanaf nu vraagtekens dienden te zetten bij de evolutietheorie. Door de evolutietheorie te ondermijnen, onderschreven ze indirect de *intelligent design*-theorie, een stiekeme, pseudowetenschappelijke aanduiding voor creationisme: de theorie dat het leven te complex is om zich zonder hulp van een superslimme Schepper te hebben ontwikkeld. Bij de aanvaarding van dit beleid had de onderwijsraad het advies van zijn eigen wetenschapscommissie en ook de pleidooien van de National Academy of Sciences en de National Science Teachers Association naast zich neergelegd. Bovendien negeerden ze de resultaten van anderhalve eeuw wetenschappelijk onderzoek.

Schuimbekkend liep ik de trap af naar de uitgang van het stadion. Nog altijd schuimbekkend stapte ik het trottoir op naar het McClung Museum, waar de collegezaal was en waar ik de studenten zou treffen. Nog steeds schuimbekkend beende ik de collegezaal in, die tot op de laatste stoel gevuld was.

'Goedemorgen,' begon ik. 'Ik heb slecht nieuws. De lezing over de Zoo Man-zaak is uitgesteld.' Gemopper en plagerig boegeroep vanuit de zaal. 'Volgende week, zelfde dag, krijgt u de dia's te zien. Vandaag zullen we het echter hebben over *unintelligent design*.'

Op de derde rij schoot een vinger omhoog. De jongeman in kwestie nam al het woord voordat ik hem daartoe gelegenheid gaf. 'Pardon, dr. Brockton, maar bedoelt u niet *intelligent design*?' vroeg hij op blijmoedig hulpvaardige toon.

'Nee,' antwoordde ik. 'Ik bedoel dus unintelligent design. Van het domme soort, dus.' Iemand grinnikte even. 'Mensen die niet in de evolutie geloven, hebben het altijd over hoe briljant het menselijk lichaam ontworpen is, en dat de ontwerper wel een kosmisch genie moet zijn geweest. Goed, laten we het vandaag dan eens hebben over enkele kenmerken van ons lichaam die wellicht op enige inefficiëntie, minder zorgvuldige afwerking en zelfs pure ontwerpfouten lijken te wijzen.' Ik liet mijn blik door de collegezaal glijden. Het was duidelijk dat ik de aandacht had.

'Laten we beginnen bij het gebit. Laat me jullie tanden eens zien.' Ik opende mijn mond zo wijd ik kon, trok mijn lippen terug, wiebelde wat met mijn onderkaak en draaide mijn hoofd alle kanten op, zodat mijn niet al te witte tanden goed te zien waren. Een paar studenten sloegen enigszins genegeerd hun ogen ten hemel over dit domme gedoe, maar de meesten volgden mijn voorbeeld, maar dan misschien wat serieuzer. 'Mooi,' vervolgde ik. 'De meesten van jullie beschikken nog steeds over een paar tanden. De universitaire toelatingseisen zijn de laatste tijd dus strenger geworden.' Hier en daar ving ik wat gegrinnik op en zag ik nog wat meer tanden ontbloot worden. 'Oké. Dan wil ik nu dat jullie allemaal een vinger in jullie mond steken en die helemaal langs je onder- en bovenkaak laten glijden zodat jullie het aantal tanden en kiezen kunnen tellen. Dit is een experiment: we vergaren hier data met betrekking tot "seculiere verandering" zoals we dat binnen de fysieke antropologie doorgaans noemen.' Ik deed het voor, legde mijn wijsvinger op de achterste kies van mijn rechterbovenkaak en liet het topje langzaam over de rij tanden en kiezen glijden, onderwijl tellend: èn, tu-ee, da-ie, fi-er, v-eif, és, eindigend bij ach-un-tintig. Ik liep naar het bord en noteerde groot het getal 28. Daarna draaide ik me weer om. 'O, trouwens,' voegde ik eraan toe, 'mochten er verstandskiezen of andere tanden zijn getrokken, tel die er dan bij op. Klaar? Tellen maar.'

Een paar studenten probeerden het met hun tong, maar de meesten gebruikten hun wijsvinger, net als ik. Een groot deel van de meisjes bediende zich echter delicaat van de lange pinknagel. Het leek wel of iedereen bezig was om stukjes popcorn tussen de tanden vandaan te pulken, nu er druk in de monden werd rondgevist. Daarna, bijna als op een teken, wreven honderd wijsvingertoppen zich schoon aan broekspijpen en rokken om de restjes speeksel te verwijderen.

'Goed,' zei ik. 'Laten we onze data eens bestuderen. Hoeveel van jullie hebben 32 tanden, wat normaal is voor een volwassene?' Vingers schoten omhoog, wat neerkwam op een kwart van de zaal. 'Wie van jullie heeft er 24?' Ongeveer hetzelfde resultaat. 'En wie heeft er 28?' De helft van alle studenten stak de vinger op.

'Kijk, dat is dus interessant,' ging ik verder. 'Slechts een kwart van jullie heeft 32 tanden en kiezen, met andere woorden, een volledig gebit, voor de moderne mens, althans. Maar voor onze voorouders, dertig tot veertig miljoen jaar geleden, was 44 de norm, wat trouwens nog steeds voor de meeste zoogdiersoorten geldt. Leefde je veertig miljoen jaar geleden, dan had je twaalf tanden extra. Waar moet je die laten? Iemand in de zaal die nog wel plek heeft voor een stuk of tien extra kiezen?' Meewarig schudde ik het hoofd. 'En hoe komt dat? Dat komt doordat onze kaken kleiner zijn geworden. En waaróm?' Gezichten gaapten me aan, schouders werden opgehaald.

Ik was behoedzaam van start gegaan, maar nu begon ik vaart te maken, als een neushoorn op de vlucht. 'Een paar miljoen jaar geleden begonnen onze voorouders, de eerste zoogdieren, zich te evolueren uit moerashagedissen. Het waren zoogdiertjes ter grootte van een eekhoorn of een spitsmuis, ook wel "insectivore preprimaten" genoemd. Ze leefden op de grond en aten insecten, hadden een spitse snuit – als een miereneter, zeg maar – en de ogen zaten aan weerskanten van de kop.' Ter benadrukking tikte ik even tegen mijn slapen. 'Goed. In diezelfde periode ontstond nog een tweede groep dieren: de dinosauriërs. Vraagje: wat denken jullie dat er gebeurt als een tyrannosaurus of een brontosaurus op een insectivore preprimaat stapt?' Ik sloeg met mijn ene hand op de andere. 'Splatsj!' zei ik. 'De wat slimmere insectivoren concludeerden dus dat het in de bomen een stuk veiliger was. Daar zouden ze immers niet onder de voet worden gelopen. Prima plan; meer insectivoren wisten te overleven. Maar niet allemaal. Als je ronddartelt in een boom, je van tak naar tak springt, valt het niet mee om de juiste tak te grijpen als je ogen aan weerskanten van je kop zitten en je een lange snuit hebt. Een paar van die beestjes vallen dus uit de boom en worden opgegeten. Of geplet.' Weer een 'splatsj'. 'Dus met het verstrijken van de tijd – onthoud, we praten over miljoenen jaren – worden de overlevingskans en de voortplantingssnelheid van dieren met een kleinere snuit en de ogen dichter bij elkaar een stuk groter. Maar om die snuit kwijt te raken, moet je ook een paar tanden inleveren: heb je 44 tanden, dan zit je dus met een behoorlijke snuit. Natuurlijke selectie neigt dus naar dieren met een kleinere snuit, en minder tanden. Het fossiele verleden laat al deze veranderingen tot in het kleinste detail zien.'

De jongeman op de derde rij stak opnieuw een vinger op. 'Maar u gaat ervan uit dat die fossielen zich miljoenen jaren geleden hebben gevormd. Stel dat dit nu eens niet zo is? Voor schilders en beeldhouwers is het vrij eenvoudig om kunstwerken te maken die er al meteen eeuwenoud uitzien, ook al zijn ze dat niet. Als dit dus op kleine schaal kan, waarom kan God dat dan niet op grote schaal?'

Ik stond perplex en wist zelfs niet eens hoe ik hierop moest antwoorden. Van de wetenschap waren we pardoes bij het geloof beland, en hoewel deze twee werelden niet altijd met elkaar in conflict waren, kon ik wel zien dat dit nu, op dit ogenblik, volkomen anders lag.

'Oké, vergeet de fossielen even,' zei ik. 'Laten we het eens hebben over de moderne mens, de mens van de afgelopen tweehonderd jaar. Mensen van wie we de geboorte- en overlijdensdata weten. De Terry Collection in het

Smithsonian Institute bevat bijna tweeduizend menselijke schedels waarvan sommige uit begin 1800 stammen. Hier, in onze eigen University of Tennessee-collectie, in het Neyland Stadium, bezitten we op dit moment ongeveer zeshonderd schedels, toebehorend aan mensen die nog geen twintig, dertig jaar geleden zijn overleden. Vergelijkend onderzoek van die in totaal zeg vijfentwintighonderd schedels laat zien dat zelfs gemeten over de laatste tweehonderd jaar, de gemiddelde menselijke onderkaak steeds kleiner, maar het gemiddelde hoofd groter wordt. We beschouwen de evolutie als een proces dat duizenden of miljoenen jaren beslaat, maar dit is een voorbeeld van een evolutionaire verandering die zich bijna zo snel voltrekt dat we die binnen één mensenleven kunnen waarnemen.'

De jongeman zette zich schrap om te reageren, maar achter in de zaal zag ik een andere vinger omhoogkomen. Blij dat ik even van ondervrager kon wisselen, wees ik naar de nieuwe vragensteller. 'Ja, daar achterin?'

'U had het over design van het "domme" soort. Wat is er zo dom aan een kleiner aantal tanden?'

'Goeie vraag. Er is niets doms aan het feit dat je 28 in plaats van 33, of 44 tanden hebt. Kijk je naar de manier waarop we vandaag de dag eten, dan zouden we met twintig, ja zelfs met twaalf tanden nog prima uit de voeten kunnen. Het domme, inefficiënte of problematische schuilt juist in het feit dat onze kaken sneller krimpen dan het aantal tanden krimpt. Deze twee evolutionaire veranderingen lopen dus niet gelijk aan elkaar. We krijgen dus te weinig ruimte voor te veel tanden. En dus, zodra we vijftien, twintig of dertig zijn, worden bij ons maar al te vaak onze derde kiezen – onze verstandskiezen – eruit gerukt. Voor de meesten van ons een slechte zaak, maar voor de toekomstige tandartsen onder jullie heel goed.'

Ik zag een paar glimlachende gezichten die, zo vermoedde ik, aan aanstaande studenten tandheelkunde toebehoorden.

'Genoeg over tanden,' sloot ik af. 'Laten we het eens hebben over andere ontwerpfoutjes. Ik zal niemand in verlegenheid brengen door hier een enquête te houden over wie van deze problemen last heeft, maar ik durf te wedden dat het jullie niet onbekend zal voorkomen, en dat velen van jullie er niet aan zullen ontkomen: een hernia en aambeien. Een hernia is een ontwerpfout, een uitstulping in de buikwand. Toen we nog viervoeters waren, hadden onze inwendige organen het een stuk gemakkelijker. Kijk maar.' Ik klom op handen en voeten op het tafeltje voor de voorste rijen. 'Zien jullie hoe mijn buik omlaag bungelt?' Ik ving wat plagerige 'oohs' en 'bahs' op. 'Waar het om gaat, is dat de darmen in deze houding een mooie, ruime mitella vormen voor de inwendige organen.' Om mijn punt kracht bij te zetten, zwaaide ik mijn buik wat heen en weer.

Vervolgens liet ik me van het tafeltje zakken, ging weer staan en legde mijn handen op mijn buik. 'Maar toen we rechtop gingen lopen, wat gebeurde er toen? Iemand?'

'Alles zakte omlaag,' giste een meisje op de voorste rij.

'Precies. En daarmee wordt de druk op de lagere buikwand groter, waarmee de kans op een scheurtje toeneemt. Hetzelfde geldt voor aambeien. De druk op het onderste deel van de ingewanden is een stuk groter dan bij de viervoeters die onze voorouders waren, en ook daar is de kans op scheurtjes dus groter, wat het kenmerk van een aambei is.' Nog meer uitingen van afgrijzen. 'Spataderen. Wie van jullie heeft weleens spataderen gezien?' Ik zag een hoop vingers. 'En nu we rechtop lopen, heeft ook het hart het veel zwaarder. Het moet krachtig genoeg zijn om het bloed van onze voeten helemaal naar onze kruin te pompen, een afstand van zo'n een meter tachtig. Dat is een heel stuk zwaarder dan slechts negentig centimeter heuvelopwaarts, de afstand wanneer we viervoeters zouden zijn. Wat zo interessant is,' ging ik verder, 'is dat we deze problemen van de bloedsomloop, die we creëerden toen we rechtop gingen lopen, hebben opgelost met een complex systeem van kleine, flapachtige klepjes in onze aderen, die ervoor moeten zorgen dat het bloed tussen twee hartslagen door niet naar omlaag vloeit. Maar naarmate we ouder worden, willen deze flapjes nog weleens gaan lekken, met als gevolg bloedplasjes in de benen. En door de toegenomen druk zwellen de aderen en knappen ze soms.'

Een zeer lange studente – ze was een van de sterspeelsters van het Lady Vols basketbalteam – stak een vinger omhoog. Ik wees haar aan. 'Ja?'

'Dus viervoeters – honden, leeuwen, walvissen – hebben die flapjes niet in hun aderen zitten?'

Nog nooit had iemand mij deze vraag gesteld. En zelf had ik er ook nooit bij stilgestaan. 'Om eerlijk te zijn,' antwoordde ik, 'zou ik het niet weten. Maar bij het volgende college kom ik met een antwoord. Goeie vraag.' Ze straalde. Het werd gezien als een prestatie om mij in het nauw te drijven. 'Goed, laten we het dan nog even hebben over het bekken en de ruggengraat,' stelde ik voor. 'Een aantal van de dames in deze zaal zal ongetwijfeld ooit kinderen krijgen. Het goede nieuws is dat de verloskunde steeds meer vorderingen boekt.'

'En het slechte nieuws?' riep een meisje.

'Het slechte nieuws is dat babyhoofdjes alsmaar groter worden.'

'Au, jeetje,' hoorde ik dezelfde stem zeggen. 'Doe mij maar een keizersnee.'

'Veel vrouwen kiezen tegenwoordig voor een keizersnee. Puur uit vrije keus, niet omdat er medische complicaties zijn die zo'n ingreep recht-vaardigen. En om eerlijk te zijn, hoewel de gedachte dat mijn buik zal worden opengesneden me de kriebels geeft, zou ik – als ik een vrouw was – misschien zelf ook voor een keizersnee kiezen.'

'Als u een vrouw was, dr. Brockton,' riep een jongen die zich dat semester als de humorist had ontpopt, 'denk ik niet dat een zwangerschap bij u een aandachtspunt hoefde te zijn.' De zaal schoot in de lach, mezelf inbegrepen.

'Oké, laatste voorbeeld,' zei ik, en ik opende de doos die ik had meege-bracht. 'Er zijn er nog meer, maar hierna stoppen we.' Ik reikte naar binnen en trok een bekkengordel tevoorschijn waarvan de verschillende botten met rode was bijeen werden gehouden. Aan de voorzijde kromden de twee schaambenen zich naar elkaar toe; achterin vormde het heiligbeen – de laatste vijf, met elkaar vergroeide ruggenwervels – de verbinding tus-sen de twee heupbeenderen. 'Kijk eens goed naar de vorm van het heilig-been,' zei ik. 'Als je omlaaggaat, worden de wervels steeds kleiner. Het heeft dus de vorm van een driehoek, een wig. Vraagje: wat gebruiken we om hout te kappen voor de open haard?'

'Eh, een bijl?' gokte iemand.

'Eh, ja, maar ik zou denken: een wigvorm. Als je druk uitoefent op een wigvorm, dan wil hij dingen uit elkaar duwen, nietwaar? Zien jullie hoe het heupbot, of het darmbeen, links en rechts aan het heiligbeen vastzit? Onder het gewicht van je lichaam zal het heiligbeen omlaag bewegen en zal het de twee heupbeenderen uiteen willen duwen, waardoor spanning ontstaat op het bekkengewricht. Een veelvoorkomende oorzaak van lage rugpijn bij mensen van mijn leeftijd en ouder.'

Ik keek de creationist op de derde rij aan. 'Dus zie daar,' zei ik. 'Het men-selijk lichaam vertoont tal van kenmerken die een trage, onvolmaakte evo-lutie suggereren, en niet het werk van een intelligent ontwerp dat meteen goed was.'

Hij bracht een vinger omhoog, en zijn blik was een mengeling van spijt en vastberadenheid. 'Maar kijk dan eens naar de oogbal, de hersenen, het hart. Ongelooflijk verbazingwekkende, gecompliceerde organen. De oog-bal is een wonder van optisch vernuft. De hersenen zijn veel geraffineer-der en krachtiger dan welke computer dan ook. En vergeleken met het hart is elke door de mens gemaakte pomp een primitief apparaat.' Ik knik-te bevestigend in de hoop dat we daarmee onze bewondering voor derge-lijke organen zouden delen. 'Bovendien,' daagde hij me uit, 'waarom is het verkeerd om beide theorieën te onderwijzen? Daar gaat het in het onderwijs toch om? Laat beide kampen hun opvatting rond deze contro-verse geven, zodat de mensen zelf kunnen bepalen wat ze denken.'

'Er ís geen controverse!' brieste ik. 'De evolutie is net zo controversieel als Copernicus' theorie over het zonnestelsel, of de "stelling" dat de aarde rond is. Enkel het feit dat een paar figuren – vaak en op hoge toon – iets tegengestelds beweren, wil nog niet zeggen dat we in een legitieme wetenschappelijke controverse zijn beland. Er is geen enkel wetenschappelijk onderzoeksmodel of bewijs te vinden waarmee intelligent design kan worden aangetoond. Fanatieke creationisten beweren dat het fossiele verleden, de fossiele bewijsstukken die aantonen dat planten en dieren zich over een periode van miljoenen jaren ontwikkelden, uit dezelfde tijd stamt als toen Adam en Eva werden geschapen. Pure hocus pocus, geologische duimzuigerij, zomaar uit het niets: "Ja, die fossielen líjken misschien miljoenen jaren oud" – nog geen halfuur geleden zei je het zelf nog – "omdat God ze er zo oud laat uitzien". Daar valt niet tegenop te boksen. De perfecte cirkelredenering, het ultieme: "want God zegt het zelf". Alleen zijn het niet echt Gods woorden; het gaat om mensen die beweren dat ze namens Hem spreken. Nou, misschien sprak God wel persoonlijk tot mij, vanochtend, toen ik de krant las, en Hij me opdroeg de wereld te vertellen dat Charles Darwin gelijk had en dat iedereen die daar anders over denkt, gewoon eens wat beter moet opletten.

'Begrijp me niet verkeerd,' zei ik. 'Misschien bevat het universum wel een hoger principe, een hogere macht, iets wat mijn schamele bevattingsvermogen ver overstijgt. Ik kan het "waarom" van de evolutie niet verklaren, maar het feit dat ik haar niet helemaal doorgrond, wil niet zeggen dat ze niet werkt. Vraag me niet hoe het kan dat er beelden op mijn tv verschijnen, maar ze verschijnen wel degelijk. En dat wil nog niet zeggen dat dit het werk van God is. Het is het werk van de natuurwetten, en van mensen die daar een stuk vertrouwder mee zijn dan ik.

En als we nóg meer bewijs van unintelligent design willen hebben,' ging ik, inmiddels weer schuimbekkend, verder, 'dan hoeven we alleen maar naar de onderwijsraad van de staat Kansas te kijken. Deze dames en heren vormen daar zowaar de belichaming van.'

Maar mijn opponent wilde nog niet opgeven. 'We zijn allemaal geschapen naar Gods evenbeeld,' hield hij vol.

'Dus evolueert God ook,' kaatste ik de bal terug. 'En ik hoop maar dat Hij daarboven over een goeie tandarts beschikt om Hem zijn verstandskiezen te laten trekken, want zodra die in de knel komen te zitten, zal Onze-Lieve-Heer behoorlijk wat kiespijn krijgen.'

Ik ving een geschrokken zucht op, gevolgd door wat gegrinnik, waarna de humorist in de zaal uitriep: 'Amen, broeder!' Achterin begon iemand te applaudisseren. Langzaam, gestaag. Al snel haakten meer studenten aan en het duurde niet lang of de hele zaal applaudisseerde.

De jongeman op de derde rij stond op. Ik opende mijn mond om hem te verzoeken weer te gaan zitten, maar op dat moment zag ik zijn gezicht. Het vertoonde knalrode vlekken, en de tranen leken hem in de ogen te staan. Even keek hij me woest aan, en uit zijn ogen kon ik opmaken dat hij zich gekrenkt en verraden voelde. Daarna liep hij via het middenpad omhoog naar de deur, en verdween, vergezeld door gefluit.

Ik pakte mijn aantekeningen, het bekken en de verkreukelde krant en verliet de zaal via de benedendeur. Terugsjokkend over het trottoir van het McClung Museum, op weg naar de ingewanden van het Neyland Stadium en het trapportaal naar mijn werkkamer en mijn collectie van nog immer evoluerende skeletdelen, vervloekte ik mezelf dat ik te ver was gegaan, te harde woorden had gesproken, en ik zo heetgebakerd over dat krantenartikel aan mijn college was begonnen. Het was belangrijk dat wetenschappers de goede zaak verdedigden en pseudowetenschappers aan de kaak stelden. Maar het was ook belangrijk om dit behoedzaam te doen, vooral als er studenten bij betrokken waren. 'Verdomme, Bill,' mopperde ik in mezelf en tegen mezelf. 'Verdomme.'

9

*G*etuigen bij een hoorzitting waarbij de medische vergunning van een arts op het spel staat, was niet bepaald hetzelfde als getuigen voor een rechtbank, maar het kwam wel verdomd dicht in de buurt. Deze hoorzitting leek op een proces en er werd gebazeld als bij een proces, compleet met advocaten en eedafleggingen om niets anders dan de waarheid te spreken.

Het Tennessee Department of Health and Environment beschikte over een jurist wiens taak het was om mij wat eenvoudige vragen voor te leggen, en dr. Garland Hamilton – de lijkschouwer wiens vergunning bij wijze van spreken op het hakblok lag – had een jurist wiens taak het was om mijn antwoorden stukje bij beetje af te kraken.

De zaak die de staat ertoe had bewogen om de vergunning van zijn eigen hoofdlijkschouwer te willen intrekken, was fascinerend. Ene Eddie Meacham had op een zaterdagavond het alarmnummer 911 in Knoxville gebeld om te melden dat zijn vriend zojuist in elkaar was gezakt. Tegen de tijd dat de ambulance arriveerde, was Billy Ray Ledbetter dood, met een bloedige wond in zijn onderrug. Dr. Hamilton voerde een autopsie uit, trof in Ledbetters rechterlong een ruime hoeveelheid bloed aan en verklaarde dat een steekwond in de onderrug de doodsoorzaak was geweest, waarbij het lemmet tot in de onderlob van de rechterlong was doorgedrongen.

Probleem was dat de 'steekwond' naderhand toegebracht bleek te zijn door een grote scherf van het glazen blad van een salontafel, aan gruzelementen geslagen door Billy Ray toen hij erbovenop was gevallen. Ik had het twijfelachtige genoegen bij deze zaak betrokken te raken toen ik op de Bodyfarm een experiment uitvoerde dat aantoonde dat het onmogelijk zou zijn geweest om met een mes – zelfs al wás er sprake geweest van een steekwond, wat dus niet het geval was – de rug aan de linkerkant te doorboren, de ruggengraat te passeren en vervolgens negentig graden van koers te veranderen om de rechterlong in te gaan. De echte oorzaak van de longbloeding, zo bleek, was een caféruzie die enkele weken voor Billy Rays dood had plaatsgevonden, waarbij hij flink met laarzen was geschopt en meerdere ribben had gebroken waardoor zijn long met een scherp stuk bot was doorboord. Mijn getuigenis had een tweeledig doel gediend: het vrijpleiten van Billy Rays vriend na een onterechte moordaanklacht – wat me deugd deed – en het onder de aandacht brengen van dr. Hamiltons onbekwaamheid – wat me op twee punten minder deugd deed: ten eerste, dat hij onbekwaam was, en ten tweede, dat ik nu deel uitmaakte van de poging om een collega van jaren her te ontdoen van zijn vergunning om geneeskunde te beoefenen.

Na het proces had Hamilton me woedend aangesproken, dus toen ik de zaal betrad, was ik op het ergste voorbereid. Hij stond op en stapte op me af; ik zette me schrap voor een aanval, verbaal of zelfs fysiek, maar in plaats daarvan reikte hij me de hand. Verbijsterd schudde ik hem de hand. 'Zand erover, Bill,' zei hij met een glimlach en een kneepje in mijn hand. Verrast door de andere toon die hij nu aansloeg, kon ik niets anders uitbrengen dan: 'Ik hoop het, Garland.'

Helemaal voor aan in de zaal, gewoon een grote vergaderzaal in een van de overheidsgebouwen in het centrum van Nashville, zat een jury van drie artsen – leden van het medisch tuchtcollege – achter een lange tafel. Aan één kant had een stenotypiste plaatsgenomen aan een veel kleinere tafel; haar vingers zweefden boven het rare machientje dat ze gebruikte om te notuleren. Ik raakte gefascineerd door de techniek. Het apparaat, haar stenografeermachine, leek meer op een ouderwetse rekenmachine dan op een computer of typemachine; maar al tikkend drukte ze vaak twee of drie toetsen tegelijk in, net zoals je op een piano een akkoord speelt. Ooit had ik een rechtbankjournaliste gevraagd om me de techniek uit te leggen en te demonstreren. 'Ik transcribeer klanken, geen woorden,' had ze gezegd, en ze had me een paar woorden achter elkaar laten zeggen. Ze liet me zien welke toetsencombinaties ze gebruikte om de verschillende klanken die ik had uitgesproken uit te schrijven en soms vertegenwoordigde een 'akkoord' een lettergreep; soms een heel woord; en in één geval zelfs een hele zin. Ik had nog nooit zoiets ongelofelijks gezien: alsof ze zich een nieuwe taal en tegelijkertijd een muziekinstrument machtig had moeten maken. Sindsdien koesterde ik een grote bewondering voor de vaardigheden van rechtbankverslaggevers.

'Dr. Brockton, bent u zover?' De jurist die me namens de staat ondervroeg, bracht me terug bij de zaak. Hij had me eerder al gebrieft over de aanklacht tegen Hamilton: 'significante beroepsmatige incompetentie, met feitelijke of risico van onmiddellijke schade', de ernstigste telastlegging die je kon bedenken. In dit geval betrof de schade niet de patiënt, want Billy Ray was allang dood toen Hamilton hem onder handen nam; de schade betrof de vriend die wegens een onterechte moordaanklacht op levenslang kon rekenen. Inderdaad, vrij schadelijk. Als de lijkschouwers de klacht handhaafden, kon Hamiltons vergunning gewoon tijdelijk worden ingetrokken, maar het was waarschijnlijker dat het voorgoed zou zijn. En te oordelen naar nog enkele andere prullige autopsierapporten van zijn hand zou dat een goede zaak zijn.

Ik had tekeningen meegenomen van de ruggengraat, de ribbenkast en de longen, waarop het mogelijke 'wondtraject' te zien was dat Hamilton had beschreven; ook had ik verzocht om een skelet in de zaal, zodat ik de onmogelijkheid in drie dimensies kon illustreren. De aanklager leidde me vlug door een korte samenvatting van mijn experiment, waarbij ik niet eens in staat was geweest om de koers die Hamilton had beschreven ook maar te benaderen. Hij sloot af door mij te laten beschrijven hoe ik de botsplinter uit Billy Rays eigen versplinterde ribben, die de rechterlong had doorboord, had gevonden. De lijkschouwers in de jury stelden me een paar vragen: zou een dunner lemmet wel de vereiste draaien hebben kunnen maken? Waren er sporen van een mes op de losse botsplinter aangetroffen? Was het mogelijk dat de splinter tijdens de postmortale behandeling van het lichaam de long had doorboord? – maar ze leken tevreden met mijn antwoorden.

Vervolgens was Hamiltons advocaat aan de beurt. Over deze zelfde zaak was ik door de officier van justitie van Knox County al aan een kruisverhoor onderworpen, dus ik voelde me redelijk zelfverzekerd en goed voorbereid, maar zijn eerste vraag bracht me uit mijn evenwicht. 'Dr. Brockton, hebt u de overledene, de heer Ledbetter, onderzocht op bewijzen van scoliose? Ruggengraatsverkromming?'

'Nou, nee,' antwoordde ik, 'maar ik denk dat het me wel zou zijn opgevallen...'

'Ik vraag u niet wat u denkt dat u wel zou zijn opgevallen, doctor; ik vraag of u metingen deed of röntgenfoto's maakte of andersoortig onderzoek verrichtte dat een objectieve indicatie van scoliose zou hebben opgeleverd.'

'Dan zou mijn antwoord nee moeten zijn,' zei ik.

'En hebt u uw onderzoeksobject, de proefpersoon die u in de rug stak, onderzocht op bewijzen van scoliose?'

Ik voelde mijn wangen gloeien. 'Nee,' antwoordde ik. 'Hij leek een gezond individu. Hij was marathonloper. Ik kan me niet voorstellen dat iemand met scoliose het prettig zou vinden om lange afstanden te lopen.'

'Hebt u ooit foto's van of nieuwsverslagen gezien over mensen die amputaties hebben ondergaan, die kunstledematen hebben en toch marathons lopen?'

'Ja.'

'Kunt u zich voorstellen dat die dat prettig vinden?'

'Nee. Maar ik begrijp even niet wat u bedoelt, denk ik.'

'Wat ik bedoel, dr. Brockton, is dit: u weet niet zeker dat Billy Ray Ledbetters ruggengraat gezond was, en u weet niet zeker dat de ruggengraat van uw proefpersoon qua vorm identiek was aan die van de heer Ledbetter. Wat ik bedoel, is het feit dat een mes in het lichaam van de heer Ledbetter een ander pad kán hebben gevolgd dan in het lichaam van uw experimentele kadaver, als hun ruggengraten anders gekromd waren. Of kan dat niet, dr. Brockton?'

Ik was niet bereid om helemaal toe te geven. 'Enigszins,' antwoordde ik. 'Als een van hen een ernstige verkromming had en de ander niet. Maar geen van beiden had een ernstige verkromming.'

'U hebt net verklaard dat u op geen van beide ruggengraten meetonderzoek deed of röntgenfoto's maakte om naar een bewijs voor scoliose te zoeken,' riposteerde hij.

'Ik heb úw ruggengraat ook niet onderzocht,' zei ik, 'maar dat weerhoudt me er niet van om te constateren dat er bij u waarschijnlijk sprake is van enige voorste slijtage van en samendrukking in de tussenwervelschijven van uw nek. Daarom steekt uw hoofd iets naar voren van uw schouders. Hebt u nekpijn? U zou misschien een goede kandidaat zijn om uw nekwervels te laten vastzetten.'

'Meneer, we zijn hier níét om het over míjn ruggengraat te hebben,' tierde hij nu bijna tegen me.

'Nee meneer, inderdaad,' zei ik zonder stemverheffing. 'Waar we het hier over hebben, is waarheid en vakbekwaamheid, en wat ík bedoel is dat ik na het bestuderen van duizenden skeletten geen röntgenfoto's hoef te nemen of hoekmetingen hoef te doen om een misvormde ruggengraat te herkennen. Geen van deze twee individuen had een misvormde ruggengraat.'

Hij sputterde nog wat na en deed zijn best zijn voordeel terug te winnen, maar hij had duidelijk zijn enige troefkaart gespeeld, en het was niet bepaald de aas waarop hij had gehoopt. Na nog wat verder redetwisten maakte de arts die de hoorzitting voorzat er een eind aan, bedankte me en stond me toe de getuigenbank te verlaten.

Toen ik de zaal uitliep, zag ik Hamiltons advocaat over zijn nek wrijven; het deed me glimlachen. Vervolgens zag ik de blik van de stenotypiste van mij naar de advocaat en weer terug glijden. Ze knipoogde en glimlachte naar me; tegelijkertijd sloeg ze haar benen over elkaar. Ik wist even niet of dit gewoon een gelukkig toeval was of een soort beloning voor het stukje amusement dat ik had geleverd. Hoe dan ook, mijn glimlach werd breder en ik knipoogde terug.

Ten slotte zag ik Garland Hamilton naar me kijken. Ik staarde hem strak aan, en hij knikte heel even naar me. Het was wat minder vriendelijk dan zijn begroeting van zo-even, maar toch vrij hartelijk, gelet op het feit dat zijn carrière hier op het spel stond en ik deel uitmaakte van de inspanning om die een halt toe te roepen.

De jurist namens de staat ging me voor de zaal uit. In de marmeren hal, net achter de dubbele deuren, wachtte Jess Carter op een bank. Als ik er van tevoren over had nagedacht, zou ik me hebben gerealiseerd dat Jess ook zou getuigen, want zij had immers een tweede sectie verricht op het lijk van Billy Ray Ledbetter voordat ik de botten had onderzocht. Maar ik was te veel in beslag genomen door de Chattanooga-zaak, en door mijn tactloze bejegening van mijn student, de aanhanger van de scheppingsleer, om erbij stil te staan.

'Hé, vreemdeling,' zei ze. 'Ik dacht wel dat ik je hier zou zien. Blijf je van-nacht in Nashville?'

Dit was vandaag al de tweede vraag die me van mijn à propos bracht.

'Tja, zou ik kunnen doen,' reageerde ik, maar mijn gedachten bleven een halve tel achter bij mijn woorden. 'Ik bedoel, ja. Denk ik. En jij?'

Ze lachte om mijn gestuntel. 'O. Sorry, nee. Een of andere vent die in het ziekenhuis een routineoperatie aan zijn voet moest ondergaan, is op de avond dat hij werd opgenomen overleden. Zijn familie schreeuwt nu om een rechtszaak. Ik moet vanmiddag nog terug om autopsie te verrichten.'

'O, juist ja. Ik ook, nu ik erover nadenk. Ik bedoel, geen autopsie. Ik heb nog wat tentamens na te kijken, zodat ik ze morgenochtend terug kan geven.'

'Ik dacht dat het deze week voorjaarsvakantie was?' Ze trok vragend haar wenkbrauwen op. Haar ogen sprankelden.

Verdomme. Waarom leek haar processor altijd zoveel sneller te werken dan die van mij? Ik was blij dat Jess me daarnet niet aan een kruisverhoor had onderworpen. 'Laat mij je niet van je getuigenis afhouden,' zei ik met een knikje naar de jurist, die al een bezorgde blik op zijn gezicht had.

'O, wat ik te zeggen heb, zal niet lang duren,' reageerde ze. 'Ik zeg hen gewoon dat ik één blik op die rottende resten heb geworpen en ze linea recta aan de eminente dr. Brockton heb overgedragen.'

Ze knipoogde, draaide zich om en verdween door de deuropening. In haar kielzog liet ze een werveling van haren, parfum en vrouwelijke fero-monen achter, plus de onmiskenbare aura van geestigheid, intelligentie en vakbekwaamheid.

10

*I*k was halverwege het nakijken van een stapel van honderd tentamens en nu al begon mijn maag zich te roeren. Ik keek op mijn horloge. Halfelf, nog te vroeg voor de lunch, zelfs voor mij, al scheelde het niet veel. Bovendien serveerde de dichtstbijzijnde kantine, in het atletiekgebouw aan de overkant van de straat, de lunch pas na elven. Als ik nog even volhield, kon ik ook de vijftig resterende tentamens afwerken – het waren meerkeuzevragen en invuloefeningen – en zou ik nog vooraan in de rij kunnen staan.

Er werd geklopt. Als ik aanwezig was, liet ik de deur altijd op een kier, en de meeste studenten denderden gewoon naar binnen. Maar nu niet. 'Binnen,' zei ik. Het was Miranda. Ze stak haar hoofd om de hoek van de deur en liet haar blik door mijn werkkamer glijden. 'Sinds wanneer klop jij?' vroeg ik.

'Sinds ik hier ooit binnenkwam en jij iemand aan het zoenen was,' zei ze, terwijl ze haar ogen ten hemel sloeg.

'Aha.' Ik had al meteen spijt van mijn vraag. 'Dat was eens maar nooit weer. Destijds was ik nog helemaal in de rouw. Ze wilde me alleen maar wat opbeuren.' Helaas, en gênant genoeg, was 'ze' een studente geweest die me tijdens een college een vraag had gesteld, een vraag die de poorten van mijn verdriet over mijn overleden echtgenote weer wagenwijd had opengezet. In haar poging me wat op te monteren had de jongedame me getrakteerd op een kus uit mededogen, maar die had al snel het vuur van de hartstocht in me aangewakkerd. Waarschijnlijk was het maar goed ook dat Miranda op dat moment in mijn deuropening was verschenen. Want wie weet, was ik nog verder over de schreef gegaan.

'Opbeuren, hè?' reageerde Miranda minzaam. 'Hm. Een beetje zoals die cipier over wie ik vorige week in de krant las? Nadat hij was betrapt terwijl hij een van de vrouwelijke gedetineerden aan het opbeuren was? Als ik me het artikel goed herinner, zat ze behoorlijk in de rats toen ze wegens prostitutie werd gearresteerd.'

'Nee,' verdedigde ik me. 'Niet in die zin. Er kwam geen bloot bij kijken.'

'Misschien wel als ik vijf minuutjes later was binnengekomen. Nu we het toch over de capabele en opbeurende mejuffrouw Carmichael hebben, hoe gaat het met haar? Is ze nog steeds de beste van haar werkgroep?'

'Ik zou het niet weten,' antwoordde ik. 'Ze doet dit semester twee antropologiewerkgroepen. Ik hoop maar dat ze niet voor de Duistere Kant heeft gekozen.'

'Hm. Ik denk dat ze uiteindelijk wel weer bij de fysieke antropologie zal belanden. Ze lijkt mij meer het fysieke type, weet je wel?' Ze glimlachte lief terwijl ze het zei om me te laten weten dat ze het als een grapje bedoelde. Min of meer.

'Ik ben blij dat je het zegt,' zei ik, terugglimlachend. 'Ik begon me al een beetje zorgen te maken om haar. Je hebt me zo... gerustgesteld.'

Boos keek ze me aan, en ze schoot in de lach. 'Oké, oké, sorry. Vrede. Ik ben niet langer jaloers! Stilte. 'Een slimme, leuke... trut.' Weer schoot ze in de lach. En ik ook. Miranda wist hoe ze me onderuit kon halen, om me vervolgens net op tijd op te vangen. 'Maar ik ben hier niet gekomen om jouw zwaktes bloot te leggen,' verduidelijkte ze.

'O, wat jammer nou. Ik genoot net zo. En welk genot staat mij nu te wachten?'

'Ons onderzoeksobject. Nul-vijf-31?' Meteen was ik een en al aandacht. 05-31 was het casusnummer dat toebehoorde aan het lichaam dat we op de Bodyfarm aan een boom hadden gebonden. Hij was het 31e slachtoffer van 2005.

'En?'

'Nou, het begint best interessant te worden. Ik denk wel dat je even een kijkje wilt gaan nemen.'

'Ik was al van plan om na de lunch die kant op te gaan zodra ik klaar ben met deze tentamens hier,' reageerde ik, 'maar op de een of andere manier lijken die nu een stuk minder dringend. Laten we maar eens gaan kijken.'

De pick-up van de faculteit stond geparkeerd bij de volgende trap, vlak bij de tunnel die het stadion op veldhoogte doorboorde, uitkomend aan de noordkant, dezelfde tunnel vanwaar de spelers van het universitaire football, onder luid gejuich van zo'n honderdduizend man publiek, tijdens toernooien het veld betraden. De pick-up stond altijd met de neus schuin tussen twee van de pilaren die de bovenste tribune stutten. Ik reed achteruit, met de achterkant tussen twee andere pilaren, en over de smalle dienstweg die het stadion omcirkelde, me een weg banend langs plukjes studenten en een tegemoetkomende onderhoudswagen.

Ik sloeg rechts af Neyland Drive op en samen reden we stroomafwaarts langs de rivier. Het was een zonnige ochtend en ongewoon warm voor half maart – althans, afgaand op wat normaal was – en in het park dat aan het stadion grensde, waren al aardig wat fietsers en joggers te zien. De proeftuinen van de landbouwhogeschool, een paar zorgvuldig ontworpen velden die uitwaaierden vanaf een groot, cirkelvormig middelpunt, stonden al vol met narcissen, forsythia's en tulpen. Ik minderde wat vaart om het uitzicht te bewonderen, en dat was maar goed ook, want zo'n honderd meter voor ons maakte een grote paardentrailer op zijn gemak een ruime bocht naar rechts om het terrein van de school voor diergeneeskunde op te kunnen rijden.

'Zeg, over paarden gesproken, wat is er eigenlijk met Mike Henderson gebeurd?' vroeg Miranda. 'Een tijdje terug deed hij nog onderzoek naar het effect van vuur op botten. Hij had een parttime baan op de school voor diergeneeskunde, waar hij regelmatig paarden- en koeienbotten verbrandde om de breukpatronen te bestuderen, toch? Voorbereidend onderzoek voor een groot project met menselijk botmateriaal.'

'Dat was inderdaad zijn voornemen,' antwoordde ik. 'Maar in zijn doctoraalscriptie zaten wat knelpunten. Hij had met flink wat botten geëxperimenteerd, kwam met een paar mooie foto's die het verschil toonden in de manier waarin oude en jonge botten scheurtjes vertonen als ze in het vuur liggen. Maar ik vraag me af of het er qua interpretaties en analyse niet een beetje aan schortte.'

'Een jaar of twee geleden zag ik een paar van die foto's tijdens een forensische conferentie,' vertelde ze. 'Heel interessant. De oude botten die hij had verbrand, vertoonden zeg maar een rechtlijnig breukpatroon, net als houtblokken op een kampvuur, maar de jonge botten vertoonden meer een spiraalvormig patroon, toch?' Ik knikte. 'Hoe kan dat?'

'Zou ik niet precies weten,' antwoordde ik. 'Niemand trouwens. Wil je mijn persoonlijke theorie horen?'

'O, graag, dokter,' antwoordde ze zwoel. 'Ik vind het heerlijk als u uw persoonlijke theorieën met me deelt.' Een sarcastische valkuil, maar ik had het allemaal zelf uitgelokt.

'Goed dan, slimmerik. Volgens mij heeft het te maken met het collageen,' zei ik. 'In verse botten zit nog altijd flink wat collageen. Ik geloof niet dat dit inmiddels al door iemand is aangetoond, maar mijn theorie luidt dat de collageenmatrix een beetje gedraaid is, wat het bot sterker zou moeten maken. Een beetje te vergelijken met die gedraaide pijnbomen die je soms op winderige kliffen ziet, snap je? De spiraalvormige structuur maakt dat ze een stuk taaier zijn dan de lange rechte stammen van bomen die in de luwte groeien.'

'De natuur is een behoorlijk goeie ingenieur,' klonk het instemmend.

Ik draaide de toegangsweg op die ons naar de Alcoa Highway voerde en ons over de rivier naar het medisch instituut en de Bodyfarm leidde. 'Het is anders nog niet te laat om van dissertatieonderwerp te veranderen, hoor,' zei ik. 'Ik durf te wedden dat als je röntgenmateriaal en MRI-scans van verse botten zou vergelijken met die van droge, je wat meer licht op de structuur van het collageen zou kunnen werpen.'

'Welja. Gewoon al mijn data over osteoporose, hup, de vuilnisbak in en gezellig opnieuw beginnen.' Ik knikte. 'Dus, als voor mij als promovenda mijn zeven jaar erop zitten, kun jij me dan een aanstelling bezorgen?'

'Als dat inhoudt dat jij mijn collega blijft...'

'Ha,' lachte ze. 'Je zou je behoorlijk bedreigd gaan voelen.'

'Ha,' lachte ik op mijn beurt. 'Ik voel me nu al bedreigd. Het betekent dat ik of dapper ben of gewoon stom.'

'Ik denk het ook,' was haar reactie, zonder dat ze verder aangaf in welke richting ik haar antwoord moest duiden.

Terwijl we de brug over de rivier overstaken, zag ik dat het waterpeil de afgelopen nacht behoorlijk was gestegen. Gedurende de winter laat het waterschap van Tennessee Valley altijd het waterpeil in het stroomgebied van de spaarbekkens zakken, zodat de vele regen in deze periode voldoende kan wegstromen. Halverwege maart nemen de regenbuien wat af en zorgt het waterschap ervoor dat de binnenwateren weer hun normale zomerse waterstand krijgen. Een aantal meren in de bergen – vooral Norris Lake en Fontana Lake – zakken 's winters drie tot zes meter, waarbij dikke lagen rode klei rondom het groene water zichtbaar worden. Het water van Fort Loudon echter, een hoofdreservoir dat vanwege scheepvaartverkeer open moest blijven, zakte slechts dertig centimeter. Voor pijlpuntverzamelaars goed genoeg, maar nog te weinig om de boten als onfortuinlijke walvissen op de modderbanken te laten stranden.

De judasbomen en kornoeljes langs Alcoa Highway waren al in bloei. Gewoonlijk waren dat eerst de judasbomen en als die eenmaal een beetje uitgebloeid waren, schoten de kornoeljes in vuur en vlam. In sommige jaren, wanneer de botanische sterren op een of andere magische wijze precies goed stonden, bloeiden de beide boomsoorten tegelijk, en ook nu leek het zo'n prachtig jaar te gaan worden. Wie weet kwam het doordat ik eindelijk, na twee jaar, de dood van mijn vrouw Kathleen een beetje te boven begon te komen, of misschien roerde mijn verlangen naar Jess zich, aangemoedigd door wat ik als geflirt van haar kant beschouwde. Hoe dan ook, deze lente leek te rieken naar prikkelende, schaamteloze overvloed. De lucht geurde bijna uitdagend naar bloesems en pollen. Dit was het soort lente dat in vorige eeuwen andere culturen tot heidense feesten had geïnspireerd.

De hogere landbouwschool van de universiteit van Tennessee bezat een zuivelboerderij, naast het ziekenhuis, gelegen aan een ruime bocht van de rivier. Op een ochtend als deze, met de bomen in volle bloei en de zwart-witte Friese runderen in de smaragdgroene wei leek het een levend schilderij: Pastoraal Tennessee, zo had de naam kunnen luiden. Schuif de Bodyfarm in een hoek en je had zo'n zeventiende-eeuws schilderij, compleet met een schedel of een gehavend dier tussen het dauwachtige fruit en de groenten om ons aan onze sterfelijkheid te herinneren. Een beetje zoals mijn rol tijdens de faculteitsvergaderingen, zo leek me.

Ik parkeerde naast de ingang en opende de kettingsloten van het hek en de houten binnenpoort. Op het terrein van de Bodyfarm zelf groeiden geen judasbomen en kornoeljes, maar op de open plek was het een weelde van paardenbloemen. Frisgele penseelstreken tussen het verse groene gras en de oude botten.

Terwijl Miranda en ik het pad op liepen, viel mijn oog op een nieuwe lijkenzak, een kleine meter naast het pad. Er staken een hand en een voet uit. 'Is dit het slachtoffer van het snelwegongeluk?' vroeg ik.

'Ja. We hebben hem gisterochtend vanuit het lijkenhuis hiernaartoe gebracht.'

Ik knielde naast het lichaam en sloeg de zak iets terug. Een kleine wolk vleesvliegjes zwermde vanonder het zwarte plastic omhoog. 'Hij liep langs de I-40?'

'Ja. Langs dat verhoogde stuk in het centrum, waar geen berm is. Verdwaalde per ongeluk op de rijstrook en een of andere middelbare scholier raakte hem vol. Ik leef met die jongen mee. Kennelijk is hij er nogal kapot van.'

'Wie zou dat niet zijn,' zei ik. 'Ik heb ooit een hond aangereden. Ik heb toen moeten overgeven. Stel je voor dat ik per ongeluk iemand doodrijd.'

'De jongen boft dat hij in een grote suv reed. Want anders had hij het zelf misschien ook niet overleefd. De voorkant zat flink in elkaar. Met een kleinere auto, en zo'n honderd kilometer per uur, was deze meneer misschien zo over de motorkap en dwars door de voorruit gevlogen.'

Ik bekeek het dode slachtoffer eens goed. Hij leek er veertig à vijftig taaie jaren op te hebben zitten voordat hij een prooi van de snelweg werd. Eén kant van zijn hoofd en gezicht was verbrijzeld. Stukjes glas en lakschilfers zaten verstrikt in zijn haar, en een reeks tanden was bij het tandvlees afgebroken. Ook de linkerarm, -schouder en -ribben leken verbrijzeld. In de vele wonden zag ik eitjes van motluizen. Het zag eruit als korrelige pasta of havermoutpap. Over 24 uur zou zijn hele lichaam krioelen van verse maden.

'Het zal niet meevallen om te bepalen of hij aan hersenletsel of inwendige verwondingen is overleden,' zei ik. 'Ik denk dat Jess het wel kan uitvogelen, als het moet.'

'De familie wil geen autopsie, en ze wil ook het lichaam niet opeisen,' zei Miranda. 'Hij zwierf al een tijdje op straat. Drankproblemen en waarschijnlijk ook geesteziek. Kennelijk was er geen sprake van liefde tussen hem en zijn familie. Op de overlijdensakte staat slechts "meerdere verwondingen als gevolg van aanrijding met auto" als doodsoorzaak.'

'Tja, leuk is anders,' zei ik. 'Maar hij vormt in elk geval een interessante toevoeging aan de bottencollectie. Een mooi voorbeeld van verwondingen als gevolg van een harde botsing en van hoe je de richting ervan kunt afleiden uit de wijze waarop de botten zijn gebroken.'

'En ook een goed voorbeeld van waarom het niet verstandig is om dronken op straat te gaan lopen.'

'Ook dat.'

Ik sloeg de flap terug en schoof zijn hand en voet onder het plastic en uit de zon. De schaduw zou verhinderen dat de huid een taaie, leerachtige structuur kreeg, en de maden – die het zonlicht meden, en daarmee ook de vogels die hen rauw lustten – aanmoedigen om zich kogelrond te vreten. We vervolgden onze weg naar onze Chattanooga stand-in.

Terwijl we dichterbij kwamen, zag ik waarom Miranda me hiernaartoe had gesleept. Het lichaam hing nog steeds aan de boom, met het hoofd bijna op de borst. Ondanks de gezichtsletsels die ik had nagebootst, bloederige verwondingen die normaal een feestmaal zouden zijn voor hongerige maden, was het meeste zachte weefsel nog intact. Zelfs de dikke oogmake-up. Van de voeten en de onderbenen resteerde echter weinig meer dan de botten.

'Wauw,' zei ik verrast. 'Hij ziet er bijna hetzelfde uit als het echte slachtoffer, behalve dan dat zijn onderbuik nog steeds gezwollen is. Nog een paar dagen en de overeenkomst is perfect.' Ik knielde en zocht op de benen en voeten naar knaagsporen, maar zag ze niet, ook weer in overeenstemming met het echte slachtoffer uit Chattanooga. Het enige wat ik zag, waren maden die elkaar bevochten om het kleine beetje weefsel dat nog op de onderste regionen te vinden was.

We hadden een infraroodcamera op een driepoot geïnstalleerd en met een bewegingssensor verbonden om te kijken of nachtdieren zich over het hek zouden wagen om van het lijk te proeven. 'Heb je de camera gecontroleerd?' Miranda knikte. 'Is hij geactiveerd?'

'Nee,' antwoordde ze. 'Geen enkel dier heeft zich laten zien. Zelfs geen muis.'

Ik kwam weer overeind en bekeek het gezicht. Daarbij moest ik iets door mijn benen zakken en werd ik gedwongen omhoog te kijken om het voor-overhangende hoofd goed te kunnen bestuderen. Op dat moment voelde ik een kleine made tegen mijn wang tikken. En nog een. En nog een. Snel stapte ik naar achteren en schudde ik verwoed mijn hoofd heen en weer als een hond die zijn natte vacht uitschudt. Voor de zekerheid sloeg ik nog even met een hand langs mijn wangen. 'Poeh, nu begrijp ik waarom de condities van boven- en onderlichaam zo verschillend zijn.'

'O?'

'Ja. Zodra de eitjes van die vleesvliegjes uitkomen, vallen de maden naar beneden. Hierboven is maar weinig horizontaal oppervlak, zoals bij een lichaam dat op de grond ligt.' Ik wees naar de voeten. 'Ze vallen daar neer, en ze kunnen vrij gemakkelijk bij de voeten komen. Sommige lukt het zelfs om naar de enkels te kruipen, en een paar weten zelfs halverwege de onderbenen te komen. Maar hoe hoger je kijkt, hoe minder maden je ziet.'

Miranda boog zich iets naar voren, maar uit de buurt van de maden die uit het hoofd naar de grond druppelden. 'Je hebt gelijk,' oordeelde ze. 'Je zou de verdeling als een asymptotische curve kunnen weergeven. Als de afstand tot de grond, X, toeneemt, daalt het aantal maden, Y, van onein-dig naar bijna nul.'

Verbijsterd keek ik haar aan. 'Een asymptotische curve? Wat voor taal is dat nu weer?' Verbijsterd om mijn verbijstering keek ze me aan. Plotseling schoten we allebei in de lach.

'Oké, ik geef het toe. Ik ben 's werelds grootste, raarste nerd,' gaf ze toe. 'Maar het ís een mooie curve, en asymptotisch tot en met.' Ze bracht een wijsvinger omhoog en beschreef een bijna verticale lijn die geleidelijk horizontaal werd.

'Inderdaad een mooie curve,' zei ik. 'Ik denk zelfs dat er wel een publica-tie in het *Journal of Forensic Sciences* in zit. Vooral als je er een videootje bij doet van jezelf terwijl je in de lucht die grafiek beschrijft.'

Ze trok een gezicht. 'Vreet maden en sterf,' luidde haar verwensing.

Sterven deed ik niet, wel voelde ik opeens een hardnekkige jeuk die zich over mijn hele hoofdhuid verspreidde.

II

Er klonk een licht klopje op mijn deurkozijn en een fractie later –
zelfs voordat ik kon opkijken – hoorde ik een vrouwenstem:
'Klop klop.'
'Kom binnen,' zei ik, nog niet opkijkend. Ik schreef net een opmerking
op een tentamen van een van mijn studenten en wilde eerst de zin afmaken voordat ik de tweede helft zou vergeten. Toen ik de punt zette, realiseerde ik me dat de stem me bekend voorkwam, maar ook dat ik niet
gewend was deze te horen in de smoezelige vertrekken van Stadium Hall.
Mijn eerste oogopslag verklaarde het gevoel dat er iets niet klopte. De
stem behoorde toe aan Amanda Whiting, en ik had die nooit ergens
anders gehoord dan in de met notenhouten lambriseringen opgesmukte
eetkamer van de preses en het op dezelfde manier gefineerde interieur van
diens woning.
'O jee,' reageerde ik. 'Ik moet wel vreselijk diep in de stront zitten als jij
me helemaal hier komt opzoeken.' Amanda was vicevoorzitter van de universiteit van Tennessee; ook was ze de voornaamste raadsvrouw, de meest
ambitieuze advocaat van de universiteit. 'Wat heb ik nu weer gedaan? Ik
heb echt geprobeerd me tijdens de colleges wat in te houden met de schuine
moppen. Echt waar!'
'Was het maar zo simpel als een studente die aanstoot neemt aan jouw
neanderthaalse gevoel voor humor,' zei ze. 'Dit gaat over Jason Lane.'
'Jason Lane? Dat is een van mijn studenten; ik ken die naam. Maar verder kom ik niet.'
Ze slaakte een zucht. 'Jason Lane is een gelovige jongeman. Een vrome,
fundamentalistische, christelijke jongeman.' Plotseling zag ik waar dit
naartoe ging, en het beviel me absoluut niet. 'Hij gelooft dat de Bijbel het
letterlijke, feilloze woord Gods is; dat het boek Genesis het ondubbel-
zinnige relaas is van de schepping der aarde en alle bestaande levensvor-
men.'
'En tijdens mijn college onlangs was ik zo vrij om daar anders over te denken,' zei ik.
'Zo vrij om daar anders over te denken? Jezus, Bill, je hebt ten overstaan
van honderd anderen boven op het geloof van deze knul staan stampen!'

Ze sloeg haar armen over elkaar en keek me over haar leesbril streng aan. 'Je hebt gelijk,' gaf ik toe. 'Ik heb hem wat hard aangepakt, en heb daar een rotgevoel over, maar verdomme, Amanda, ik ben wetenschapper. Wordt er echt van mij verwacht dat ik vóór het betreden van de collegezaal mijn hersens en mijn opleiding opzijzet en net doe alsof alles wat we dankzij de paleontologie, de zoölogie en de moleculaire biologie te weten zijn gekomen niet meer is dan loze speculatie? En als een of ander joch zegt dat alles in zes dagen tijd tevoorschijn werd getoverd, moet ik dan zeggen: "Gossie, Jason, misschien heb jij wel gelijk en hebben al die Nobelprijswinnaars ongelijk"? Sinds wanneer is dat hier het beleid voor academische vrijheid?' Ik keek haar woedend aan. Ze keek boos terug, maar daarna verzachtte haar blik.

'Ik weet het,' zei ze. 'Intellectueel en wetenschappelijk gezien heb je helemaal gelijk. En jij hebt de vrijheid om te doceren wat jij gelooft dat juist is. Desalniettemin zitten we wel met een probleem.'

'Dus wat moet ik doen? Mijn excuses aanbieden? Onder vier ogen, of ten overstaan van de hele zaal zodat mijn vernedering net zo groot is als die van hem?'

'Daar gaat het niet om,' zei ze. 'Hij zit niet achter een excuus aan.'

'Wat wil hij dan wel?'

'Wat heb je te bieden?' vroeg ze. 'Het is niet langer slechts jij versus hem. Vandaar dit probleem. Deze student vormt gewoon de geschikte aanleiding, en jij bent gewoon de deur waar elk moment kan worden aangeklopt, of die wordt ingetrapt.'

'Wat bedoel je?'

'Ooit van Jennings Bryan gehoord?'

'William Jennings Bryan? Natuurlijk. Jurist, senator en presidentskandidaat aan het eind van de negentiende eeuw. Tijdens het Scopes-proces, iets verderop in dat gehucht Dayton, pleitte hij tegen de evolutie, toch?'

'Die wel, ja; maar deze Bryan werd minstens honderd jaar later geboren en is springlevend. Geen familie van de advocaat in het Apenproces, tussen twee haakjes, maar er zijn tal van parallellen. Ook hij is strafpleiter. En anti-evolutionist. Een filosofisch splintertje van het oude Bryan-blok. Koestert zelfs politieke aspiraties; hij en die voormalige opperrechter van het hooggerechtshof, de Tien Geboden-rechter, genieten al enige bijval als droomkandidaten van de uiterst rechtse vleugel voor de presidentsverkiezingen van 2008.'

'Dan kan zelfs ik maar beter non-stop gaan bidden,' zei ik. 'En hoe past de jonge weledelgeboren Jennings Bryan in dit verhaal?'

'Voor zover ik weet, belde jouw student Jason compleet overstuur naar huis over wat jij in de collegezaal hebt gezegd. Zijn ouders, die wanneer het op zaken als geloof en evolutie aankomt zijn overtuiging delen, belden vervolgens hun predikant op. En onder diens kudde behoort toevallig ook de heer Bryan, die binnen religieus fundamentalistische kringen naam heeft gemaakt als campagneleider bij een aantal geslaagde pogingen om op openbare scholen het scheppingsverhaal te onderwijzen, of in elk geval de evolutietheorie te ondermijnen.'

'Maakte hij toevallig ook deel uit van de campagne in Kansas die de onderwijsraad zover kreeg dat ze leraren muilkorfden?'

'Achter de schermen, ja,' antwoordde ze. 'Ook heeft hij in een stuk of vijf processen over openbaar onderwijs, de evolutie en intelligent design als *amicus curiae* de rechters belangeloos van raad voorzien. Het enge aan hem is dat hij eigenlijk vrij goed op de hoogte is van de wetenschappelijke vraagstukken, zodat hij zijn pijlen kan richten op wat hij als de achilleshiel van de evolutie beschouwt.'

'Zoals?'

'Tja, zoals de gaten in onze kennis over fossielen. Naar ik begrijp, zou je logischerwijs verwachten dat fossielen over een periode van miljoenen jaren gestage veranderingen zouden laten zien, maar in plaats daarvan zien we een beeld van lange perioden met kleine veranderingen en slechts weinig overgangssoorten, en dan opeens: boem!, een explosie van nieuwe soorten of variaties.'

'De evolutie verloopt met horten en stoten,' merkte ik op. 'Alleen maar omdat we nog niet begrijpen waarom, wil nog niet zeggen dat we het maar door de wc moeten spoelen.'

'Geloof me, Bill, ik ben het helemaal met je eens. Ik zeg alleen dat die Bryan een pienter mannetje is. Hij weet hoe hij dit soort kwesties moet formuleren om weerklank te vinden bij de gewone man. Inclusief rechters en jury's.'

'En hoe precies denkt de heer Bryan het ons lastig te maken?'

'Van wat mij via het geruchtencircuit ter ore is gekomen, wil hij dat op drie manieren doen,' zei ze. 'Ten eerste, door een principieel proces te beginnen tegen jou, de universiteit en de staat wegens het discrimineren van studenten die in de letterlijke waarheid van het zesdaagse scheppingsverhaal geloven. Ten tweede, door de raad van bestuur met een petitie te verzoeken om een beleidslijn aan te nemen die verplicht dat elk evolutiegericht onderwijs wordt gecompenseerd met een alternatieve theorie.'

'Geweldig,' zei ik. 'Ik ben altijd al weg geweest van de indiaanse alternatieve theorie, die inhoudt dat Noord-Amerika op de rug van een reusachtige zeeschildpad wordt meegevoerd.'

71

'Het is makkelijk zat om daar het absurde van in te zien,' erkende ze, 'maar ik zeg je dit: ik kan niet garanderen hoe er gestemd zal worden als het bestuur zwaar onder druk wordt gezet.'

Dat waren de eerste twee manieren. 'Wat is de derde cirkel van de hel waar hij ons heen wil zenden?'

'Wetgeving, gemodelleerd naar een wet van 1980 in de staat Louisiana die vereist dat leraren die de evolutie behandelen ook wetenschappelijke bewijzen voor de schepping aandragen.'

'Maar zulke bewijzen zijn er helemaal niet,' protesteerde ik. 'Bovendien heeft het Amerikaanse hooggerechtshof die wet jaren geleden tenietgedaan.'

'Precies,' bevestigde ze. 'Twintig jaar en zes opperrechters geleden. Sindsdien is het hof nogal veranderd, en veel conservatiever geworden. Tegenwoordig zou het weleens een wet kunnen steunen die lijkt op de wet die in 1987 nog nietig werd verklaard. Dit wetsvoorstel in Tennessee – en ik heb gehoord dat hij zowel in het huis als de senaat al steun heeft – wijkt voldoende af van de wet van Louisiana zodat het hooggerechtshof weleens bereid zou kunnen zijn om de zaak te behandelen.'

'Verdomme,' vloekte ik, 'zou dat niet ironisch zijn, als Bill Brockton – een man wiens wetenschappelijke loopbaan is gegrondvest op evolutionaire veranderingen in het menselijke skelet – de creationisten een historische overwinning in de rechtszaal bezorgde?' Ze schonk me een mysterieuze Mona Lisa-glimlach. 'Nog ironischer zelfs,' ging ik verder, 'als acht decennia na het Scopes-proces, waarbij de wetenschap de slag om de publieke opinie won, de onderwijzers en de wetgevers van Tennessee diezelfde wetenschap de rug toekeerden.'

Ze kwam overeind om te gaan. 'Weet je wat het belangrijkste is wat jij nu kunt doen om dat te voorkomen?' vroeg ze. Ik wachtte het antwoord af. 'Je mond houden.'

12

Ik had net mijn pick-up bij de afgifteplaats achter het UT Medical Center geparkeerd toen Miranda haar hoofd om de hoek van de deur stak. 'Peggy heeft gebeld.' Peggy was de overwerkte secretaresse van de vakgroep antropologie. 'Ze zegt dat dr. Carter vraagt of je even naar haar kantoor in Chattanooga kunt bellen. Zo snel mogelijk.'

Ik haastte me naar binnen, me ondertussen afvragend waarom dit zo dringend was, maar zonder resultaat. 'Jess, met Bill,' zei ik even later. 'Is er iets?'

'Ik heb net een telefoontje uit Nashville gekregen, van het medisch tuchtcollege.' Dit was het clubje dat zich boog over het lot, en de medische vergunning, van dr. Garland Hamilton, de in ongenade gevallen lijkschouwer uit Knoxville, wiens functie Jess inmiddels al maanden waarnam. 'Bill, ze hebben hun gebrek aan ruggengraat getoond. Ze hebben besloten hem voor negentig dagen te schorsen, gerekend vanaf de dag van de aanklacht. Die werd 83 dagen geleden ingediend. Dat betekent dat hij over een weekje weer op zijn oude werkplek zit.'

Ik verbeet me. Hoe konden ze hem er met zo'n lichte straf van af laten komen? Hamiltons incompetente autopsie had een man wegens een 'moord' die nooit was gepleegd voor de rechter gebracht. Het was de slordigste lijkschouwing die ik ooit had gezien. Het was een ernstige misser en bovendien bepaald niet zijn enige. Ik had voor de zogenaamde beklaagde in deze 'moord'-zaak getuigd. Daarna had Hamilton me buiten, voor de rechtszaal, op een agressieve manier aangesproken. Maar vlak voor de hoorzitting over zijn vergunning, de vorige week, was hij zijn vijandigheid alweer aardig te boven, zo had het geleken. Hij had me de hand geschud. Zand erover, had hij me verzekerd. Toch was ik bepaald niet blij met de gedachte dat hij zijn werk als lijkschouwer voor Knox County en de achttien omliggende provincies weer zou mogen voortzetten.

'Wel verdomme,' mopperde ik. 'Zijn we net een beetje gewend aan een competente lijkschouwer. Ik weet dat het voor jou niet meevalt, dat heen-en-weergereis tussen Chattanooga en Knoxville, maar reken maar dat we je zullen missen.' Ik aarzelde even. 'Ik wel, in elk geval.'

Het werd even stil op de lijn, en ik voelde een lichte paniek opkomen. Ze verbrak de stilte. 'Dat wil nog niet zeggen dat we elkaar niet meer kunnen zien. Het betekent alleen dat we buiten het werk om moeten afspreken.'

Ik voelde me opeens opgelucht en hoopvol.

'We zijn allebei verstandige mensen,' zei ik, 'dus dat moet voor ons geen onoverkomelijk probleem zijn.'

'Overschat ons niet,' waarschuwde ze grappend. We kletsten nog wat, maar Jess werd opgepiept en dus hingen we even later op.

Vrijwel meteen nadat ik had opgehangen, ging de telefoon opnieuw. 'Met dr. Brockton,' zei ik.

'Bill? Met Garland Hamilton. Luister, ik wil dat je dit van mij hoort. Het medisch tuchtcollege heeft besloten me voor negentig dagen te schorsen, maar ze hebben ook gekeken naar mijn staat van dienst. Dus over precies een week ben ik weer terug op mijn werk.'

'Nou, dat zal voor jou vast goed nieuws zijn,' reageerde ik voorzichtig.

'O, ik sta te popelen om weer aan het werk te gaan,' zei hij. 'Luister, Bill, ik meende wat ik zei bij de zitting. Ik weet dat we het tijdens die Ledbetter-zaak niet helemaal met elkaar eens waren' – ik schoot bijna in de lach bij het horen van dit understatement, het was alsof George Bush en Al Gore elkaar niet helemaal recht in de ogen keken – 'maar ik hoop dat we het kunnen vergeten en met een schone lei kunnen beginnen.'

Ik aarzelde, en zocht opnieuw mijn heil in een vaag antwoord. 'Een schone lei zou fijn zijn.'

'Geweldig,' was zijn reactie. 'Wat heb ik gemist? In de tussentijd nog interessante zaken bij de hand gehad?'

Ik betwijfelde of ik hem wilde bijpraten over waar Jess mee bezig was. 'Nou, ik ben nu bezig met een moordzaak, maar die vond plaats in Chattanooga, dus dat valt onder de jurisdictie van Jess. Afgezien daarvan is het de laatste tijd vrij rustig geweest.'

'Blij het te horen. Goed, ik zal je niet langer van je werk houden. Ik wilde je gewoon even op de hoogte stellen, en je melden dat ik je vanaf volgende week weer zie.'

'Oké. Tot volgende week. Bedankt.'

Terwijl ik de hoorn op de haak legde, zonk de moed me in de schoenen. Of dat nu was omdat Garland Hamilton binnenkort weer terug was, of omdat Jess daar niet meer zou zitten, wist ik even niet.

Ach, kom op, maande ik mezelf. Je hebt niet voorgoed afscheid van haar genomen. Morgenavond zie je haar weer. Een tweede stemmetje mengde zich in de discussie: ja, maar dat is beroepshalve. En je kunt maar beter je kogelvrije ondergoed aantrekken. Ja, dáár zat ik nu net op te wachten, zeg, protesteerde stemmetje één.

13

De rit van Knoxville naar Chattanooga trok in een honderd-zestig kilometer lange waas van witte en donkerrode bloesems aan me voorbij. Kornoeljes en judasbomen waren dol op zon-licht en kalksteen, dus overal waar de I-75 rotslagen doorsneed, werd de snelweg geflankeerd door genoeg bloeiende bomen om Home & Garden Television – gevestigd in Knoxville – plus zijn hele leger van landschaps-architecten en tuiniers schaamtevol het hoofd te doen laten hangen.

Terwijl ik de top van East Ridge bereikte en aan de afdaling begon door de rollende S-bocht die naar de vallei in de oksel van Chattanooga voer-de, speelde ik het gesprek dat ik die ochtend met Jess had gevoerd in gedachten nog eens af; ze had me gebeld om de laatste afspraken voor ons onderzoeksuitje af te ronden.

'Ik heb voor jou in het centrum een kamer in het Marriott gereserveerd,' had ze gezegd.

'Een hotelkamer? Heb ik een hotelkamer nodig dan?'

'Geloof me,' had ze gereageerd, 'tegen de tijd dat deze nachtclub een beetje begint leeg te lopen, wil je er niet eens aan dénken om terug naar Knoxville te rijden.'

Maar naar Knoxville terugrijden, was niet bepaald waar ik aan gedacht had. Waar ik op had gehoopt, was een uitnodiging om de nacht bij Jess thuis voort te zetten. Ik deed mijn best mijn teleurstelling te verbergen. Immers, tot nu toe hadden we slechts één kus uitgewisseld, een gedenk-waardige kus weliswaar, en ik hoopte dat het niet de laatste zou zijn, maar het was er slechts één, toch een vrij magere basis voor een uitnodiging om te blijven slapen.

'Tien uur lijkt me vrij laat om te beginnen,' opperde ik.

'Nou, in deze tent begint het feest niet voor middernacht.'

En zo kwam het dat ik me nu inschreef in het Marriott, een ranke toren van zwart glas, met nog uren te gaan voordat Jess en ik de nachtclub zou-den bezoeken, waar ze het spoor van haar vermoorde travestiet hoopte op te pikken.

Ik parkeerde in de garage onder het hotel, ging naar mijn kamer en besloot naar het Tennessee Aquarium, een van de voornaamste toeristische attracties van Chattanooga, te wandelen. Tijdens hun laatste kerstvakantie had ik Jeffs zoontjes mee naar het aquarium genomen, en toen was de ingenieuze constructie van het gebouw me al opgevallen. Ik verwelkomde de kans er terug te keren.

De exposities in het hoofdgebouw begonnen zo'n vijf verdiepingen boven de ingang. Onder een enorme glazen piramide bevond zich daar een overtuigende herschepping van een stukje regenwoud in de bergen van Tennessee. Formeel werden de Great Smoky Mountains geclassificeerd als een gematigd regenwoud, wat de welige vegetatie en de kolkende rivierstromen verklaarde; op de allerhoogste verdieping van het aquariumgebouw wervelde er natuurgetrouw mist en drupte er niet zo levensecht water uit de bomen in stromen en poelen, waarin bronforellen, salamanders en otters achter glazen wanden heen en weer schoten.

Terwijl ik langs elke verdieping afdaalde, waande ik me via een opeenvolging van realistische natuurlijke leefgebieden op reis over een rivier naar de zee. Hier leefden honderden diersoorten, niet alleen waterdieren, maar ook vogels en reptielen, waaronder een monsterachtige oosterse diamantratelslang, met een lijf zo dik als mijn onderarm en een staart met wel vijftien ratels, die ik tweemaal ongelovig natelde. In een bassin waren twee duikers bezig vissen te voeren; een van de vissen – een duidelijk weldoorvoed exemplaar – was een anderhalve meter lange meerval die waarschijnlijk net zoveel woog als ik. Toen hij zijn bek opende, oogde zijn muil bijna groot genoeg om het hele hoofd van de duiker te verzwelgen.

Na mijn reis stroomafwaarts te hebben voltooid, via de delta helemaal tot in de oceaan, stapte ik duizelend naar buiten, een broeierige middag in, een lentedag die als hoogzomer aanvoelde. Langs een kant van het aquariumgebouw liep een waterval van het plein voor de ingang en de helling af naar de rivier de Tennessee, bedoeld als een eerbetoon aan de Cherokeeindianen, de eerste bewoners van oostelijk Tennessee. De waterval begon als kleine straaltjes die de Trail of Tears, het pad van tranen, symboliseerden, de onmenselijke tocht die de Cherokees uit de staat Tennessee verdreef en hen naar een reservaat in Oklahoma dwong. Naarmate het water verder de heuvel afstroomde, nam het volume, gevoed door verborgen kranen, in omvang toe tot een behoorlijke stroom die over de randen in ondiepe bassins druppelde. Kinderen in korte broeken, zwempakken en opgerolde spijkerbroeken waadden erdoorheen; ouders, grotere broertjes en zusjes en babysitters luierden op de betonnen terrassen ernaast, en een paar dappere zielen lagen, gehuld in bikini en te midden van tientallen kleine sportschoenen en slippers, te zonnebaden.

Toen ik het einde van de waterval had bereikt, stak ik de straat over naar

Ross' Landing aan de rivier, waarna ik stroomopwaarts verder slenterde over een houten plankenpad; dit vormde het begin van de lange, smalle parkstrook die zich kilometers uitstrekte naar de Chickamauga Dam. Een aan de steiger afgemeerde raderboot blies zijn stoomfluit, en een handjevol toeristen reageerde door zich ernaartoe te reppen. Een flink zwetende hardloper rende voorbij, en ik herinnerde me Jess' verhaal over hoe een man en diens hond hier ergens in de buurt een gruwelijke dood waren gestorven. Mijn tred werd sneller en vastberadener, totdat ik plotseling stopte. Op misschien vierhonderd meter stroomopwaarts van het aquarium en Ross' Landing liep het pad onder een paar bruggen door, om vervolgens zigzaggend tegen een steile helling naar een opvallend modern gebouw te voeren – de nieuwe vleugel van het kunstmuseum – dat waaghalzig over de rand van de steile rivieroever hing. Hier, onder de bruggen, was in de helling een zonderling, klein amfitheater opgetrokken. Op een van de lagere terrassen hingen aan de brugsteunen geelzwarte resten van een politielint; op het geelbruine kiezelpad waren de bloedsporen nog te zien. Aandachtig bekeek ik de lage ruimte onder de bruggen zoals ik dat bij elke plaats delict zou doen, in een poging om patronen in de bloedvlekken te duiden, maar het grind was te veel gespoeld en geharkt om er iets uit op te kunnen maken. Ik stelde me deze plek voor bij schemerdonker, in plaats van in het felle licht van de middag, en vroeg me af hoe het geweest moest zijn om te worden belaagd door een stel jongeren die kwaad in de zin hadden, om geen andere reden dan dat ik een makkelijk doelwit was voor hun in jaren opgebouwde woede en wanhoop.

Mijn sombere gemijmer werd verstoord door het zachte gezoem van rubberbanden op het plankenpad. Een in een bonte outfit geklede fietser passeerde me op een mountainbike. Toen hij de scherpe haarspeldbochten bereikte die steil naar de hoge rivieroever draaiden, verwachtte ik dat hij wel zou afstappen; maar in plaats daarvan maakte hij met een staaltje evenwichtskunst en precisie, dat ik niet voor mogelijk had gehouden op twee wielen, de ene scherpe draai na de andere – in totaal minstens twintig – om ten slotte vlak bij het museum het hoogste punt te bereiken en ervandoor te sprinten. Ik lachte verwonderd en verrukt, en begon zelf de heuvel te beklimmen. Toen ik eenmaal al zigzaggend de top had bereikt, pufte en zweette ik behoorlijk. Op mijn gemak kuierde ik door de buurt – een scala van galerieën, cafés en hotelletjes, geclusterd in de nabijheid van het kunstmuseum – en ik dineerde op de binnenplaats van een restaurant. Tegen de tijd dat ik naar het Marriott terugkuierde, had ik zware benen en zere voeten, en ik had net genoeg tijd om te douchen en me om te kleden voordat ik Jess trof in de lobby voor ons uitstapje.

Toen we bij het hotel wegreden, loodste Jess me rechtsaf naar Carter Street en nog eens rechts naar Martin Luther King Boulevard. Na een kilometer of anderhalf leidde ze me linksaf naar Central, daarna naar McCallie Avenue. Hier kwam het me vaag bekend voor, want ik was een paar keer uitgenodigd om gastlezingen te geven op McCallie School, een prestigieuze privéacademie waar mensen als mediamagnaat Ted Turner, senator Howard Baker en tv-dominee Pat Robertson hadden gestudeerd. De voorbereidingsschool stond echter wat verder naar het oosten, aan de voet van Missionary Ridge; onze bestemming was nachtclub Alan Gold's, die in een vlakker deel van de stad stond, dat vooral een arbeiderswijk was. 'Goed, langzamer, langzamer,' zei ze toen we een viaduct over een spoorlijn namen en links van ons een stadspark dreigend opdoemde. 'Daar is het, aan de rechterkant. Sla die zijstraat maar in en parkeer waar het kan.' Het was een kleurloos, oud en uit bakstenen opgetrokken gebouw van twee verdiepingen; op het eerste gezicht leek het eerder een elektriciteitsbedrijf dan een trendy nachtclub. Het enige opvallende kenmerk aan de voorgevel van McCallie was een reeks bolronde witte lampen op ongeveer zes meter hoogte. Maar op het moment dat we de zijstraat in draaiden, werd de boel al wat indrukwekkender. Minstens honderd auto's en pickups werden op een bont, onsamenhangend geheel van krappe parkeerplekken gepropt. Tientallen mensen – zowel in hun eentje als stellen van elke denkbare combinatie van leeftijd, geslacht, etnische achtergrond en mate van opgefoktheid – krioelden door elkaar. Vanuit de zijingang, een deur die om de paar seconden open- en dichtging om meer bezoekers toe te laten dan wel uit te braken, bonkte muziek. We hadden mazzel: terwijl we stapvoets naderden, reed er net een PT Cruiser achteruit weg van een parkeerplekje. 'Iemand op de versiertoer moet al vroeg succes hebben gehad,' zei Jess. Ik trok mijn wenkbrauwen op, en ik vermoedde dat ik me deze avond nog wel vaker zou verbazen.

Jess betaalde de tien dollar toegang voor ons, en we betraden een lange, smalle gang die niet alleen werd gestremd door de getijdenstroom van klanten, maar ook vanwege het eindpunt van deze tunnel, een kleine nis net buiten de toiletten, waar mensen bleven hangen en kletsen, en zo de boel ophielden. Hiervandaan voerden twee zich vertakkende gangen naar de grote zaal van de club, met een kleine bar achterin, en de hoofdbar recht tegenover de dansvloer waarop de samengepakte menigte op de tussenverdieping uitzicht had.

Jess en ik hadden besloten om ons op te splitsen en ieder afzonderlijk op onderzoek uit te gaan; we hadden een aantal politietekeningen van het slachtoffer uit Chattanooga bij ons. Eén versie toonde hem als een doodgewone man, in gewone straatkleding. Op de andere was hij afgebeeld in de kinky outfit waarin zijn lichaam was aangetroffen.

Jess beende af op een groepje jongemannen gehuld in uitrusting: veel zwart leer, afgezet met een overvloed aan ritsen, noppen, kettingen en schedels. Een aantal van die doodskoppen was gesierd met vleugeltjes, wat me bijzonder intrigeerde.

Ik voelde de behoefte om eerst wat te acclimatiseren alvorens iemand te ondervragen in deze drukte, en dus schuifelde ik in de richting van de bar en vond daar zowaar een plekje. De barkeeper keek op van het drankje dat hij schudde. 'Wat mag het zijn?'

'Coke, alstublieft,' antwoordde ik.

Hij glimlachte dunnetjes. 'Een colaatje of wat coke?'

Het duurde even voordat het verschil tot me doordrong. 'Eh, alleen het legale frisdrankje, als u zo vriendelijk wilt zijn.'

'Natuurlijk, meneer.' Toen hij het me gaf, glimlachte hij nog eens goedig en schoof hij me het briefje van vijf dollar weer toe dat ik uit mijn portemonnee had opgediept. 'Frisdrank is gratis,' zei hij. 'U betaalt hier alleen voor het zware spul.' Hij knipoogde. Misschien had ik toch dicht bij Jess moeten blijven, schoot het door mijn hoofd.

Ik draaide me om en leunde tegen de bar. Terwijl ik ongemakkelijk de zaal afspeurde, hoorde ik links van me een zachte vrouwenstem. 'Je lijkt op zoek naar iemand,' zei ze. 'En je lijkt hem nog niet te hebben gevonden.'

Ik keek op en staarde naar een fraaie, jonge, zwarte vrouw. Haar huid had de kleur van sterke koffie met lekker veel room. Haar tot de schouders reikende blauwzwarte haar was ontkroesd en licht golvend, en de lokken voor haar voorhoofd hadden goudblonde highlights. Haar bruine ogen waren warm en vochtig, en haar goudkleurige avondjapon toonde een indrukwekkend decolleté. Het vergde enige wilskracht om niet te staren. 'Tja, ik weet eigenlijk niet eens naar wie ik zoek.'

Ze slaakte een dramatische zucht. 'O, schatje, gaat het niet altíjd zo? Ik zoek al mijn halve leven en heb mijn adonis nog niet gevonden. Maar we moeten blijven zoeken. Niet opgeven, hoor. Je zult hem echt gauw vinden.'

Ik voelde dat ik een rode kop kreeg. 'Ik ben niet op zoek naar een man... niet op die manier,' zei ik. 'Ik zoek iemand die ons misschien kan vertellen of een bepaalde jongeman hier een tijdje terug rondhing. Kom je hier wel vaker?'

'Wat dacht je, ik kom hier geregeld,' antwoordde ze, 'maar ik kom het vaakst als ik met een grote, sterke vent in mijn grote koperen bed lig.' Ze kneep even in mijn linkerschouder. 'O ja, hm, ja-háá,' sprak ze goedkeurend terwijl ze even knipperde met haar lange wimpers.

Dit gesprek had ik duidelijk niet meer in de hand. Ik wist dat ze me voor de gek hield, maar ik moest toch lachen. Eigenlijk leek ze ons allebei op de hak te nemen, wat de reden was dat ik kon lachen. Flirtte ze nu met me? Vermoedelijk wel, ja. Flirtte ik terug? Nog niet, concludeerde ik, maar ik dacht er sterk over na. 'Naar welke bepaalde man ben je op zoek, lieverd? Hier hangen nogal een hoop jongemannen rond.'

'Deze,' zei ik, terwijl ik de twee portretten uit mijn zak viste. 'Hij kan gekleed zijn geweest in mannenkleren, of misschien droeg hij wel vrouwenkleren en een pruik. Als travestiet.'

Ze keek me schalks aan. 'Snoes, ik wéét echt wel wat een travestiet is, hoor.'

'Juist,' zei ik. 'Hoe dan ook, we vragen ons af of iemand hier hem misschien heeft gezien.'

Ze wierp een blik op de tekeningen, keek eerst naar mij en vervolgens naar Jess aan de andere kant van de zaal. 'Jullie zijn van de po-litie?'

'Nee,' antwoordde ik. 'Zij is lijkschouwer; ik ben forensisch antropoloog en geef les aan de universiteit van Tennessee in Knoxville.'

'Een pro-féssor? O jee, ik hou wel van mannen met grote, dikke... hersens,' zei ze. Ze lachte, een muzikale klank die hoog begon en vervolgens klaterde als een waterval, galmend als een reeks handbellen die snel achter elkaar weerklonken. Ondertussen legde ze even een hand op mijn borstkas; haar nagels waren lang en kobaltblauw gelakt, met spikkeltjes goud die pasten bij haar japon en de highlights in haar haar. Ik ving een vleugje parfum op, iets bloemigs en citrusachtigs. Niet te zwaar of te zoet; fris, maar ook exotisch. Het paste bij haar, concludeerde ik. 'Meneer de professor, ik ben Miss Georgia Youngblood, en het is me een genoegen met u kennis te maken.'

'Dank je,' reageerde ik. 'Ik ben dr. Bill Brockton. Sorry, dat klinkt bekrompen. Ik ben Bill.' Ik wilde er zeker van zijn dat ik haar goed had verstaan. 'Zei je nou "Miss" Youngblood? Niet mevrouw? Ik heb er jaren over gedaan om mijn vrouwelijke studenten en collega's met mevrouw aan te leren spreken.'

'O, nee, nee, nee,' zei ze, 'ik ben absoluut een ouderwetse "juffrouw". In feite noemen mijn meeste vrienden me Miss Georgia, wat ik wel leuk vind, want ik ben net over de grens opgegroeid, in de Peach State.' Ze hield haar hoofd scheef en nam mijn gezicht aandachtig op. 'Ik denk dat ik je maar dr. Bill noem. Normaal ga ik niet zo graag op doktersbezoek, maar in jouw geval ben ik geneigd daar een uitzondering op te maken.'

Ze praatte als een personage uit een toneelstuk van Tennessee Williams, maar op een of andere manier leken de dramatische stijlbloempjes wel te passen. Ik wist niet zeker wat voor 'bezoek' ze voor mij in gedachten had, en ik had ook niet het lef het te vragen, dus ik zwaaide wat met de tekeningen om haar mijn vraag in herinnering te brengen. 'En, Miss Georgia, herken je een van beide versies van deze kerel?'

Ze fronste. 'Nee, dat kan ik niet zeggen,' antwoordde ze. 'Maar hij is ook niet het type waar ik op zou vallen. Ik heb mijn mannen graag iets rijper en met iets meer ervaring onder de gordel.' Ze keek me suggestief aan; als reactie probeerde ik een wenkbrauw op te trekken; ik had de truc van Jess geoefend, en met incidenteel succes. Maar mijn half schuldbewuste wetenschap dat Jess zich op nog geen zeven meter van me vandaan bevond, ook gewapend met de politietekeningen, maakte het lastiger om de vereiste spierbeheersing op te brengen.

'En deze versie, waar hij als travestiet op staat?'

'Lieverd, ik wéét gewoon dat ik déze kleine bitch niet gezien heb,' reageerde ze. '*Excusez le mot*, maar kijk eens naar die goedkope Dolly Partonpruik. En dan die sm-bustier? Da's eerder een bleekscheterige hoerenoutfit. Daar zou Miss Georgia echt niet dood in gevonden willen worden, hoor.'

'Nou, hij had het toen aan,' zei ik. 'Iemand heeft hem een paar weken geleden vermoord, en wij zouden graag weten wie hij was en wie hem heeft omgebracht.'

'Ik zou graag willen weten waarom hij die kitscherige outfit droeg,' reageerde ze. 'Hij is vast door de modepo-litie vermoord. Een "crime fashionnel" met voorbedachten rade.' Ze lachte opnieuw, en haar hoge galm klonk boven het geroezemoes van de bar uit. Op hetzelfde moment flikkerden de lampen in de zaal even. Ze wierp een blik op haar horloge en legde een hand op mijn onderarm. 'Lieverd, je moet me nu heel even excuseren, maar niet weglopen, hè. Ik wil straks alles horen over je doctorstitel en je artropologie.'

'Antropologie,' corrigeerde ik haar, maar ze was al verdwenen door een deurgat aan het eind van de bar.

Plotseling flikkerde het licht nog eens, waarna het werd gedimd en het geluidsniveau in de club met een dikke tien decibel zakte. 'Dames en heren,' klonk een versterkte stem uit de speakers aan het plafond, 'Alan Gold's is er trots op om Chattanooga's favoriete entertainer aan te kondigen, de enige echte Miss Georgia Yóúngblood!' Veel aanwezigen floten, joelden en klapten terwijl mijn nieuwe vriendin met een microfoon in de hand en met statige tred een klein podium in een hoek van de zaal betrad. Ze maakte een reverence, diep genoeg om volop inkijk te bieden, en om een nieuwe ronde van toejuichingen te oogsten. Terwijl ze zich weer oprichtte, verschool ze haar gezicht quasiverlegen achter een blote schouder. De zaal reageerde opnieuw. Ze wist onmiskenbaar waar het publiek van hield, en zelf hield ze er duidelijk van hun dit ook te geven. Het volgende moment maande ze iedereen sussend tot stilte, en via het geluidssysteem zwol het geluid van violen aan. Een spotlight sprong aan en deed de mokkakleurige huid en het glanzende haar van Miss Georgia warm opgloeien. Ze begon te zingen. Eerst zacht en aarzelend, maar daarna werd haar stem al snel krachtig en scherp. *'Don't... know... why/There's no sun up in the sky/ Stormy weather/Since my man and I ain't together.'* Uit haar stem spraken verdriet en verlangen, een tragische versie van de galmende lach die ze slechts enkele minuten daarvoor nog had laten horen.

Vanuit een ooghoek ving ik een glimp op van Jess, die zich door de menigte naar mij toe had gewurmd. 'Is hij niet geweldig? De meesten playbacken gewoon, maar hij zingt zich echt de longen uit het lijf, hè?'

'Hij?' Ik keek Jess aan en zag hoe uitdrukkingen van ongeloof, pret en medelijden zich snel op haar gezicht afwisselden. Ten slotte won de pret het van de andere.

Ze leunde dicht tegen me aan zodat ze in mijn oor kon fluisteren. 'O, Bíll. Wist je echt niet dat je met een *shemale* stond te kletsen?'

'Een shemale?'

'Shemale. Travestiet. Iemand die zich voor een vrouw uitgeeft. Miss Georgia daar is een plaatselijke beroemdheid sinds ze ongeveer een jaar geleden op het toneel verscheen. De mensen komen helemaal uit Atlanta om haar te zien.' Jess hees een wenkbrauw naar me op. 'Tussen twee haakjes, ze leek je meteen heel aardig te vinden,' zei ze. 'Je had je charmephaser vast op standje "overrompelen" gezet. Ik stond al op het punt naar jullie toe te komen en haar de ogen uit te krabben.'

'Hou toch op,' zei ik. 'Ik wilde er alleen achter komen of ze jouw slachtoffer heeft gezien.'

'En?'

'Kennelijk niet. Versie A was niet het type dat haar zou opvallen, zei ze, en de "goedkope pruik en bleekscheterige hoerenoutfit" van versie B, als ik haar juist aanhaal, had ze hier beslist nog nooit gezien. Ze zei dat hij vast door de modepolitie werd geëxecuteerd. Nee, sorry: de modepo-lítie,' corrigeerde ik mezelf.

'Miss Georgia lijkt inderdaad goed op de hoogte van de modewetten,' zei Jess. 'Ze is echt een stóót in die jurk.' Jess keek eens naar haar eigen outfit, die bestond uit een gewone zwarte jeans en daarop een elegante bloes van blauwe zijde, gokte ik. 'Ze heeft mooiere tieten dan ik, vind je niet? Kom op, de waarheid graag; ja, ik ben een grote meid, ik kan het hebben.'

Ik staarde haar aan. Had ik te lang in suburbia en de ivoren toren geleefd? Deze avond was inmiddels veel te surrealistisch voor mij.

Op het toneel kwam het levenslied van Miss Georgia inmiddels langzaam tot een einde; haar stem werd weer wat dunnetjes en brak bijna. '*Can't... go... on/Everything I had... is gone...*' zong ze bibberend, en het klonk alsof ze het vanuit het diepst van haar gebroken hart nog meende ook. '*Keeps raining all the time/Keeps raining all of the time.*'

De violen stierven weg, en Miss Georgia liet haar hoofd hangen en de microfoon naar haar schoot zakken. De zaal applaudisseerde en juichte enthousiast. Ik aarzelde, nog wat gegeneerd en verward door mijn domme vergissing. Ik keek naar Jess; terwijl ze klapte, grijnsde ze naar me en schudde ze rollend met haar ogen haar hoofd. Ik merkte dat ik teruggrinnikte en daarna hardop begon te lachen om mijn eigen onnozelheid. Ten slotte klapte ik zo hard mee dat mijn handen zeer deden.

Miss Georgia bracht nog een paar nummers ten gehore, variërend van een vertolking van 'R-E-S-P-E-C-T', waarop je lekker met je kont kon schudden en met je voeten kon stampen, tot een hartverscheurende blues. '*She cries alone at night too often,*' zong ze. '*He smokes and drinks and don't come home at all/Only women bleed/Only women bleed/Only women bleed.*' Uit de mond van een jonge zwarte man die zichzelf, om wat voor reden dan ook, als een vrouw zag, leek die tekst op een of andere manier extra aangrijpend. Vanbinnen leek hij in elk geval echt te bloeden.

Ik kon nog steeds niet beweren dat ik begreep waarom een man in vrouwenkleren zou willen rondlopen. Maar nu kon ik me tenminste intuïtief iets van de pijn voorstellen bij het nemen van zo'n drastische stap. Mijn verbijstering werd nu getemperd door medeleven. En ik kon zelfs, in elk geval waar het Miss Georgia betrof, waardering opbrengen voor de verbluffende resultaten die een slanke gestalte, een fijne neus voor mode en een grote persoonlijkheid konden opleveren.

Aan het eind van haar optreden werd de spotlight gedoofd en floepten de lichten in de bar weer aan, maar niet op volle sterkte. Ook het eentonige geroezemoes van een honderdtal gesprekken zwol weer aan, maar wel tot een iets meer getemperd niveau dan zo-even. Iets aan de songs, en de zangeres, leek de sfeer in de hele bar te verzachten.

'Ik ga aan de andere kant weer verder,' zei Jess. 'Als jij Miss Georgia eventjes uit je hoofd kunt zetten, dan kun je misschien even met deze lieden rond de bar een praatje maken?' Zonder op een antwoord te wachten worstelde ze zich een weg door de menigte en begon ze bij een tafeltje in de verre hoek.

Ik begaf me van vaste clubbezoeker naar vaste clubbezoeker. Het leverde me veel verbaasde blikken, een paar oneerbare voorstellen en één keer een kneep in mijn achterste op, snel gevolgd door een van die oneerbare voorstellen. Na een kleine pauze om van de schrik te bekomen, speurde ik de andere kant van de zaal af. Ik zag Jess verwikkeld in een geanimeerd gesprek met niemand minder dan Miss Georgia zelf. Jess wees naar de borsten van Miss Georgia en daarna lachend en hoofdschuddend naar die van haar. Het volgende moment zag ik Jess tot mijn stomme verbazing haar handen om de borsten van Miss Georgia heen leggen, om er vervolgens even waarderend in te knijpen en bewonderend te knikken. Even later deed Miss Georgia bij haar hetzelfde, om zich na een kneepje in Jess' borsten theatraal wat frisse lucht toe te waaien.

Ik wist niet of ik dit nu amusant vond of dat ik jaloers was. Eerlijk gezegd ervoer ik beide emoties.

Ik keek op mijn horloge. Het was twee uur, een dikke drie uur na mijn gebruikelijke bedtijd. Plotseling voelde het veel later. Veel te laat voor mij in elk geval.

14

Het gebouwtje van de lijkschouwer van Chattanooga stond aan Amnicola Highway, op enige kilometers ten noordoosten van het stadscentrum. In tegenstelling tot het Regional Forensic Center in Knoxville, dat onderdeel vormde van het UT Medical Center, was het onderkomen van Jess Carter een onopvallend, vrijstaand blokkendoosje van beton en glas, voorzien van een discrete aanduiding. Een gebouwtje dat van alles kon herbergen, van een schilderswerkplaats tot een softwarebedrijf. Ook de locatie kwam me telkens weer vreemd voor: het politiebureau en het opleidingsgebouw van de brandweer waren de directe buren, een cluster waarin een zekere logica te ontdekken viel. Andere belendende bedrijven leken een stuk willekeuriger van aard, met onder meer een graanschuur, een chemisch bedrijf, een houtfirma, een tv-station en een transportbedrijf. Aan de andere kant, zo filosofeerde ik in gedachten terwijl ik de kleine parkeerplaats opreed, maakte de dood geen onderscheid tussen personen, en ook niet tussen beroepen. In dat licht bezien paste het lijkenhuis net zo goed op dit bedrijventerrein als waar dan ook, zo leek me.

Zowel qua vloeroppervlak als personeelsomvang was Jess' faciliteit half zo groot als die van Knoxville en werden er, in tegenstelling tot Knoxville, geen zaken vanuit omliggende regio's behandeld. Het lichaam van de jonge, vermoorde travestiet, in vrouwenkleren aangetroffen in een staatsbos in het aangrenzende Marion County, vormde hierop een uitzondering. Jess en de politie van Chattanooga waren bij de zaak betrokken omdat het erop leek dat het slachtoffer in Chattanooga was ontvoerd.

Tot een maand geleden bestond Jess' staf uit vijf medewerkers, onder wie Rick Fields, een van mijn oud-studenten. Maar onlangs had hij een vergelijkbare functie bij het Regional Forensic Center van Memphis gekregen, voor hem een grote stap vooruit, zowel wat salariëring als werkdruk betrof: Memphis kon jaarlijks bogen op rond de honderdvijftig moorden, terwijl Chattanooga op vijfentwintig à dertig kwam. Terwijl Jess op zoek was naar een vervanger voor Rick, nam ik zijn functie waar, net zoals zij sinds de schorsing van Garland Hamilton diens functie in Knoxville had waargenomen.

Ik zei even gedag tegen Amy, de receptioniste achter de kogelvrije ruit. Ze wees naar rechts, naar de sectiezaal achter in het gebouwtje en liet me binnen via de elektronisch beveiligde metalen deur. Jess was net bezig met het dichtnaaien van de onderbuik van een wat oudere blanke vrouw. 'Je gaat me toch niet vertellen dat je nóg een moordzaak hebt?' vroeg ik.

'Nee, gewoon een veronachtzaamde ziekte,' antwoordde ze zonder van haar werk op te kijken. 'Darmkanker. Ze was net uit het ziekenhuis ontslagen om thuis te kunnen sterven. Het ironische is dat ze naar een verpleeghuis voor terminale patiënten moest, maar dat de administratie om een of andere reden zoekraakte en ze weer helemaal opnieuw moest worden ingeschreven. Als alles correct was verlopen en ze in één moeite door van het ziekenhuis naar het verpleeghuis was overgebracht, zou ik hier niet twee uur bezig zijn geweest om te bevestigen wat we allang weten over de doodsoorzaak.'

Jess droeg een vale spijkerbroek – een blauwe, geen zwarte – en een donkerbruin chirurgenhemd. Ze zag er vermoeider uit dan ik haar ooit had gezien, maar tegelijk ook minder gesloten en menselijker, zo leek het. Het maakte dat ik me meteen over haar wilde ontfermen, de last van haar schouders wilde nemen. 'Niet vervelend bedoeld, of zo, maar je ziet eruit alsof je zelf ook wel wat ziekenzorg kunt gebruiken,' zei ik.

'Goh, wat zijn we weer vleiend vandaag,' zei ze, maar van haar gebruikelijke gevatheid viel nu even niets te bekennen.

'Even serieus. Alles goed?' polste ik.

'Moe. Echt hondsmoe. De afgelopen week heb ik hier zes autopsies verricht, en nog eens vier in Knoxville, plus nog een reis naar Nashville gemaakt. De afgelopen maand heb ik slechts twee dagen vrij gehad, allebei zondagen. Ik heb echt wanhopig behoefte aan een specialist, maar ons budget is zo krap dat we alleen dankzij die twee lege plekken, die van de specialist en de antropoloog, niet in de rode cijfers komen.' Ik was me er altijd van bewust geweest dat Jess een enorme last torste. Haar bereidheid om ook nog eens een dienst in Knoxville te draaien was gewoonweg genereus, maar het begon haar nu wel heel snel uit te putten.

Ze had haar haar in een paardenstaart, maar een lokje was losgeraakt en hing voor haar gezicht. Vanwege haar vieze handschoenen kon ze het niet uit haar gezicht vegen, en dus deed ik het voor haar. Daarna legde ik mijn hand tegen haar wang. Ze liet het zich welgevallen. Het deed me goed en dus legde ik mijn andere hand tegen haar andere wang, zodat ik nu haar gezicht in beide handen hield. Ze sloot haar ogen en zuchtte eens diep. Ondertussen liet ze haar hoofd dieper in mijn handen zakken en gaven haar vermoeide schouders zich gewonnen. Haar armen hingen slap langs haar lichaam. Ik verplaatste mijn handen van haar gezicht naar haar schouders, sloeg mijn armen om haar heen en trok haar tegen me aan. Ze bood geen weerstand en heel even liet ze haar hoofd tegen mijn borst rusten. 'Het spijt me dat je zo moe bent, Jess,' mompelde ik. Ze reageerde met een lichte huivering, of misschien was het wel een snik, en ik probeerde haar te troosten. 'Ssst, ontspan je maar een beetje,' zei ik.

Om een reden die ik niet begreep, bleken mijn woorden slecht gekozen. Ze begon tegen te stribbelen, plaatste haar smerige latexhandschoenen tegen mijn borst en duwde zich van me af. 'Stop!' klonk het scherp. 'Niet hier. Zo kan ik hier niet met je zijn.'

De woorden kwamen hard aan, of misschien was het de lichamelijke afwijzing. Hoe dan ook, ik bloosde van teleurstelling en vernedering. 'Verdomme Jess, waar dan wél?' vroeg ik. 'Niet bij mij thuis, ook dat was niet de goede plek. Bij Alan Gold's? Dat waren niet mijn handen. Bij jouw thuis? Je hebt me daar anders nog niet uitgenodigd. Dus wat nu? Ik voel me verward en gefrustreerd. Jíj bent dit begonnen, niet ik. Tenzij ik dat etentje waarvoor je jezelf de afgelopen week bij me uitnodigde helemaal verkeerd heb opgevat.'

Nu was het haar beurt om te blozen. 'Op dit moment ben ik aan het werk,' benadrukte ze. 'Doe jij dit soort dingen soms ook tijdens een college?' Ze wendde haar hoofd af en beet op haar onderlip. 'Nee,' zei ze ten slotte. 'Je hebt het niet verkeerd opgevat. Ik ben ook in de war. Toen ik vorige week bij je was, kreeg ik de indruk dat je de dood van je vrouw had verwerkt en dat je klaar was voor iets nieuws. Wat ik mezelf vergat af te vragen, was of ik er zélf wel klaar voor was.'

'Je scheiding? Hoe lang is dat nu geleden?'

'Ongeveer een halfjaar. Of nee, acht maanden. Maar het ging al een paar jaar slecht. Jezus, ik stond bijna zelf op het punt om de kont tegen de krib te gooien. Dus waarom kwam het dan zo hard aan toen hij me net voor was?' Ik zag tranen opwellen in haar ogen, iets wat ik bij Jess Carter nooit zou hebben verwacht. Ik maakte aanstalten om ze weg te vegen, maar ze deed een stap naar achteren en bracht een waarschuwende vinger omhoog. Vervolgens hief ze een voor een haar armen en veegde ze met de mouwen van haar chirurgenhemd haar ogen droog. 'Sorry, Bill,' verontschuldigde ze zich, 'maar dit valt me zwaarder dan ik dacht, en ik ben te moe, te afgepeigerd om er helder over na te denken.' Ze keek naar de bloederige vegen die ze op mijn borst had achtergelaten. 'En sorry van je overhemd. Trek alvast maar wat schone werkspullen aan, dan kan Amy je overhemd wassen terwijl wij aan de slag gaan.'

Toen ik me had omgekleed, ik Amy mijn opgepropte overhemd had gegeven en weer naar de autopsieruimte was teruggekeerd, had Jess inmiddels de overleden kankerpatiënt de koelcel ingereden en onze vermoorde travestiet tevoorschijn gehaald. Toen het lichaam acht dagen daarvoor was bezorgd, had ze röntgenfoto's gemaakt en sectie verricht. In deze fase betwijfelde ik of ik zelfs nog iets zou ontdekken wat ze zelf nog niet had gezien, maar ik was bereid een poging te wagen.

De foto's van de plaats delict hadden het geweld waarmee zijn lichaam was toegetakeld niet goed weergegeven. De schedel, op de foto's grotendeels verscholen onder de blonde pruik, had meerdere harde klappen te verduren gehad. Botsplinters waren diep de hersenen in gedreven en hersenmateriaal was als het vruchtvlees van een gebarsten pompoen naar buiten gesijpeld. De zygomatische bogen, ofwel de jukbeenderen, waren verbrijzeld, net als het neusbeen en de buitenste rand van de linkeroogkas. Op de röntgenfoto's die Jess aan de lichtbak aan de muur had geklemd, zag ik dat ook verscheidene ribben gebroken waren.

Mijn ogen gleden van het lichaam op de verrijdbare tafel naar de röntgenfoto's van de schedel en ten slotte naar Jess. 'Dus het was het hersenletsel dat hem fataal werd?' vroeg ik.

'Uitstekend geconcludeerd, Sherlock,' antwoordde ze. 'Zwaar hersenletsel in combinatie met een chronisch subduraal hematoom. Ik hoop dat jij ons een idee kunt geven omtrent het moordwapen.'

'Ik doe mijn best,' beloofde ik, 'maar met zulk zwaar letsel valt dat soms niet mee. De indruk die een honkbalknuppel achterlaat, lijkt veel op die van een loden pijp. Als we geluk hebben, zou het misschien zoiets als een hamer kunnen zijn geweest. Die laat een mooie ronde afdruk achter, of zelfs een achthoekige, afhankelijk van het type. In elk geval een wond met een duidelijke signatuur. Maar afgaand op wat ik hier zie...' ik boog wat voorover en bestudeerde aandachtig het gezicht en de schedel, 'denk ik niet dat we die mazzel hebben.' Het was een opluchting om me na de gêne en de spanning van zo-even weer onder te dompelen in de puzzel van een intrigerende casus.

Om te beginnen verrichtte ik een algemeen visueel onderzoek. Het meest opvallende kenmerk, afgezien van de verbrijzelde en gelichte schedel waaruit de hersenen waren verwijderd, was de manier waarop het lijk twee onderling verschillende ontbindingsprocessen vertoonde, het sterke contrast tussen de kale botten van de onderbenen en het nog altijd in ruime mate aanwezige zachte weefsel op de rest van het lichaam. Insecten hadden slechts lichte schade aangericht aan de ogen, neusholten, schouders en onder in de nek, zo'n beetje het enige horizontale oppervlak bij een rechtopstaand lichaam. Voor de rest waren het slechts gefrustreerde pogingen

geweest om te kunnen genieten van het feestmaal dat hun was voorge-
schoteld.

Ik rolde het lijk om. De rug vertoonde talloze schrammen en stukjes
boomschors die zich in de huid hadden gedrongen, maar dit leken slechts
oppervlakkige wondjes, iets wat je kon verwachten bij een lichaam dat stevig was vastgebonden aan een boomstam.

'Ik zie niets bijzonders, en ook niet op de röntgenfoto's, wat erop zou kunnen wijzen dat iets anders dan een zwaar hoofdletsel de doodsoorzaak is
geweest,' oordeelde ik.

'Enig idee waarmee het kan zijn veroorzaakt?' vroeg ze.

'Moeilijk te zeggen, totdat ik wat zacht weefsel kan wegnemen. Ben je klaar
met hem?' Ze knikte. 'Wat ik zou willen voorstellen, als jij het ermee eens
bent, is om het hoofd te verwijderen en mee te nemen naar Knoxville, om
het daar te ontvlezen zodat ik de botstructuur kan bestuderen.'

'Daar hoopte ik al op,' was haar reactie. Ze trok er een blad met instru-
menten bij. Ik pakte een scalpel en begon met het doorsnijden van de
luchtpijp, de slokdarm en de nekspieren. Na de halswervels te hebben
blootgelegd, pakte ik een ontleedmes. Een scalpelmesje was dun en relatief kwetsbaar: zat het diep tussen twee wervels en je wrikte een beetje, dan
brak het al af.

Terwijl ik tussen de tweede en derde wervel begon te snijden, liep Jess naar
het hoofd en hield dit met beide handen stevig vast. Terwijl ik verder
sneed, duwde ze het hoofd geleidelijk meer naar achteren zodat het gat
tussen de wervels steeds groter werd. 'Dank je,' zei ik. 'Dat scheelt een
stuk. En bovendien minder kans dat ik het bot beschadig.'

Nog twee haaltjes en de ruggengraat was doorgesneden. Bleven over de
nekspieren en de huid van de nek. Een makkie, vooral nu Jess de boel
weer strak hield. Toen het hoofd volledig vrijkwam, roteerde ze het. Ze
bekeek het aandachtig, alsof het voor het eerst was. Terwijl ik haar naar
het hoofd zag staren, moest ik terugdenken aan een religieus schilderij dat
ik ooit had gezien, van Salomé die het hoofd van Johannes de Doper vast-
houdt. Maar op het schilderij oogde Salomé exotisch, jong en prachtig
gekleed. Jess zag er onder het harde tl-licht en gekleed in haar spijkerbroek
en vlekkerige chirurgenhemd vooral sloverig en moe uit. Voor het eerst
sinds ik mezelf erop had betrapt dat ik naar de tenen van haar slangenleren laarzen staarde, leek de kans op wat voor romance dan ook opeens zo
goed als nihil.

'Ik stop dit hoofd in een zak en leg het in een koelbox voor je,' zei ze.

'Dank je. Wil je nog dat ik meega naar de plaats delict?' vroeg ik.

'Als jij het geen bezwaar vindt.'

'Nee hoor. Hoe ver is het?'

'In vogelvlucht niet meer dan een dikke vijftien kilometer, maar met de auto waarschijnlijk twee keer zo ver. En de weg is hier en daar onverhard. Dus het zal zo'n drie kwartier tot een uur vergen om er te komen.'

Ik keek op mijn horloge. Inmiddels was het al halverwege de middag.

'Nou, dan kunnen we maar beter opschieten.'

'Ja. Als jij je nu eens gaat wassen en omkleden. We hebben nog wat spijkeroverhemden met ons logo erop. Ik vraag Amy wel even of ze je er een geeft, dan zoek ik alvast wat spullen bij elkaar waarmee je je kunt oriënteren.' Ze maakte aanstalten om naar de deur te lopen, maar bedacht zich en draaide zich weer om. 'Bill? Sorry, maar het werd me net even te veel. Negatieve signalen waren niet zo bedoeld. Alsjeblieft, geef het nog niet op...' Ze deed een stap dichterbij, ging op haar tenen staan en gaf me een snelle kus op de wang. Maar voordat ik kon reageren, was ze al door de deur verdwenen.

Ik keek omlaag naar het losse hoofd zonder ogen op de tafel, alsof het op de een of andere manier getuige was geweest. 'Nou, in tegenstelling tot jou is het met mij dus nog niet helemáál gedaan.'

Na me te hebben gewassen en het overhemd te hebben aangetrokken dat Amy me had gegeven, trof ik Jess in haar kantoor, aan de andere kant van het gebouw. Ze trok haar bureaula open en viste er een sleutelbos en een elektronisch apparaatje uit. Ze zette het aan en na een paar seconden verscheen er een plaatje op het lcd-scherm dat ongeveer zo klein was als een systeemkaart. Erop prijkten een stuk of tien punten van waaruit even zoveel lijntjes naar een centraal middelpunt voerden.

'Lijkt wel een sterrenbeeld,' zei ik, 'behalve dan dat de lijntjes niet echt een dier weergeven, maar dat is ook nooit het geval.'

'Het stipje in het midden, dat zijn wij,' legde ze uit. 'We ontvangen signalen van twaalf gps-satellieten. Hoe meer satellieten, hoe nauwkeuriger. Zo zul je geen moeite hebben om de juiste plek te vinden.'

Haar vingertoppen dansten bedreven over de knopjes en vervolgens verscheen er een topografisch kaartje in beeld, met ditmaal slechts twee punten, een in het midden en eentje links onderin. 'Die punt onderin, links? Die markeert de plaats delict. Deze in het midden, dat zijn wij. Dat is wat ik zo mooi vind aan het gps-systeem, het bevestigt altijd dat ik het middelpunt van het universum ben.' Ze lachte om haar eigen opmerking. 'God, hoe kan ik zo'n enorm ego hebben en tegelijkertijd zo'n lage eigendunk.'

'Tja, zoals Thoreau al zei, aan consistentie herken je de bekrompen geest.'

'Dat zei Emerson,' verbeterde ze me. 'En hij had het over "kleine geesten". Om precies te zijn: "Een dwaze consistentie is het schrikbeeld van kleine

90

geesten, opgesmukt door kleine staatslieden, filosofen en godgeleerden. Een grote ziel heeft eenvoudig niets met consistentie van doen", als ik het me allemaal goed herinner.'

'Heel indrukwekkend,' zei ik. 'Waarom dacht ik dat het van Thoreau kwam?'

'Zelfde laken een pak, min of meer. Thoreaus bekende kreet is: "een andere trommelaar", die zelfs nog beroemder is. "Waarom die enorme haast om te willen slagen, en met zulke wanhopige pogingen?" – bijna niemand citeert die introductie, zonde gewoon. "Waarom die enorme haast om te willen slagen, en met zulke wanhopige pogingen? Als een man geen tred houdt met zijn metgezellen, kan dat zijn omdat hij een andere trommelaar hoort. Laat hem voortbewegen op de muziek die hij zelf hoort, hoe verafgelegen of exotisch ook." Jammer dat hij daar geen copyright op heeft aangevraagd. Met de royalty's had hij Walden Pond en alles daaromheen kunnen kopen; had ie een mooie villa kunnen bouwen in plaats van dat armzalige krot dat hij uit oude planken en hergebruikte spijkers in elkaar timmerde.'

Haar academische eruditie en grillige respectloosheid verrasten me telkens weer, als een topspin op de tennisbaan of bij een partijtje tafeltennis. Maar ik waardeerde het zoals ik ook een kop ijsthee op een snikhete dag waardeerde. 'Leerden ze je dit allemaal op de medische faculteit van Vanderbilt?'

'Neuh,' was het antwoord. 'Dit is het resultaat van mijn vier jaren aan Smith University. Flarden poëzie en filosofie. O, plus nog dat ene uitstapje op het terrein van de damesliefde.'

'Aha. Was ik het eindelijk bijna vergeten, verdorie...' zei ik met een opgelaten en preuts gevoel.

'Kom op, Bill, dat was een experimentje van twintig jaar geleden. Pin me er nou niet op vast, alsjeblieft. Jezus, ik probeerde van alles toen ik jong was. Jij niet dan?' Ze keek me nu vorsend aan. Onbedoeld had ik een gevoelige snaar geraakt. 'Ik bedoel, is dat niet hoe we dingen te weten komen en over onszelf leren, door dingen uit te proberen en te ontdekken wat het beste bij ons past? Nou, ik probeerde ooit een andere meid, maar ze paste niet bij me. Nou en? Als studente heb ik me een paar keer flink bezat, maar dat maakt nog geen alcoholist van me. Ooit spiekte ik tijdens een biologietentamen op de middelbare school, maar dat maakt me nog niet tot een bedrieger. Toen ik zes was, jatte ik een reep, maar dat maakt nog geen dief van me.'

Ik schaamde me voor mijn bekrompenheid. 'Sorry, Jess. Ik kijk je er niet op aan. Of misschien doe ik dat wel, maar dan vervloek ik mezelf erom.

Ik kwam, wat, tien jaar voor jou ter wereld? Ik groeide op in een kleine stad waar zelfs gewone seks al bijna als profaan werd gezien. Ik bezocht een behoudende universiteit en vlak na mijn afstuderen ging ik voor huisje-boompje-beestje, trouwen en een gezin. Mijn horizon vernauwde zich, een beetje meer dan de jouwe. Maar dat wil nog niet zeggen dat ik wil dat mijn hart en ziel zich vernauwen.' Ze keek nog steeds boos. 'Toe,' zei ik, 'dit is belangrijk voor me. Jij bent belangrijk voor me. Hoe precies, dat weet ik nog niet, maar ik wil graag een kans om daarachter te komen. Jij ook, denk ik, nog steeds. Althans, dat hoop ik maar.'

Haar nog altijd vinnige ogen boorden zich in de mijne. Maar opeens verzachtte er iets, een heel klein beetje, en bijna onzichtbaar. Ik glimlachte. Zij glimlachte. Ik schoot in de lach. En zij ook. 'Jezus, je maakt me soms zo razend,' zei ze. 'Maar ook weer helemaal mens.'

'Niet slecht, toch?'

'Daar ben ik nog niet over uit,' was haar antwoord, maar haar ogen stonden blij. 'Worden we dan nooit volwassen? Soms voel ik me net zo stom en in de war als toen ik nog veertien was, en ik voor het eerst die onverklaarbare, opwindende, angstaanjagende vlinders voelde.'

'Wauw,' zei ik. 'Jij op je veertiende, ik durf het me bijna niet voor te stellen, zo opwindend en angstaanjagend.' Ik boog me wat naar haar toe, vissend naar een kus. Ze plaatste een hand tegen mijn borst en hield me op afstand. 'Niet hier. Niet nu. Maar spoedig, hoop ik. Je kunt nu maar beter gaan, wil je in Prentice Cooper nog bij daglicht kunnen werken,' beëindigde ze het gesprek en ze trok iets zwaars onder haar bureau vandaan. Het was een kleine koelbox die ze me overhandigde. Erin voelde ik iets zwaars en ronds heen en weer bewegen. Het was het hoofd van de dode travestiet.

Ik zette de box even op het bureau om de sleutels en de gps-routeplanner in mijn ruim van zakken voorziene broek te stoppen. Daarna pakte ik de koelbox weer op, vond ik even later de Bronco-fourwheeldrive die Jess me voor de rit ter beschikking had gesteld en ging ik op weg naar het Prentice Cooper State Forest, hopend dat ik geen ongeluk zou krijgen met de koelbox of door een achterdochtige agent aan de kant zou worden gezet.

Prentice Cooper lag een kleine zestien kilometer ten westen van Chattanooga, maar het vormde een wereld apart, zowel in landschaptechnisch als in maatschappelijk opzicht. Het grootste deel van de 10,5 hectare bedekte de hellingen en omzoomde de oevers van de Tennessee River Gorge, een driehonderd meter diep ravijn dat de rivier in de zuidelijke voetheuvels van de Appalachian Mountains had uitgesleten. Naast de gps-navigator, die me naar de exacte plek zou voeren waar het slachtoffer was aangetroffen, had ik ook nog een landkaart van het gebied op zak. Om het bos te bereiken, zou ik eerst op Highway 27 zo'n acht kilometer in westelijke richting afleggen, tussen de voet van Signal Mountain en de noordoever van de rivier door, waarna de snelweg in noordelijke richting zou afbuigen naar een kleiner ravijn, genaamd Suck Creek, dat zich – volgens de kaart – vervolgens opsplitste in North Suck Creek en South Suck Creek. De snelweg slingerde zich tegen de helling van South Suck Creek op om ten slotte vlak bij Suck Creek School over een breedte van zo'n vijf kilometer over het hoogste punt af te vlakken. Als ik de afslag naar het staatsbos miste, zou ik merken dat ik snel via Ketner Gap de westkant van de berg afdaalde, die welhaast net zo steil oogde als Suck Creek en slechts weinig mogelijkheden leek te bieden om er te kunnen keren.

Maar mijn zorgen bleken voor niets. De afslag naar links naar Prentice Cooper stond goed aangegeven, net als een tweede afslag naar links die me langs een meanderend lint van plattelandshuisjes voerde. Al meteen nadat ik de rand van het bos bereikte, nam de bewoonde wereld afscheid van me. Asfalt maakte plaats voor steengruis, tuintjes voor bomen.

Ik draaide mijn portierraam omlaag. Het was zonnig maar koel en de lucht was helder en geurig als een lekkere appel.

Opeens hoorde ik een geweerschot. En nog een, en nog een. Ik trapte op de rem. Kreunend kwam de fourwheeldrive tot stilstand en hulde me in zijn eigen stofwolk. Die onttrok mijn belager aan het oog. Omgekeerd was ik voor hem ook onzichtbaar, waardoor hij niet kon richten, en dus ging ik ervan uit dat ik me eigenlijk geen zorgen hoefde te maken.

Net toen ik me wilde omdraaien om te keren en me terug te haasten naar de beschaving, daalde het stof neer en zag ik het bruinwitte bordje: SCHIETBAAN. Het wees naar een zijpad rechts van me, de richting van waaruit ik de schoten had gehoord. Geamuseerd en balend van mijn eigen paranoia veegde ik een vers laagje stoffig zweet – of was het zweterig stof? – van mijn voorhoofd en vervolgde ik mijn weg zuidwaarts. Suck Creek Mountain was meer een plateau dan een piek en dus liep de weg verrassend vlak over een rustig golvend landschap. Na ongeveer vierenhalve kilometer passeerde ik links en rechts een paar houtvestersgebouwen, met inbegrip van een uitkijkpost op een verhoging rechts van me. 'Ik mag dan paranoïde zijn, maar ik zit in elk geval nog steeds op Tower Road,' mompelde ik in mezelf. 'Maar de kans bestaat dat ik geleidelijk aan een mannetje wordt dat alleen maar in zichzelf zit te praten.' Om er even later aan toe te voegen: 'Ja, daar had ik het al met je over willen hebben.'

Jess had me verteld dat het lichaam vlak bij een Jeep-spoor bij Pot Point was gevonden. De naam baarde me zorgen – bij mijn vorige zaak waarbij het om een lichaam in een bergstreek ging, vernam ik uit de eerste hand dat wietplantages vaak hand in hand gingen met boobytraps, variërend van doorgeladen geweren in combinatie met struikeldraden tot giftige slangen met vishaakjes door hun staarten – vandaar dus dat ik bij Jess had geïnformeerd of 'Pot Point' een verwijzing naar illegale teelt was. 'Nee. Ik ben er tamelijk zeker van dat het een of andere historische verwijzing is,' had ze geantwoord, 'maar de details ken ik niet.'

Op het gps-schermpje leek het van de ingang naar het bos tot aan Pot Point niet al te ver, maar ter plekke leek het eeuwen te duren. De weg was goed begaanbaar, maar het bleef steengruis en dus reed ik zelden harder dan zo'n 35 kilometer per uur. Toen ik Sheep Rock Road passeerde, fleurde ik op, want dat betekende dat ik er al meer dan de helft op had zitten. Een dikke drie kilometer later bereikte ik een tweesprong. Tower Road, de hoofdader door het bos, boog af naar rechts. Davis Pond Road, de afslag die ik moest hebben, boog af naar links. Het werd heuvelachtiger, wat betekende dat ik de rand van het plateau naderde. De weg werd hobbelig en bochtig, en de bossen begonnen me in te sluiten. Na een hobbelige anderhalve kilometer passeerde ik links van me een meertje en de steengruisweg veranderde opeens in een onverhard pad dat zich even later splitste in twee kleinere paden. Ik stopte, niet wetende welke ik moest nemen. De gps-display toonde slechts één weg die naar het oosten liep, vlak langs de rand van het ravijn. Mijn landkaart vertoonde er echter twee: Upper Pot Point Road en Lower Pot Point Road. Helaas beschikte alleen de gps over de exacte locatie van de plaats delict en dus wist ik even niet welke weg ik moest kiezen.

Ik trok mijn mobieltje tevoorschijn om Jess om opheldering te vragen, maar ik kreeg geen netwerkbalkje te zien. De bewoonde wereld, of in elk geval het mobiele netwerk, was geleidelijk verdwenen terwijl ik me een weg naar Suck Creek had gezocht, en mijn reis door het bos had er weinig aan gedaan om ze terug te brengen. Ik stapte uit en vouwde de landkaart open op de motorkap, hopend dat een vergelijking van de twee kaarten misschien zou helpen. En dat bleek het geval, alleen niet helemaal zoals ik verwachtte. Vanaf Upper Pot Point Road kwam een witte Fordfourwheeldrive mijn kant op gehobbeld. De bestuurder zag me, stopte naast me en draaide zijn raampje omlaag. Op het portier van zijn wagen prijkte het vignet van het Tennessee Department of Forestry – ik herkende het aan het boompje in het midden – en ook de schouder van zijn bruine overhemd vertoonde het vignet. Ik ving wat flarden countrymuziek op. '*I know you're married, but I love you still* ', hoorde ik een vrouwenstem weemoedig kwelen. De bestuurder zette de radio uit en leunde wat uit het raam. Hij was lang en slank, met rode krullen die al wat grijs kleurden, en hij had een kort baardje dat al wit was. Hij had een blozende, getaande kop, behalve in de diepe kloven van zijn lachrimpeltjes, die het resultaat waren van jaren van glimlachen of tegen de zon in turen. Hij keek even naar het officiële vignet op de Bronco waarin ik reed, en vervolgens naar mij en mijn landkaart. 'U gaat terug naar de plaats delict?'

'Niet terug. Ik ga er voor het eerst een kijkje nemen,' antwoordde ik. 'Maar de kaart geeft niet aan of ik Upper of Lower Pot Point Road moet nemen.'

'Lower Pot Point Road is de weg die u moet nemen, maar niet helemaal. Hier en daar is het nogal hobbelig, maar met die Bronco moet het wel lukken. Pak na anderhalve kilometer de rechtersplitsing, daar vindt u een stopplaats, vlak na een brug over een beekje. Daarna is het nog zo'n honderd meter voortmodderen naar het pad langs de rand van het plateau.' Hij dacht even na en wierp een twijfelachtige blik op mij en mijn navigatiespullen. 'Weet u wat,' besloot hij, 'laat mij u voorgaan. Als u hier nog niet eerder bent geweest, dan betwijfel ik of u de plek in uw eentje zult kunnen vinden.'

Ik bedankte hem en begon mijn grote landkaart op te vouwen. 'O, nog één vraagje, als u het niet erg vindt.'

'Kom maar op.'

'Waarom heet het hier Pot Point? Heeft het iets te maken met marihuana, of voorwerpen van indianen?'

'Geen van beide,' antwoordde hij. 'Voordat hier de Nickajack Dam werd gebouwd, waren er beneden die uitkijkplek drie grote stroomversnellingen. De meest verafgelegen heette de Frying Pan, de middelste de Skillet en de dichtstbijzijnde de Boiling Pot. Nogal heftig allemaal, naar het schijnt. Beneden langs de oever staat een huis dat gedeeltelijk is gebouwd met wrakhout van oude rivierboten. Ik denk dat de Boiling Pot de grootste is geweest, aangezien het uitkijkpunt Pot Point heet. Maar als ik het voor het zeggen had gehad, zou ik juist de middelste stroomversnelling de Frying Pan hebben genoemd, en die daarna de Fire. Snapt u? *Out of the Frying Pan, into the Fire.*'

'O, ik snap hem,' zei ik. 'Van de wal in de sloot, zeg maar. Ja, da's een goeie.'

'Zeg, mag ik ú misschien een vraag stellen?' vroeg hij op zijn beurt.

'Kom maar op.'

'Dat lijk is al een week weg. Wat hoopt u daar nog aan te treffen?'

'Een aantal dingen. Ik kan het u beter laten zien dan dat ik het hier probeer uit te leggen. Wilt u er soms even bij blijven?'

Hij keek op zijn horloge. Het liep tegen drieën en ik kon hem bijna zien berekenen hoe lang zijn werkdag nog duurde minus het halfuurtje dat hij nodig zou hebben om de snelweg weer te bereiken. 'Meer dan een uur zult u niet nodig hebben, toch?'

'Ik denk het niet, nee,' antwoordde ik. 'En als dat wel zo is, dan kunt u op eigen houtje terug. Ik ging er toch al van uit dat ik hier in mijn eentje zou zijn.'

Hij zette zijn wagen in zijn achteruit, draaide flink aan het stuur zodat de voorwielen bijna haaks kwamen en reed voorzichtig achteruit totdat zijn achterbumper zachtjes tegen een jong boompje aan de rand van het pad schoof. Vervolgens draaide hij het stuur naar links en reed zachtjes naar voren, het spatbord van de Bronco ternauwernood missend terwijl hij langs me heen draaide. Hij gebaarde me hem te volgen en reed langzaam het steeds smaller wordende pad op.

Het weggetje had een frisse, roodbruine kleur en doorsneed de bossen. Het leek een wond waarvan de randen nog vers waren, en de nieuwigheid ervan verklaarde waarom de weg nog niet op de gps-kaart te zien was. Stukken klei met diepe geulen en bruin zand met stukken zandsteen wisselden elkaar af. Een paar minuten later stuiterden we over een rotsachtig beekje en ten slotte dook de Ford tussen twee bomen door waar de bulldozer die deze weg had bereid een berg aarde en boomwortels zo'n zes meter de bossen in had geduwd. De F150 voor me reed ver genoeg naar voren om voor mij parkeerruimte vrij te laten. We stapten uit.

Een ruitjespatroon van noppige bandensporen getuigde van een recente aanwezigheid van auto's, maar afgezien daarvan wees niets erop dat niet ver hiervandaan een misdrijf had plaatsgevonden. 'Nou, ik ben maar wat blij dat ik u ben tegengekomen,' zei ik. 'Ik vraag me af of ik het op eigen houtje had kunnen vinden. Waarschijnlijk niet.'

'Graag gedaan, hoor. Zo heb ik weer een excuus voor een boswandelingetje op een mooie dag. Ik heet Gassoway, trouwens. Clifton. Zeg maar Cliff.'

'Hallo Cliff. Ik ben Bill Brockton, forensisch antropoloog van de universiteit van Knoxville.' We schudden elkaar de hand.

'Ben jij degene van al die lijken?'

'Dat ben ik, ja. De een verzamelt antiek, ik verzamel lijken.' Ik wierp een blik op de Bronco en vroeg me af of ik hem de inhoud van de koelbox zou laten zien, maar besloot dat ik daarmee te hard van stapel zou lopen. 'Wijs me de weg maar.'

We volgden eventjes het beekje. Een duidelijk pad viel er niet te bekennen, maar aan de vertrapte bladeren en het kreupelhout te zien was hier onlangs nog gelopen. Na ongeveer honderd meter kwamen we bij een oud pad dat om de zoveel meter met witte verfstrepen op de bomen was aangegeven. Hij liep naar rechts, en ik volgde. 'Het lijkt erop dat we toch niet ver van de gebaande paden afwijken,' zei ik.

'We bereiken nu het zuidelijke einde van het Cumberland Trail,' legde hij uit. 'Daar wordt nog steeds aan gewerkt, maar als het klaar is, loopt het zo'n 480 kilometer over het Cumberland Plateau en zo Kentucky in. Hier hebben we wat minder wandelaars dan op terreinen iets verder naar het noorden – op Fiery Gizzard, Devil's Staircase en de Big South Fork – heb je echt een spectaculair uitzicht – maar ik vind dat je hier mooi zicht hebt op het ravijn.'

Terwijl hij praatte, merkte ik dat de vegetatie hier en daar gaten vertoonde, gaten die al snel een adembenemend uitzicht boden. Zo'n anderhalve kilometer naar het zuiden rees een steile berghelling als een donkere, holle bocht omhoog. Aan de voet ervan maakte de Tennessee, zuidwaarts stromend vanuit Chattanooga, eerst een brede U-bocht, boog dankzij het onverzettelijke geologische object vervolgens weer naar het noorden om daarna in een S-bocht van zo'n drie kilometer lang een doorgang naar het westen te vinden.

Het uitkijkpunt waar we stonden, bestond uit een stuk of vijf zandstenen en met mos begroeide richels, met daarachter een paar ver uiteenstaande pijnbomen. Sommige zagen er gezond uit, andere waren ten prooi gevallen aan kevers en harde windvlagen die de stammen op drie meter hoogte hadden doen knappen.

De richels vormden tezamen een keten, de ene wat hoger dan de andere. Het deed me een beetje denken aan Fallingwater, het bekende, door Frank Lloyd Wright ontworpen huis in Pennsylvania, met zijn vele balkons die uitdagend boven een rotsige beek en een waterval hingen. Vlak bij de rand van de meest westelijk gelegen richel, op slechts een halve meter van de steile rotswand, stond een grote pijnboom, omwikkeld met politielint. Mijn blik gleed van de boom naar het ravijn met beneden de rivier.

'Moord met uitzicht,' zei ik. 'Opzettelijk, denk je?'

'Misschien,' antwoordde Cliff. 'Anders kan ik deze plek niet verklaren. Het is een rotklus om hier een lijk naartoe te slepen.'

'Zeker weten.'

'Bovendien,' voegde hij eraan toe, 'is dit niet echt een plek om iets verborgen te houden, veel minder dan op sommige plekken aan de westkant van het bos. Kijk, daarginds, op Long Point, en Inman Point, nou, ik geloof niet dat ik daar ooit ook maar iemand of een voertuig heb gezien. Als ik ergens een lijk moest dumpen, zou ik het wel weten.'

'Dus misschien dat de moordenaar juist wilde dat het lichaam zou worden gevonden,' opperde ik.

'Alleen niet meteen.'

'Ik denk dat je gelijk hebt.'

Ik bekeek de berg aan de overzijde van de rivier. De top leek merkwaardig plat, met een stenen of betonachtige muur langs de rand. Ik wees ernaar. 'Wat is dat?'

'Dat is Raccoon Mountain. Het waterschap heeft daar een groot reservoir, een meer van bijna anderhalve kilometer breed. 's Nachts pompen ze vanuit de rivier water omhoog, of wanneer de vraag naar energie laag is. Op hete zomerse middagen of koude winterochtenden, als de energiebehoefte groot is, laten ze het weer naar beneden stromen om de turbines beneden bij de rivier aan te drijven.' Hij wees het ravijn in en vervolgens naar de oever recht tegenover ons. Aan de voet van de steile rotswand zag ik verscheidene gebouwen plus een parkeerterrein en ook zag ik water uit een overlaat in het rivierkanaal vloeien.

'Je bent een goede gids,' complimenteerde ik hem.

'Er zijn maar weinig mensen met zo'n uitzicht vanaf hun werkplek. Ik lunch hier toch zeker een keer per week, als het weer goed is.'

'Dan verbaast het me dat je dat lichaam niet hebt gevonden,' zei ik. Rechts van me zag ik het afzetlint om een dikke pijnboomstam.

'Ik was hier maandag drie weken geleden, ongeveer. Daarna had ik een week vrij; niet díe week, maar de week daarop. Een wandelaar vond het op een zondag, de dag voordat ik weer naar mijn werk ging. Dus het kan ergens in die dertien dagen zijn gebeurd. Een behoorlijke tijdspanne.'

Ik deed de rekensom. De moord was ergens tussen twintig en acht dagen geleden gepleegd, maar acht dagen leek iets te recent, gezien de ontbindingstoestand van de onderbenen. 'Nou, als we geluk hebben, kunnen we het nog iets reduceren,' zei ik en ik liep langzaam naar de boom en bukte om de grond eens goed te bestuderen. Ik stapte over het lint en kroop de resterende anderhalve meter op handen en knieën.

Jess had me het verslag gegeven van de forensische recherche die de plek op bewijsmateriaal had onderzocht. Ze hadden redelijk goed werk afgeleverd, zo leek het, met inbegrip van het sleutelbewijs dat met insecten te maken had. Sinds de oprichting van de Bodyfarm, en deels vanwege het aldaar verrichte onderzoek, had de forensische entomologie een grote stap voorwaarts geboekt. Bij onze eerste onderzoeken naar insectenleven in menselijke lijken had een van mijn promovendi maandenlang de insecten bestudeerd die zich met de lichamen voedden, met een gedetailleerd verslag van welke insecten op het lichaam afkwamen, en op welk tijdstip. Tijdens het observeren en verzamelen van insecten moest hij bovendien de uitgehongerde vleesvliegjes van zich af slaan; de eerste en talrijkste bezoekers, terwijl ze op zijn gezicht landden en in zijn eigen neusgaten, oren en mond probeerden te kruipen. Al bijna meteen nadat een lijkzak was opengeritst, zo had hij vastgesteld, kwamen de eerste vleesvliegjes op de verse doodsgeur af. Na enkele minuten gingen een paar vrouwtjes op zoek naar vochtige lichaamsholten of bloederige wonden, ideale plekken om de massa's eitjes te leggen die wel iets weg hadden van likjes korrelige, witte tandpasta. Soms, al na een paar uur nadat de eitjes waren gelegd en vooral bij warm weer, kwamen honderden kleine maden tevoorschijn gekropen.

Nu, jaren later, weten de meeste forensisch rechercheurs dat ze vooral de dikste maden op een lichaam moeten verzamelen, want die waren waarschijnlijk afkomstig uit de eerste eitjes. Door deze maden te verzamelen en ze door een forensisch entomoloog te laten bestuderen, kregen de rechercheurs een redelijk goed beeld van het tijdstip van de moord. De best opgeleiden onder hen hielden een paar van deze maden levend en noteerden nauwkeurig wanneer het diertje zich begon te verpoppen tot de onbevallige versie van de vlindercocon, en wanneer de metamorfose tot een volwassen insect was voltooid. Met als enige verschil dat er geen prachtige vlinder, maar een jong vleesvliegje tevoorschijn kwam dat zich meteen op het lijk stortte, als dat er nog steeds lag. Tot dusver, zo had Jess hem verteld, had nog geen van de verzamelde maden zich verpopt. Dit betekende dat als deze exemplaren inderdaad uit de eerste eitjes afkomstig waren, de moord minder dan twee weken geleden had plaatsgevonden.

Zelfs van een afstandje kon ik de donkere vlek onder aan de stam zien waar de vluchtige vetzuren uit het lichaam waren gevloeid toen de ontbinding zich in gang zette. Terwijl ik dichterbij kwam, meende ik het eerste extra bewijsstukje te ontwaren waarnaar ik op zoek was: een flauwe streep van vetzuren vanaf de voet van de stam naar de rand van het bos. Het forensisch verslag van de plaats delict had me er al op doen hopen.

'Goed gezien, fout gedacht,' mompelde ik.

'Pardon?' Ik was even vergeten dat de boswachter nog bij me was.

'O, sorry,' verontschuldigde ik me. 'Ik praatte wat in mezelf. Zie je dit flauwe, donkere vochtspoor?'

'Ja. Een sleepspoor. Een van die forensische jongens wees me er al op. Hij zei dat het aantoonde dat de moord aan de rand van de bomen moest zijn gebeurd, dat dat de primaire plaats delict was, en deze boom hier slechts de secundaire.'

'Ik denk van niet,' zei ik. 'Zie je dat de plek hier op de boom het zwartst is, en dat het spoor geleidelijk aan vervaagt?'

Hij bekeek het nauwelijks zichtbare spoor. 'Misschien, nu je het zegt. Maar wat dan nog?'

'Volgens mij kijken we hier naar een madenspoor.'

'Een madenspoor?'

'Soms, zodra maden klaar zijn om zich te gaan verpoppen en in vliegjes te veranderen, kruipen ze weg van het lichaam om een veiliger plek te zoeken. Waarschijnlijk om niet door vogels te worden opgepeuzeld. En om onbekende redenen kruipen ze vaak allemaal in dezelfde richting, als een kudde schapen of koeien, of lemmingen.'

'Hm,' was het enige wat hij zei.

'De reden dat het spoor verder van het lijk steeds vager wordt, is omdat ze eerst nog bedekt zijn met lijkenprut.'

'Lijkenprut?'

'Lijkenprut. Dat is de technische term die wij professoren graag gebruiken om indruk te maken op de leek,' legde ik uit. 'Min of meer uitwisselbaar met "smurrie", maar ook met "vluchtige vetzuren". Hoe het ook zij, zodra ze wegkruipen om zich te gaan verpoppen, zijn ze nog vies en vettig, maar als ze over de grond kruipen, wrijven ze zich als het ware schoon en vervaagt het spoor dat we hier zien. Maar als ze eenmaal hun plek hebben bereikt, zijn ze inmiddels zo schoon dat ze geen spoor meer achterlaten. Ik durf te wedden dat als we die kant op lopen, we kunnen zien waar ze zich hebben verpopt.'

Het donkere spoor liep in westelijke richting, en in een opmerkelijk rechte lijn van ongeveer dertig centimeter breed, die ik volgde in de richting van de bomen. Op een kleine meter daarvandaan vervaagde het spoor sterk en kroop ik wederom op handen en knieën verder door het struikgewas. Cliff liep achter me aan. Net toen ik een groepje lepelbomen bereikte dat ondoordringbaar leek, zag ik ze, voor het grootste deel verborgen onder een beschermende laag herfstbladeren. Ik gebaarde Cliff om dichterbij te komen en wees ernaar. 'Zie je die kleine, torpedoachtige sigaartjes, ongeveer een halve centimeter lang?'

Hij fronste, hurkte en tuurde. 'O, ja. Donkerbruin? Met kleine ringetjes? Wat zijn dat?'

Ik pakte er een tussen mijn duim en wijsvinger, ervoor wakend hem niet fijn te knijpen, en liet hem in mijn linkerpalm rusten. Het ene uiteinde vertoonde een kleine opening naar de holle binnenkant. 'Dit is een insectencocon, een pop. Deze is leeg, wat betekent dat de vlieg zich al een weg naar buiten heeft gewerkt. Dat betekent dus dat het lichaam hier ten minste twee weken lag.'

'Je zegt dus dat dit soort dingen je vertellen dat de moord wellicht een paar dagen nadat ik hier voor het laatst ben geweest, heeft plaatsgevonden.'

'Daar ziet het wel naar uit.' Ik haalde een flesje uit mijn overhemdszak, duwde met mijn duim het dopje eraf en liet de pop van mijn handpalm in het flesje glijden. Daarna pakte ik er nog een aantal van de grond, sloot het flesje ten slotte, liet het in mijn borstzak glijden en knoopte die dicht. 'In ons onderzoekscentrum op de universiteit hebben we de plaats delict nagebootst met behulp van een gedoneerd lichaam dat inmiddels bijna twee weken aan een boom is vastgebonden en nu het ontbindingsstadium bereikt waarin we het echte slachtoffer hier aantroffen. Dus dan kom je op hetzelfde tijdschema.'

Vanuit een ooghoek ving ik een piepkleine beweging tussen de bladeren op. Nog net op tijd zag ik een minuscuul vliegje dat net was ontpopt over een roodbruine kastanje-eik kruipen. Op het brede blad, dat baadde in de middagzon, zaten al een paar soortgenoten. Ik wees ernaar en Cliff boog zich voorover om het wat beter te kunnen zien. Ik bewoog even een vinger over het blad en de vliegjes trippelden wat zenuwachtig heen en weer in een poging te ontsnappen, zonder echter weg te vliegen. 'Als ze net zijn uitgekomen,' legde ik uit, 'zijn hun vleugels nog vochtig en zacht. Die moeten dus eerst even drogen voordat ze stijf genoeg zijn om mee te kunnen vliegen. Als je een paar van deze stammen goed bekijkt, kun je er waarschijnlijk veel meer zien. Ik werkte ooit op een plaats delict waar de zuidmuur van een gebouw helemaal bedekt was met duizenden vliegjes die allemaal bezig waren hun vleugeltjes te drogen.'

Hij liep wat rond en vestigde mijn aandacht op een paar boomstammen. 'Geen duizenden, maar ik denk toch honderden op deze twee bomen,' zei hij. Ik knikte. Hij keek bedenkelijk. 'Dus als ik hier weer kom lunchen, dan hebben deze jongens het op mij voorzien, hè?'

'Niet allemaal,' antwoordde ik. 'Tenzij ze ergens iets, of iemand, hebben geroken die veel interessanter is.'

'En dit waren de maden die zich aan dat lijk te goed deden, toch?'

'Ik denk het wel,' antwoordde ik. 'En jij?'

'Ik denk dat het tijd wordt om naar een andere lunchplek op zoek te gaan.'

Ik ging terug naar de boom waar het lichaam aan vastgebonden had gezeten. Op handen en knieën bestudeerde ik de grond. Ik zag niet waar ik naar zocht, en ik liet me opnieuw zakken om al kruipend in een steeds wijdere boog rond de stam verder te zoeken.

'Waar ben je nu naar op zoek?'

Precies op het moment dat ik wilde antwoorden dat het er niet lag, viel mijn oog op iets wat leek op een opgekruld, verschrompeld blad boven op een tapijtje van mos en dennennaalden. 'Dit, denk ik,' zei ik. Ik pakte het op en kneep er zacht in, net hard genoeg om een verdroogd blad te verkruimelen, maar dat gebeurde niet. Uiterst voorzichtig boog ik het open en hield het omhoog. De zon scheen erdoorheen waardoor het een amberen gloed kreeg. In de gloed ontwaarde ik een patroon van groefjes en kringeltjes dat ik uit duizenden zou herkennen.

Met het object als een relikwie in mijn hand liep ik naar Cliff. Op zich was het ook een relikwie: in potentie bevatte het de identiteit van de jongeman die op deze plek was doodgeslagen. Ik hield het weer omhoog in het licht zodat ook hij het kon zien. Met een frons bekeek hij het, waarna verwondering en herkenning op zijn gezicht vielen af te lezen. 'Lijken wel vingerafdrukken,' zei hij. Ik knikte. De frons keerde terug. 'Maar hoe...?'

'Ongeveer een week nadat iemand overleden is, zal de buitenste huidlaag, de epidermis, loslaten,' legde ik uit. 'Hij raakt los van de laag eronder, de dermis, en je kunt hem dan bijna als een operatiehandschoen uittrekken. In het lab kan ik hem vannacht in water met weefselverzachter laten weken en morgen kan iemand van het lab zijn vingers in deze vingers steken – deze handschoen aantrekken, zeg maar – en een stel vingerafdrukken maken.'

Hij floot tussen zijn tanden door. 'Ik vraag me af of de hulpsheriffs van Marion County die truc kennen.'

'Nou, het is niet iets wat je elke dag meemaakt,' zei ik. 'En wie weet zijn deze vingerafdrukken niet bekend. Maar als dat wel het geval is, moeten we zijn identiteit kunnen achterhalen.' Uit mijn broekzak pakte ik een iets groter flesje, deed de huidschil erin en duwde de dop erop.

Ik keek nog een laatste maal rond. Ik zag bloed, botsplinters en beetjes hersenmateriaal in de bast van de pijnboom zitten. Voegde dat iets toe aan wat ik al wist? Misschien niet, maar het bevestigde één ding: het letsel, de hoofdwond in elk geval, was niet hier, maar elders toegebracht. Ik bedacht me dat de sheriffs er misschien niet aan hadden gedacht sporenonderzoek te doen voor het vergaren van bewijsmateriaal, een omissie die een gehaaide strafpleiter – bijvoorbeeld iemand als mijn voormalige nemesis Burt DeVriess – mogelijk kon gebruiken om twijfel te zaaien onder de juryleden. Ik trok mijn zakmes tevoorschijn en een van de afsluitbare plastic zakjes die ik bij me had, trok het grootste lemmet uit, wrikte wat stukjes van de schilferige bast los en ving ze op in het zakje. De bast was donkerbruin van kleur en aan de bovenzijde bijna zwart. Eronder zag ik een volle, roestbruine kaneelkleur. Ik zorgde ervoor dat ik genoeg verzamelde, zodat Jess een paar onbewerkte stukjes voor DNA-analyse kon opsturen ter bevestiging dat dit materiaal inderdaad afkomstig was van de verbrijzelde schedel die op dit moment, een paar honderd meter verderop, in de koelbox in mijn fourwheeldrive lag.

Terwijl ik het zakje sloot en het in het zijvakje van mijn broek liet glijden, zag ik dat de zon al aardig laag boven de S-bocht van de rivier hing. Ik keek op mijn horloge en stelde vast dat ik hier al meer dan een uur, bijna twee zelfs, rondhing. 'Ik dacht dat je niet wilde blijven,' zei ik.

'Ik betwijfelde of je de weg terug wel zou kunnen vinden,' antwoordde hij. 'Anders had ik om middernacht naar je op zoek kunnen gaan.' Hij zag mijn geërgerde blik, en voegde eraan toe: 'En bovendien is het interessant wat je me laat zien. Ik leer van jou heel wat meer dan van de hulpsheriffs die hier vorige week bezig waren.' Hij leek het te menen, en dus bedankte ik hem en besloot ik me er geen zorgen meer over te maken dat ik een beroep op hem had gedaan.

Toen ik iets later al freewheelend de kronkelende weg over Suck Creek Mountain weer terugvolgde naar Chattanooga, bleek Jess al naar huis te zijn, en dus liet ik een briefje achter met de mededeling dat ik de huid van de hand naar Knoxville had meegenomen. Het was uiterst teer materiaal en ik vertrouwde het dan ook alleen aan Art Bohanan toe. Ik verzocht Amy me in de autopsieruimte binnen te laten, waar ik even later een plastic pot met warm water vulde en er een paar druppels Downy wasverzachter aan toevoegde. Ten slotte, voordat ik de deur achter me sloot, droeg ik de madenpopjes over aan Amy, die me ervoor liet tekenen en ze in de bewijskamer opborg. Daarna wenste ik haar nog een prettige dag, met het verzoek haar baas mijn groeten over te brengen, en zocht ik mijn pick-up weer op, klaar voor de rit terug naar Knoxville.

15

Terwijl ik met de afstandsbediening mijn pick-up van het slot deed, scheen de zon laag over het parkeerterrein van Jess. De rit naar Knoxville zou twee uur duren, en hoewel het enkel over snelweg was, verheugde ik me er niet echt op om in het donker te rijden. Al had ik na mijn vondst van de lege pop en het losgeraakte stukje huid nog steeds een restje adrenaline in mijn lijf, ook deze opkikker kwijnde nu toch snel weg, en ik was in feite doodmoe.

Ik pakte de handgreep van het portier vast en voelde een zacht maar onverwacht obstakel onder mijn vingers. Een opgevouwen stukje papier was in de holte onder de kruk gepropt. Ik vouwde het open en zag dat het een pagina was van MapQuest.com, een internetsite met kaarten en rij-aanwijzingen naar elke plaats in het land. Over wat ik herkende als de locatie van het kantoor van de lijkschouwer, waar ik nu geparkeerd stond, was het woord START geprint. Het woord EINDPUNT stond op een woon-adres in een wijk een paar kilometer hiervandaan, op de kaart gemarkeerd als Highland Park. Een dikke, helderpaarse streep – de computerversie van een tekstmarker – leidde van het ene punt naar het andere. Ik piekerde over de bedoeling van deze kaart, maar opeens viel mijn oog op twee regeltjes tekst in een klein venster er vlak boven. '*B., ik hoop dat het niet te laat is geworden om je voor het avondeten uit te nodigen. J.*'

Terwijl de betekenis tussen de regels van het korte berichtje tot me door-drong – althans, de gehóópte betekenis – viel de vermoeidheid opeens van me af. Ik klauterde de pick-up in. Mijn ademhaling werd al sneller, en friemelend met het contactsleuteltje merkte ik dat mijn hand licht trilde. 'Rustig maar, jongen,' zei ik tegen mezelf. 'Rij veilig, zodat je daar in elk geval heelhuids aankomt, en verwacht er nu niet meteen te veel van.'

Highland Park bleek een alleraardigste buurt te zijn, daterend van eind negentiende eeuw, giste ik. De huizen varieerden van opzichtig versierd en oerdegelijk tot eenvoudige, lukraak neergezette cottages. De woning van Jess was een eenvoudig maar elegant, oud huis met twee woonlagen, een ontwerp dat, als ik het me goed herinnerde, 'vierkant' werd genoemd; boven vier kamers, beneden vier kamers, met een schoorsteen aan weers-zijden van het huis en een diepe veranda langs de hele voorgevel. De buitenkant van de benedenverdieping was afgewerkt met elkaar overlappende houten planken, die frisgroen waren geschilderd; de eerste verdieping was bedekt met donkerrode dakspanen van cederhout. Onder het dak op de eerste verdieping bood een nis tussen de twee slaapkamers ruimte voor een balkon. Ik beeldde me in dat Jess daar 's ochtends van haar koffie zat te nippen en de krant las voordat ze zich naar het lijkenhuis begaf. Dit beeld van haar, genietend van deze gezellige huiselijkheid, verraste en beviel me.

Een stenen trap leidde omhoog naar de veranda, die werd omsloten door een tot aan de middel reikende balustrade waarvan de brede leuning geheel schuilging onder varens, spinnenplanten en rode geraniums. De eenvoudige lijnen van het huis contrasteerden met de fijn afgewerkte glas-in-loodramen in de voordeur, in een paar lantaarns aan weerskanten ervan en in een brede dorpel erboven. De tientallen ruitjes, die aan de randen waren afgeschuind, bogen het gouden licht van binnen de woning en gaven elk beeldje daardoor de aura van een regenboog.

Ik belde aan en binnen enkele tellen ving ik een glimp op van een fragmentarische, afgeschuinde gestalte. De deur vloog wijd open en daar stond Jess, nu niet langer gefragmenteerd, en ze glimlachte naar me. Ze droeg een donkerblauw Harvard-sweatshirt, dat haar drie maten te groot was en waarvan de mouwen onder de stopverfkleurige verfvegen en -spetters zaten, dezelfde kleur als die van de woonkamermuren. Onder de sweater droeg ze een grijze joggingbroek, bijna net zo flodderig als het shirt; de fleece stof had een vreemde, knobbelige vleug, als de vacht van een versleten teddybeer of als een bord met havermout die een paar uur op het keukenaanrecht had staan uitdrogen. In plaats van de puntige schoenen die ik van haar gewend was, droeg ze zachte muilen van wol of vilt. Haar haren waren opgespeld en vochtig, alsof ze net onder de douche vandaan was gestapt, en haar gezicht was ontdaan van make-up. Ze zag er absoluut mooi uit.

Met mijn vinger streek ik over een van de verfvlekken op haar mouw. 'Ik vind dat je je mooi hebt opgesmukt,' zei ik. 'De kleur van je muren leeft er helemaal van op.'

Ze plukte aan de mouw en glimlachte. 'Fijn dat het je opvalt. Ik heb alle registers opengetrokken voor jou. Hoe was het op de plaats delict? Nog iets gevonden?'

Met een zwierig gebaar toverde ik beide flesjes uit mijn zakken tevoorschijn. 'Eureka!' zei ik. 'Lege poppen, die op een eerder tijdstip van overlijden duiden dan de maden die jij op kantoor kweekt. En de hoofdprijs: een stukje huid van een van de handen.'

Ze klapte in haar handen. 'Je bent geweldig. Ik wist wel dat ik je ergens om mocht.'

'Enig bezwaar als ik dit stukje huid meeneem naar Knoxville en Art er een vingerafdruk van laat nemen? Het lab hier kan er misschien ook prima mee overweg, maar Art heeft vermoedelijk meer ervaring met ontvelde handen dan alle criminalisten in Chattanooga bij elkaar.'

'Alles wat ons maar kan helpen bij het identificeren,' antwoordde ze. 'O, heb je al iets gegeten?'

'Nee, jij?'

'Onderweg naar huis heb ik wat Pad Thai afgehaald. Ik heb al wat naar binnen geschrokt, maar er zijn nog een paar restjes. Wil je er wat van?'

'Graag, dank je.' Normaal was ik niet zo'n avontuurlijke eter, maar ik wist dat Pad Thai redelijk veilig was – roergebakken Thaise mie, een oosterse versie van spaghetti – en sjouwend door de bosjes rond de plaats delict had ik aardig trek gekregen. Ik volgde Jess door een gewelfde deuropening naar de keuken, een geheel van lichtgekleurd hout, zwart graniet en roestvrij staal, verlicht door lampjes met kobaltblauwe tinten. 'Sjonge, het voelt alsof ik de catalogus van *Architectural Digest* in ben gestapt,' zei ik. 'Ik wist niet dat je zo'n oog voor stijl had. Toch had ik het kunnen weten, vanwege de auto en de schoenen en zo.'

Ze gebaarde naar haar joggingbroek en muiltjes. 'Fashionista: dat ben ik helemaal, ja.' Ze schoof een afgedekte schaal in de magnetron en stelde een minuut in. 'Eigenlijk wilde ik architect worden, maar ik kon absoluut niet tekenen. Toen ik nog studeerde, droomde ik altijd van geweldige bouwwerken – ruimtes waar Frank Lloyd Wright zijn linkertestikel voor over zou hebben gehad om te mogen ontwerpen – maar als ik dan wakker werd en ze wilde schetsen, leek het resultaat op een tekening van een kleuter. Had ik toen maar een manier kunnen bedenken om een videorecorder op mijn brein aan te sluiten terwijl ik lag te dromen, dan zou ik nu rijk en beroemd zijn.'

'Naar wat ik hier zie te oordelen, zou ik zeggen dat het je in drie dimensies anders heel aardig lukt. Het is elegant, maar in elk geval gespeend van tierelantijntjes. Het past bij je.'

'Dank je,' zei ze. 'Ik ben nooit zo'n liefhebber van franje geweest. Weet je wat een van mijn lievelingsdingen is aan dit huis?' Ik schudde van nee. 'Raad eens wie het heeft ontworpen.'

'Eens even kijken,' zei ik. 'Die naam moet ik natuurlijk met gemak uit mijn encyclopedische kennis van architecten uit Chattanooga van begin twintigste eeuw kunnen opdiepen...'

'Het was geen architect uit Chattanooga,' grinnikte ze. 'Sears.'

'Sears? Wíé Sears? Waarvandaan? New York?'

'Niet "Wie Sears" maar "Sears Wie". Sears Roebuck, het warenhuis,' zei ze, wijzend naar een muur waarop ze een ingelijste pagina uit een honderd jaar oude Sears-catalogus had opgehangen, met een advertentie voor het huis waar ik nu in stond. Deze droeg de pakkende kopregel 'Modern Home No. 158' en een prijskaartje van 1.548 dollar. 'Huizen per post-order,' legde ze uit. 'Dit huis kwam de stad in op een goederenwagon, in onderdelen. Alles bij elkaar, voor het bouwpakket en de hele bups, was het vermoedelijk vier ruggen.'

'Ik neem aan dat het sindsdien wel wat hoger wordt gewaardeerd.'

'Nou, ík waardeer het in elk geval zeker,' reageerde ze.

De magnetron piepte. Ze pakte de schaal eruit, gaf hem aan mij en viste een paar eetstokjes uit een la. Ik trok een gezicht; eten met die dingen had ik nooit onder de knie gekregen. 'Wat krijgen we nou, heb je geen vork?' Ze schudde haar hoofd en overhandigde me de stokjes. De mie – roodachtig bruin en geurend naar knoflook, pinda's, sjalotjes, garnalen en pikante olie – kronkelde zo rijkelijk en verleidelijk door elkaar dat ik hem met mijn blote handen zou hebben opgegeten als het moest. Met de eet-stokjes onhandig tussen mijn vingers geklemd takelde ik een hap Pad Thai omhoog naar mijn mond, maar halverwege schoten ze schuin langs elkaar en de kluwen mie plofte terug in de schaal.

'Kom,' zei ze lachend, 'ik zal je even laten zien hoe je hem moet vasthou-den.' Ze nam mijn hand in een van de hare en wrikte met de andere de eet-stokjes uit mijn krampachtige knuist. 'Heel simpel,' zei ze. 'Een van de twee hou je vast en de andere beweeg je. Min of meer als een slagboom. Het vaste stokje rust in de V tussen je duim en wijsvinger, zo dus, en tussen de top-pen van je pink en je ringvinger.' Ze demonstreerde het. 'Hou het andere stokje bijna zo vast als je met een potlood zou doen, alleen niet zo dicht bij de punt.' Met de toppen van haar duim en haar eerste twee vingers greep ze het tweede stokje beet om er daarna met groot vertoon mee heen en weer te zwaaien en de puntjes als een kreeftenpoot tegen elkaar te tikken. 'Oké, probeer maar.' Ze legde mijn hand met de palm omhoog in haar eigen hand en plaatste de twee eetstokjes voor me op hun plek. Ik keek er even aan-dachtig naar. Verbaasd keek ze me aan. 'Snap je het nog steeds niet?'

'Nee,' antwoordde ik. 'Ik geloof dat ik het nu snap. Ik wil alleen mijn hand nu even niet bewegen.'

Ze lachte en keek even wat verlegen weg, maar ging daarna op haar tenen staan en gaf me een snelle, warme kus op de mond. 'Eet,' zei ze. 'Je zou de energie weleens nodig kunnen hebben.' Ik keek naar haar omhoog, hopend dat ze bedoelde wat ik dacht dat ze bedoelde. In antwoord op mijn vragende blik trok ze suggestief een wenkbrauw naar me op. Met hernieuwde inspiratie hees ik met de stokjes een enorme klont mie op en het lukte me om het meeste in mijn mond te krijgen, met slechts een paar sliertjes die aan mijn kin bleven hangen. 'Rustig aan, schrokop,' waarschuwde ze. 'Neem de tijd. Ik ga nergens heen, hoor. Zou slecht zijn voor de carrière van een lijkschouwer als je in haar keuken stikte.'

Ik hield me iets in, maar slaagde er toch in om de schaal in twee minuten schoon leeg te eten. Ze spoelde hem af, zette hem in de vaatwasser en ging vlak voor me staan, dichtbij genoeg om haar ademhaling op mijn gezicht te kunnen voelen. Ik legde een hand tegen haar wang, want dat leek ze eerder, in het lijkenhuis, prettig te hebben gevonden. Dat leek nu weer het geval, en dus legde ik mijn andere hand op haar andere wang. Ook daar leek ze geen bezwaar tegen te hebben – ze draaide haar hoofd iets en kuste mijn handpalm – en daarom trok ik haar gezicht naar dat van mij en kuste haar. Ze kuste me terug, en dat deed ze alsof ze er iets mee wilde zeggen. Na een lange poos van veelzeggende kussen liet ik mijn handen langs haar nek over haar schouders glijden en langs haar zijden naar de onderkant van het sweatshirt. Daarna baanden ze zich een weg onder de ruime zoom en kropen ze langzaam weer omhoog: via de knobbelige joggingbroek, over haar heupen totdat ik de blote huid van haar taille voelde. Het leek magisch, en ergens ook wonderbaarlijk, dat er binnen deze enorme, vormeloze tent van een sweatshirt zoiets slanks, zoiets glads – zoiets vrouwelijks – kon bestaan als deze taille met zijn gebeeldhouwde rondingen en holtes. Mijn duimtoppen raakten elkaar en mijn vingers strekten zich halverwege om haar rug. Ik streek met mijn duimen langs de rand van haar navel en beeldde me het verticale kuiltje in; ik duwde tegen haar strakke buik en schoof de broeksband van haar joggingbroek omlaag om de harde welving van haar heupbeenderen te omvatten. Het was langer dan twee jaar geleden dat mijn handen de heupen van een vrouw op deze manier hadden omvat, maar ik wist nog wel hoe vrouwelijke heupen aanvoelden en ik wist dat dit prachtige heupen waren, die niet zouden onderdoen voor haar prachtige buik. Het voorspelde ook veel goeds voor de rest van haar lichaam. Gewoon om er zeker van te zijn schoof ik mijn handen iets hoger, en ik wist dat ik het goed had geraden. Haar adem stokte even terwijl ik de rondingen van haar borsten begon te volgen; ze waren bloot onder het slobberige shirt. Bijna was het alsof ik op dit moment twee levens leidde: het ene was mijn zichtbare leven, een slobberig, slordig soort leven; het andere, geleefd door mijn mond en handen, was een exotische, duizeligmakende werveling van tongen en vingertoppen, ronde borsten en harde tepels. Ik verbrak de kus zodat ik haar gezicht kon zien, en ik was blij dat ik het deed, want er straalde een combinatie van tederheid, verlangen en verwondering van af die ik nooit eerder had gezien. 'Dat is het meest adembenemende wat ik ooit van mijn leven heb aanschouwd,' fluisterde ik, en ze begroef haar gezicht in mijn hals en begon me zachtjes te kussen. 'Weet je wat?' mompelde ik ten slotte.

'Nee, wat?'

'Je liet me net zo goed zien hoe je met die eetstokjes overweg moet, dat ik denk dat je me misschien nog een paar andere handigheidjes kunt leren.'

'En wat had je in gedachte?'

'Wat is de beste manier om een joggingbroek uit te trekken – staand of liggend?'

'Kom mee naar boven, dan zal ik het je laten zien,' antwoordde ze.

En dat deed ik, en deed zij, en deden wij. En we vonden het allebei zo lekker dat we het daarna nog een keer deden. Ten slotte kropen we, moe maar tevreden door wat we allemaal hadden gedaan, dicht tegen elkaar aan en bleven we zo liggen. Binnen enkele minuten sliep Jess; een lief, kinderlijk gesnurk begeleidde het ritmische deinen van haar borstkas.

Ik keek naar haar terwijl ze sliep, en ik genoot van de vredige uitdrukking op een gezicht dat vaak zo geconcentreerd en intens was als een laserstraal. Uiteindelijk moet ik zelf ook zijn ingedommeld, want op een gegeven moment werd ik me vaag bewust van een ontwaken. Het klokje gaf 4.47 uur aan. Ik maakte mezelf los uit haar omhelzing, raapte mijn verspreid liggende kleren op en kleedde me aan, maar liet mijn schoenen uit om geen geluid te maken. Ik vond wat papier en een pen en schreef een briefje. *'Lieve Jess, sorry dat ik al weg ben. Ik heb vanmorgen vroeg een afspraak, en durfde je niet wakker te maken. Bel me zodra je wakker wordt, als je wilt.'* Ik dacht even na en voegde er toen aan toe: *'Je benam me de adem, en schonk me weer lucht.'* Ik dacht niet dat ik het hoefde te ondertekenen.

Ik vouwde haar joggingbroek op en legde hem op het voeteneind, met het briefje er bovenop. Daarna boog ik voorover en kuste ik haar wang. Ze slaakte een zacht geluidje, iets tussen gekir en gelach in, en ik hoopte dat ze misschien droomde van de liefde die we hadden bedreven.

Op mijn tenen liep ik de slaapkamer uit, de trap af en door de voordeur naar buiten. Zittend op de bovenste tree van Modern Home No. 158 deed ik mijn schoenen aan en daarna liep ik naar mijn pick-up. Ik had hem in de iets hellende straat geparkeerd. Hij stond met zijn neus licht naar beneden, en ik liet hem eerst even in zijn vrij lopen voordat ik de motor startte. Op het moment dat de fluwelen duisternis van de hemel begon plaats te maken voor een weelderig rode morgenstond in het oosten nam ik de I-75 in noordelijke richting naar Knoxville.

16

Ik had met Art om halfacht afgesproken op het politiebureau van Knoxville, vlak voordat hij bij Broadway Jewelry & Loan undercover ging en zich weer in de riolen van cyberspace waagde, vissend naar de smeerlappen die op hun beurt naar kinderen visten, de pederasten die zich aan kinderen vergrepen. Art wachtte me al op in de met glas omgeven lobby van het bureau. Hij nam mijn plastic pot, met daarin de huid plus wasverzachter, inspecteerde hem en knikte optimistisch dan wel waarderend. We namen de lift naar zijn lab in het souterrain, waar we de pot op een tafel zetten en we allebei een paar strakke latexhandschoenen aantrokken.

Hij schroefde de dop eraf, trok de huid met een pincet tevoorschijn en vouwde deze voorzichtig open op een blad met tissues. Daarna bestudeerde hij stuk voor stuk de vingertoppen die hij voorzichtig droogdepte. Ten slotte gaf hij zijn oordeel: 'Alle vingers zijn op diverse plekken gescheurd, en dus zullen we geen vingerafdrukken krijgen die helemaal intact zijn. Maar in het midden zijn de vingertoppen onbeschadigd, dus ik denk dat we toch genoeg details kunnen krijgen voor een vergelijking, tenminste, als zijn afdrukken in de aphis staan.'

'Je bedoelt Aphidiae?' vroeg ik. 'Het rozenstruik aanvretende tuininsect ofwel de bladluis?'

'Nee, Dilbert, AFIS, van *Automated Fingerprint Identification System*.' Hij fronste even een wenkbrauw, en verbeterde zichzelf: 'Ik bedoel I-AFIS. Een tijdje geleden hebben ze er een I aan toegevoegd, *"Integrated"*, maar zelf hou ik het nog op AFIS. De macht der gewoonte.'

'En het is een stuk gemakkelijker uit te spreken, vooral voor zo'n ouwe vent als jij.'

Ik herinnerde me dat AFIS een databestand was dat zo'n zeven jaar geleden door de FBI was ontwikkeld. Daarvóór klaagde Art altijd steen en been, zo wist ik nog, over de weken, ja zelfs maanden, die de FBI nodig had om een paar vingerafdrukken te analyseren. Het oponthoud betekende vaak dat zodra er sprake was van een identificatie, de verdachte, na te zijn ondervraagd, inmiddels alweer op vrije voeten was, en onvindbaar. Tegenwoordig, zo vertelde hij me, was het mogelijk om bij een politiezaak al binnen twee uur tot een identificatie te komen, en bij civiele verzoeken, zoals een antecedentenonderzoek, binnen 24 uur.

'Hoe groot is die database inmiddels?' vroeg ik.

'Behoorlijk groot. De laatste keer dat ik haar raadpleegde, bevatte zij bijna vijftig miljoen dossiers.'

'Dat is groot. Nooit geweten dat zo veel van onze vrienden en buren crimineel zijn.'

'Zijn ze ook niet. Vergeet niet dat een groot deel van hen ook personen zijn die vanwege hun werk hun vingerafdrukken moeten afstaan: leraren, militair personeel, brandweerlieden, wapenhandelaren, allerlei mensen. De mijne zitten er ook in, en de jouwe ook waarschijnlijk.' Ik besefte dat hij gelijk had. Toen de baas van het Tennessee Bureau of Investigation me had gevraagd of ik voor hen een adviseursfunctie wilde vervullen, had ik een lange vragenlijst moeten invullen en waren mijn vingerafdrukken genomen, waarschijnlijk om ervoor te zorgen dat ze niet per ongeluk een vos inhuurden om de kippenren te bewaken.

Terwijl ik gefascineerd toekeek, trok Art voorzichtig de huid van het dode slachtoffer om zijn gehandschoende rechterhand en liep naar een laptop aan het eind van de tafel. Ernaast stond een plat, rechthoekig apparaatje, iets kleiner dan het toetsenbord van de computer, met een blauw kussentje aan de bovenzijde. Met zijn linkerduim en -wijsvinger trok hij de huid strak over zijn rechterduim, plaatste de zijkant op het blauwe kussentje en rolde zijn duim van links naar rechts. Na een paar seconden verscheen een vijftien centimeter grote afbeelding van dicht opeengepakte concentrische ringen op het scherm.

'Ho, ho, waar zijn de inkt, de roller, de glasplaat?' vroeg ik.

'Bill, Bill. Inkt is zo twintigste-eeuws. Dit hier is optisch scannen. Een eitje. Afdrukken worden meteen gedigitaliseerd zodat we ze direct naar het AFIS kunnen uploaden. Bovendien kunnen we ze ook op standaard vingerafdrukkaarten afdrukken zodat Jess en de politie van Chattanooga ze aan hun eigen dossiers kunnen toevoegen. Maar dit gaat veel sneller en is een stuk gemakkelijker dan de oude manier. Ik zal je wat vertellen: de nieuwe criminalisten, de jonge pikkies, vers van de academie? Nou, sommigen hebben zelfs nog nooit met inkt een afdruk genomen. En als dat wel het geval is, was het alleen maar om te laten zien hoe ze het vroeger deden. Net zoals je een leerling een koe laat melken of boter laat karnen, om te laten zien hoe het allemaal begon.'

'Je klinkt wat mopperig,' zei ik. 'Maar ik zie dat je toch bent overgestapt.'

'Tegen goede resultaten valt nauwelijks iets in te brengen,' zei hij. 'Zeg, doe me even een plezier, aangezien mijn beide handen bezet zijn, druk

even op ENTER om de boel op te slaan zodat ik de volgende kan maken.'
Dat deed ik, zowel voor de duimafdruk als voor de overige vier vingers.
Toen Art alle afdrukken had gescand, stopte hij de huid weer in de pot,
schroefde de dop er stevig op en gaf hem aan mij. Daarna trok hij zijn
handschoenen uit en wierp ze in een prullenbak waarop het woord
MILIEUGEVAARLIJK prijkte. Hij liep terug naar de laptop en geselde een
paar minuutjes het toetsenbord. Ten slotte drukte hij met een zwierig
gebaar op ENTER. 'Goed, ze zijn verzonden. Over een paar uur zullen we
het antwoord weten.'
'Hoe kan dat toch zo snel?' vroeg ik. 'Net vertelde je nog dat er bijna vijftig miljoen dossiers in die database zitten. Dan praat je over bijna vijfhonderd miljoen vingerafdrukken die je moet vergelijken.'
'Ik denk dat de software behoorlijk krachtig is, en hun mainframe heeft
heel wat meer pk's dan onze kleine pc'tjes,' antwoordde hij. 'Ik bedoel dus
dat het gemakkelijker is om het aantal terug te brengen.' Hij drukte nog
wat toetsen in, en de duimafdruk verscheen weer op het scherm.
'Vingerafdrukken hebben één van de drie basispatronen,' legde hij uit.
'Spiralen, halve ringen en boogjes. Spiralen zijn concentrische cirkels,
denk aan een schietschijf, of de dwarsdoorsnede van een ui. Een halve ring
zit gecompliceerder in elkaar: de lijntjes komen van één kant, maken een
U-bocht en verdwijnen weer in tegenovergestelde richting. Bij een boog
komen ze van één kant, gaan in het midden omhoog en weer omlaag en
verdwijnen horizontaal.'
Ik bekeek het patroon op het scherm. 'Dit hier is dus een spiraalpatroon,'
zei ik. 'Op zijn duim, althans.'
'Bingo,' prees Art. 'Dus zodra de software van de database op zoek gaat
naar een match voor deze afdruk, zal hij die alleen bij de data van rech-
terduimen zoeken, en dan alleen bij die met een spiraalpatroon. Dat komt
dus neer op een vergelijking met – tja, wat zal ik zeggen – ongeveer twintig miljoen afdrukken. Nog steeds een hele hoop, maar met extra criteria
en specificaties kun je het zoekgebied steeds verder inperken.' Hij wees
naar twee plekjes op de afdruk waar het cirkelpatroon een driehoekige
onderbreking vertoonde, alsof de spiraal in een boogpatroon was geperst.
'Zie je dit hier? Dit noemen ze een delta. Het is dus gemakkelijk vast te
stellen of de delta's van de ene afdruk verschillen van die van een andere.
Ik ben geen softwaremannetje, maar het lijkt me vrij eenvoudig om een
computer zo te programmeren dat hij kenmerken als delta's weet te herkennen, aan hun locaties X- en Y-waarden kan toekennen en ze met andere waarden kan vergelijken.'
Hij beloofde me het later die dag te laten weten als het systeem de afdruk-

ken had weten te identificeren. 'Vanaf mijn plek bij de lommerd heb ik geen toegang tot het systeem, maar tijdens de lunch wip ik even hierlangs om te kijken of we geluk hebben.'

Samen namen we de lift en even later stapten we het heldere, zonnige ochtendlicht in. Ik moest terug naar de universiteit om Tennessees pientersten te verheffen. Art, daarentegen, toog weer naar Broadway Jewelry & Loan om Tennessees meest verdorvenen te stalken. 'Bedankt, Art,' zei ik. Hij knikte en liep naar zijn auto. 'Hé!' riep ik hem na. 'Pak ze, Tiffany!' Zonder om te kijken stak hij als een laatste groet nog even een hand omhoog, compleet met opgeheven middelvinger. Het gebaar was niet voor mij bedoeld, wist ik, maar voor degenen die zijn doelwit vormden: de haaien die zich in cyberspace verborgen hielden, wachtend om te kunnen toeslaan.

17

Om tien voor elf wandelde ik om de hoek van Circle Drive naar het McClung Museum, waar mijn college forensische antropologie om elf uur zou beginnen. Buiten voor het museum leek een soort manifestatie aan de gang te zijn. Het kleine plein voor de ingang stond vol met mensen met spandoeken. Naarmate ik dichterbij kwam, realiseerde ik me dat het een demonstratie was, en wat ik voor spandoeken had aangezien, bleken protestborden in neonkleuren te zijn.

In gedachten liep ik de lopende exposities in het museum na, me afvragend welke tot enige controverse kon hebben geleid. De tentoonstelling van negentiende-eeuwse samoeraizwaarden, prenten en andere kunstvoorwerpen? Vast niet. 'UT Goes to Mars', foto's, video's en maquettes die documenteerden welke rol een aantal faculteiten speelde in de Mars Rover-landingen van de NASA? Onwaarschijnlijk; ik had niets gelezen over liefhebbers van, pak hem beet, Venus die bij de NASA lobbyden om net zo veel aandacht. 'The Origins of Humanity', een collectie die uit onder andere fossiele resten van menselijke voorouders bestond, alsmede twee levensgrote reconstructies van vroege hominiden? Hm. Gezien mijn eigen aanvaring met het wespennest van het creationisme zou dat het weleens kunnen zijn, realiseerde ik me.

Toen ik dichtbij genoeg was om de protestborden van de posters te kunnen lezen, viel mijn oog op een verontrustend vertrouwd woord op veel van de borden. Het was mijn eigen naam, en met een schok realiseerde ik me dat de posters niet protesteerden tegen een tentoonstelling, maar tegen mij, Bill Brockton, Darwins luidste lokale spreekbuis. DR. BROCKTON IS NIET GEËVOLUEERD stond er op een aantal borden. BROCKTON STEEKT DE DRAAK MET GOD'S SCHEPPING las ik op een paar andere, een combinatie van dubieuze theologie en belabberd apostrofgebruik. Op een aantal borden was slechts een gestileerde tekening van een vis te zien, het eeuwenoude symbool van christelijkheid. En iemand in een gorillapak liep zelfs met een levensgrote foto van mijn hoofd, geplakt op het getekende lijf van een chimpansee. Een tv-ploeg maakte close-ups van de demonstranten terwijl ze in een ovaal heen en weer marcheerden, waardoor ze de doorgang naar de museumdeuren versperden.

Een stuk of vijf agenten van de universiteit hielden tactvol afstand. Ik stapte schuchter op de dichtstbijzijnde diender af om zo veel mogelijk te horen over de groep. 'Wanneer is dit allemaal begonnen?' vroeg ik hem, 'en wie zijn die lui? Het lijken me geen studenten.' Op het gorillapak na was hun kleding behoudender dan zo'n beetje alles wat ik in decennia was tegengekomen op de universiteit. De jongens en mannen droegen een donkere pantalon, een wit overhemd en veterschoenen; de meisjes en vrouwen een lange jurk en plompe schoenen, en er was in geen velden of wegen een gepiercete navel of tatoeage te bekennen.

'Ze verschenen een minuut of twintig geleden,' antwoordde de agent. 'En ze moeten op de hoogte zijn geweest van uw collegerooster. Er kwam een kerkbus voorgereden op Circle Drive, die leegliep en vervolgens wegreed om ergens, ik weet niet precies waar, te parkeren.'

'Hebt u ook gezien van welke kerk ze zijn?'

'Ik had er nog nooit van gehoord. "True Gospel Fellowship", of misschien "True Fellowship Gospel"? Ook de plaats kende ik nog niet. Een of ander stadje in Kansas.'

'Kansas,' herhaalde ik. 'Ik had het kunnen weten.'

'Die kerel in dat apenpak lijkt de cheerleader te zijn,' zei de agent, 'maar volgens mij heeft die vent daar aan de zijkant het voor het zeggen.'

Ik volgde zijn blik. Zich afzijdig houdend van het kluitje demonstranten, met de handen ineengevouwen voor een grijs pak met een dubbele rij knopen, stond een keurige man van middelbare leeftijd. Het donkere haar boven zijn imposante voorhoofd was hier en daar al wat zilvergrijs en was achterovergekamd; ik wist niet of het van nature zo golvend was of dat het met veel zorg gestileerd was om natuurlijk te lijken. Vanonder de randen van zijn colbertmouwen piepten dubbele manchetten en gouden manchetknopen, en de omslagen van zijn broek vielen over mooi gestroomlijnde schoenen die met een Italiaans accent gewag maakten van geld.

Via een ruime omweg wist ik hem van achteren te benaderen. 'Leuke borden,' zei ik, terwijl ik me behoedzaam aan zijn zijde posteerde. 'Vooral die met die foto.' Hij gniffelde even bestudeerd en wendde zich tot me om een praatje te maken. Toen hij mijn gezicht zag, oogde hij een moment geschrokken, maar hij hervond al snel zijn kalmte. 'Ik ben Bill Brockton, antropoloog en aanhanger van de evolutieleer,' stelde ik me voor. 'Ik vermoed dat u Jennings Bryan bent, de advocaat en een voorstander van het creationisme?'

'Niet creationisme,' reageerde hij vriendelijk. 'Intelligent design, alstublieft.' Hij glimlachte licht, alsof hij in mij een waardig tegenstander erkende. 'De vermaarde dr. Brockton. Neemt u het me alstublieft niet kwalijk dat ik u niet de hand schud. Het zou voor mij, voor de zaak, het een en ander bemoeilijken als de kranten of de tv er verslag van deden.'

'Tja, ik zou het vreselijk vinden om problemen te veroorzaken,' reageerde ik. 'Zelfs als ze simpel zijn, worstel ik er al mee.'

'Ik ken andere verhalen,' zei hij.

'Nou. Mocht het u interesseren, het spijt me dat ik die jongen in de collegezaal in verlegenheid heb gebracht.'

'Mij niet,' zei hij. 'U hebt ons een enorm plezier gedaan.'

'Dat zie ik, ja. Ook dat spijt me.' Weer die bescheiden glimlach.

Langs de demonstratie had zich inmiddels een menigte van minstens honderd zielen verzameld, en de tv-ploeg registreerde plichtsgetrouw hun meegenomen beeltenissen. Een aantal was enkel toeschouwer, maar ik herkende de meesten van hen als mijn studenten. Ik keek op mijn horloge; het was één minuut voor elf, en punctualiteit had ik er bij mijn studenten altijd ingestampt. 'Meneer Bryan, u zult me moeten verontschuldigen,' zei ik. 'Ik moet college geven.' Ik stapte naar voren, in de richting van het museum en de demonstranten. Na nog geen drie meter te hebben gelopen hoorde ik Bryan achter me roepen: 'Daar is hij!'

Alle hoofden, alle camera's zwenkten in mijn richting. Ik bleef doorlopen. Toen ik misschien op een meter of zes genaderd was, begon de demonstrant in het gorillapak als een chimpansee te krijsen. Het moest een vooraf afgesproken signaal zijn geweest, want meteen diepten zijn kameraden overrijpe bananen uit hun zakken en tassen op, die ze naar mij begonnen te gooien. De meeste projectielen misten me, maar een paar raakten mijn schouders en borst, en eentje viel met een klets open op mijn hoofd. Bananenpulp drupte van mijn gezicht op mijn kraag. Op het moment dat dit spervuur begon, waren mijn voeten gestopt met bewegen; ik stond als aan de grond genageld. Iemand in het groepje haalde ergens een roomtaart vandaan en overhandigde die aan Gorillaman; als een aap holde hij naar voren en plette hij de taart in mijn gezicht. Ook hier zat banaan in verwerkt, en tot mijn verrassing smaakte hij niet eens zo slecht.

Terwijl ik een zakdoek tevoorschijn haalde en de taartresten uit mijn ogen veegde, zag ik de agenten op me af rennen. Met hun rug naar me toe vormden ze een kring en strekten ze hun armen en handen uit. De cameraman van de tv-ploeg repte zich naar de rand van de kring en zoomde in op mijn druipende gezicht. Ik keek naar de demonstranten, van wier gezichten een mengeling van vreugde en haat viel af te lezen, en wierp een blik op de menigte toeschouwers en studenten, die inmiddels groter in getal waren dan de posters. Plotseling baande een jonge vrouw zich een weg door de menigte, en met een inderhaast gemaakt bord hoog boven haar hoofd geheven kwam ze op me af gehold. Het was Miranda Lovelady, en op haar bord stond een tekening die ik herkende van een bumpersticker op haar auto: een gestileerde afbeelding van een vis, met op zijn lijf het woord DARWIN; en onder dat vissenlijf waren poten gegroeid.

Vanuit de groep studenten klonk nu gejuich op, en allemaal schaarden ze zich achter Miranda. De agenten waaierden uit in een wigformatie, en wij – de politie, de studenten en ik – marcheerden dwars door de menigte demonstranten het gebouw in.

Om de taart van mijn gezicht en hals te wassen maakte ik een pitsstop in de toiletten. Daarna gaf ik anderhalf uur college. Nog nooit had ik me trotser of meer bevoorrecht gevoeld om hoogleraar te zijn.

18

Ik wilde net onder de wol kruipen toen de telefoon ging. Het was Jeff, mijn zoon. 'Zet de tv aan, op kanaal vier,' zei hij.
'Hoezo? Wat is er aan de hand?'
'Het lokale nieuws. In de aankondiging, vlak voor de reclame, hadden ze het over jou, over creationisme en over een controverse die naar meer smaakt, wat dat ook moge betekenen. Was je vandaag op oorlogspad?'
'Niks daarvan,' antwoordde ik. 'De oorlog had het eerder op mij voorzien. Min of meer. Ik denk dat je kunt zeggen dat ik vorige week het vuur wat heb opgerakeld. Alleen niet genoeg om de gebeurtenissen van vandaag te kunnen rechtvaardigen.'
'Jeetje,' zei hij. 'Klinkt ernstig. Bel me na afloop even terug.' En met deze woorden hing hij op.
Ik trok een badjas aan over mijn boxershort en liep mijn donkere woonkamer in, waar ik de staande lamp naast mijn leunstoel aanklikte. Zoals altijd lag de afstandsbediening op de leuning van de stoel. Ik liet me in de leren stoel ploffen, leunde half achterover en zette de tv aan. Ik belandde in een schreeuwerige reclamespot van een paar plaatselijke autohandelaren bij het vliegveld die zichzelf de 'Airport Motor Mile' noemden, gevolgd door een al even luidruchtige spot van een groot meubelwarenhuis. Vervolgens ging de nieuwsuitzending verder.
Uiteraard werd nog even met het item over de demonstratie gewacht; een van de dingen die me het meest aan tv-journaals ergerden: de manier waarop ze opgewonden berichtten over een onderwerp waarvan ze wisten dat veel kijkers het zouden willen zien – iets met schattige dieren, een grappig voorval of een sappig schandaal – om het pas aan het eind van de uitzending te vertonen. Ik ergerde me een weg door het weerbericht, de sportberichten en gek genoeg een herhaling van het weerbericht (dat ik ook de tweede keer even wegdraaide) waarna de nieuwslezer – die immer opgewekt leek, zelfs wanneer hij de dood van een kind meedeelde – een bezorgde blik opzette en zich hardop afvroeg: 'Maakt Tennessee zich op voor een nieuw Apenproces?' Er verscheen een close-up van de figuur in het gorillapak, gevolgd door wat korte beelden van de andere demonstranten; in hun eentje, in groepjes van twee, drie en zes. De manier waar-

op de beelden waren gemonteerd, zonder uit te zoomen om de groep als geheel te tonen, wekte de indruk dat tientallen, ja zelfs honderden demonstranten met protestborden aanwezig waren, in plaats van het werkelijke handjevol. De verslaggever dikte de 'controverse' nog wat aan door het geheel te larderen met boze beschuldigingen van de kant van de demonstranten, en sprak van een 'woedend tegengeluid' toen de camera naar Miranda zwenkte terwijl ze met haar DARWIN-bord kwam aanrennen. Vervolgens kwam er iets wat ik niet had verwacht. Tijdens wat korte vraaggesprekjes met omstanders flitste opeens het gezicht van Jess Carter in beeld, met eronder haar naam en titel. Ik wist niet eens dat ze er ook bij was geweest. 'Deze mensen vormen een kleine minderheid van benepen, intolerante bemoeialletjes,' sprak ze recht in de camera. 'Als zij hun hersens op slot willen zetten, prima, maar daarmee hebben ze nog niet het recht om ook anderen daartoe te dwingen. Dr. Brockton bewijst de wereld een veel grotere dienst dan deze hele groep van anti-intellectuelen bij elkaar. Ze kunnen maar beter in de bus stappen waarmee ze gekomen zijn en weer aftaaien naar het achterlijke gat ergens in Kansas, waaruit ze vandaan zijn gekropen.' Ik glimlachte om haar stoere welbespraaktheid en het feit dat ze het voor me opnam, maar tegelijkertijd deed het me huiveren, en ik hoopte maar dat zij niet samen met mij in deze hele toestand verstrikt zou raken. Op de achtergrond, over haar linkerschouder heen kijkend, zag ik Jennings Bryan, de advocaat die dit alles in gang had gezet. Zijn gezicht was als een masker, maar ik zag hoe zijn ogen vuur spuwden terwijl ze sprak. In zijn commentaar gaf Bryan af op de annexatie van het onderwijs door zielloze intellectuelen en seculiere humanisten wier voornaamste doel de heksenjacht op gelovigen was. Verdomme, ik en mijn grote bek, mopperde ik opnieuw in mezelf. Of nee, verbeterde ik mezelf, ik heb helemaal niets tegen geloof, alleen tegen opzettelijke, opdringerige onwetendheid.

Het laatste shot, in tergende slow motion, toonde een levensgrote roomtaart die in een boog recht op mijn gezicht af vloog en het vol raakte. Taartvulling waaierde traag vanuit de omtrek naar buiten; het rijke geel en wit droop traag van mijn neus en kin. Op het moment dat ik het spul uit mijn ogen wreef en knipperend door de rommel heen keek, bevroor het beeld en verscheen de nieuwslezer weer. Zijn bezorgde blik van zo-even maakte nu plaats voor een olijke. 'Als het aan de demonstranten ligt,' zei hij, 'zal professor Brockton, wiens opmerkingen tijdens zijn college de controverse in gang zetten, binnenkort ook zijn woorden moeten inslikken.' Zijn ogen glommen. 'Dit was *Nightwatch*. Goedenavond, en smakelijk eten!'

Kwaad zette ik de tv uit en belde Jeff. 'Niet echt een opsteker voor het hoger onderwijs, of wel soms?' zei ik.

Hij lachte. 'Nou, nee. Maar je belandt in elk geval niet op de brandstapel, zoals Copernicus.'

'Nog niet, in elk geval,' zei ik. 'Maar dat was niet Copernicus. Die overleed vredig in zijn slaap, geloof ik. Het was Bruno, die werd geroosterd omdat hij de implicaties van de theorie van Copernicus verduidelijkte; hij speculeerde dat er nog andere werelden zouden kunnen bestaan, die om andere sterren draaiden, bewoond door andere, intelligentere wezens.' Ik zuchtte. 'Soms wekken we niet bepaald de indruk van een geduchte tegenstander.'

'Maar toch, die dr. Carter lijkt me best slim,' meende Jeff. 'En ze nam het flink voor je op. Was zij niet degene die je een paar maanden geleden bij mij thuis voor een etentje wilde uitnodigen?'

'Ja, die,' antwoordde ik. 'Elke keer als ik met haar een etentje heb, wordt ze opgepiept. Vorige week ook weer, ik was zowaar in mijn eigen keuken voor haar aan het koken. Net toen het houtskoolbedje heet was – in meerdere opzichten – werd ze weer opgepiept.'

'Misschien dat ik je aan Sheri moet koppelen,' opperde hij.

'Wie is Sheri?'

'Een van onze accountants. De eerste drie maanden van het komende jaar niet beschikbaar, maar na 16 april heeft ze veel meer tijd. En ik heb haar echt nog nooit opgepiept. Belastingteruggave kent maar weinig noodgevallen. Behalve in jouw geval dan.' Dit was een onverwachte en onaangename wending. 'Pa, ik heb die doos met daarin jouw zogenaamde boekhouding doorgespit, maar ik kan nergens de bankafschriften van augustus, oktober en december vinden.'

'Kijk nog maar eens goed,' adviseerde ik. 'Ze moeten daar ergens liggen.'

'Pa, ik heb al twee keer gekeken.' Ik kon horen dat hij kregelig was. Zodra hij zijn zinnen met 'pa' begon, wist ik dat ik zijn ergernis had gewekt. Zodra het weer tijd werd voor de jaarlijkse belastingopgaaf hield het ge-'pa' niet op. 'Ik heb alles gesorteerd en op orde gelegd. Pa, ze zitten er níet bij.'

'Verdorie,' zei ik. 'Ik heb geen idee waar ze anders kunnen zijn.'

'Kennelijk.'

'Misschien zijn ze tussen de post verzeild geraakt,' opperde ik. 'Kun je niet gewoon even naar de bank bellen en om een paar kopietjes vragen?'

'Nee. Dat mogen ze niet, want het is niet mijn rekening. Waarom ga je niet even online en download je zelf wat kopieën en mail je ze naar me.'

'Online? Het staat gewoon online?!'

'Pas sinds de afgelopen tien jaar, ja. Je moet ergens een gebruikersnaam en een wachtwoord hebben liggen.'

'Nou, ik zou niet weten waar. Kijk nog maar eens goed tussen de spullen die ik je heb gegeven. Misschien dat ze daar liggen.'

'Pa, je bent hopeloos,' verzuchtte hij. 'Ik zou je het liefst ontslaan, behalve dan dat ik daarmee ook meteen mijn hele erfenis zou verspelen.'

'Wat geeft jou dan het idee dat jij in mijn testament staat, slimmerik?'

'O, ik zou niet weten. Gewoon een gokje, denk ik. Of misschien die kopie van je testament die ik tussen deze stapel papieren aantrof?'

'Aha,' reageerde ik. 'Ik vroeg me al af waar ik die gelaten had. Bewaar haar even goed voor me, wil je? Dan kan ik uitzoeken hoe ik je kan uitsluiten.'

'Fijn. Goed, ik ga ophangen. Welterusten. Kijk maar of je je slaap zo kunt programmeren dat je misschien droomt waar je die bankafschriften hebt gelaten. O, en pa?'

'Ja, mijn zoon?'

'Veel succes met dr. Carter.'

'Dank je,' zei ik. 'En jij veel succes met mijn belastingteruggaaf.'

De volgende ochtend belde ik Jess op haar werk. 'Zeg,' begon ik toen ze opnam, 'nog bedankt dat je me op het journaal hebt verdedigd.'

'Krijg ik daar bonuspunten voor?'

'Duizenden. Wat kwam je daar doen? Ik wist helemaal niet dat je in Knoxville was.'

'Even snel heen en weer,' antwoordde ze. 'Gisterochtend was ik al vroeg in het lijkenhuis. Een paar onbeheerde sterfgevallen bij jou, en hier was het toch vrij rustig. Vandaar dat ik spontaan in mijn auto ben gestapt. Net toen ik mijn auto weer wilde opzoeken om terug te rijden naar Chattanooga, kwam Miranda aangerend. Ze vroeg me om een lift naar de campus. Onderweg heeft ze dat Darwin-bord gemaakt.'

'Nou, ik waardeer je openlijke steun,' zei ik. 'Ik hoop maar dat ze jou geen taart in je gezicht duwen.'

'O, dat zou ik niet zo erg vinden. Ik hou wel van bananenroomtaart. Het is alleen dat andere wat ik wil mijden.'

'Welk andere?'

'Ik ben gisteren een stuk of vijf keer gebeld. Telkens dezelfde kerel.'

'Wat voor kerel? Heeft hij zijn naam gezegd? Herkende je zijn stem? Heb je nummerherkenning gebruikt?'

'Geen naam, geblokkeerd nummer, gedempte stem.'

'Vertel eens waar het over ging?'

'Na alle beledigingen aan mijn adres tijdens ons eerste gesprek, besloot ik mijn voicemail maar in te schakelen. In een paar berichten wenste hij me slechts een zeer onaangenaam leven aan gene zijde toe. In andere berichten een paar behoorlijk nare ervaringen aan deze zijde van het graf. Om daar uiteindelijk in te eindigen.'

'Doodsbedreigingen? Lieve hemel, Jess! Heb je de politie gebeld?'

'Neuh, het is gewoon een of andere lafaard die over de rooie is en wat stoom afblaast,' antwoordde ze. 'Niet de moeite waard om daar nog energie aan te besteden.'

'Neem geen risico,' zei ik. 'Meld het aan de politie.'

'Als ik telkens wanneer iemand mij lastigvalt de politie zou bellen, zou ik al snel niet meer serieus worden genomen. Als dit zo doorgaat, bel ik de telefoonmaatschappij voor een blokkering of een tracering. Mocht er nog iets anders gebeuren, dan bel ik de politie. Goed?'

'Goed,' zei ik, maar ik voelde me er niet echt lekker bij.

'O jee, ik moet ervandoor,' zei ze. 'Amy trekt haar "belangrijk iemand aan de lijn"-gezicht. Ik spreek je snel weer.'

'Oké. Pas op jezelf, Jess. Dag.'

'Doe ik. Dag.'

19

Dit zou weleens mijn beste werk ooit kunnen zijn, dacht ik terwijl ik in mijn aktetas reikte. Een halve minuut later wist ik het zeker.

Ik had net een enorme hap van mijn meesterwerk genomen – misschien wel de lekkerste sandwich ooit – toen de telefoon op mijn bureau rinkelde. Even overwoog ik om de hele mondvol in de prullenbak leeg te spugen, maar de afzonderlijke ingrediënten waren elk al overheerlijk – gerookte kalkoen, gerookte Goudse kaas, scherpe bruine mosterd, krokante koosjere augurk en tomaat tussen twee sneden vol haverbrood – en het geheel was zelfs smakelijker dan de som der delen. Kortom, ik kreeg het niet over mijn hart om het te verspillen. In plaats daarvan kauwde ik drie keer heel snel terwijl mijn hand naar de hoorn ging, daarna nog eens twee keer terwijl ik hem langzaam optilde en mijn beide wangen volpropte. ''llo, me' dohtor Rockon,' mompelde ik.

'Bill? Ben jij daar?' Tot mijn opluchting was het Art maar.

'Eh, bè-aan't ete,' bromde ik.

'Ben je ziek? Gewond? Rustig aan, ik bel 911 wel.'

'Neuh,' reageerde ik. 'Wach' effe. Ben-aan 't ete.' Haastig kauwde ik nog een paar keer en slikte de eerste van de drie happen weg. ''orry, wach nog effe.' Kauw slik; kauw slik. 'Oké, sorry hoor. Ik had mijn mond vol.'

'Bill, Bill, heb je dan echt alles vergeten wat je van Gomer Pyle hebt geleerd?'

'Wat? Gomer Pyle? Jij belt me op om het over een oude, oubollige komische tv-serie te hebben?'

'Nee. Ik denk alleen dat je al hebt doorgeslikt voordat je 34 keer hebt gekauwd zoals oma Pyle het Gomer leerde. Schaam je, schaam je, scháám je.'

'Tja, Shazam!' reageerde ik, 'bel Barney Fife en laat me maar arresteren.'

'Verkeerde rechtsgebied. Barney zit in Mayberry. Maar goed, de reden dat ik bel, is dat we geluk hebben met de afdrukken.'

'Roept u maar,' zei ik, mijn sandwich opeens vergeten. 'Wie was hij?'

'Nou, om te beginnen was hij leraar.'

'Dus zijn vingerafdrukken zaten in het bestand van zijn antecedentenonderzoek? Verdomme. Dat een leraar werd vermoord omdat hij zich graag gek kleedde, wat vreselijk.'

'Zijn vingerafdrukken zaten ook nog in een ander dossier. De man was ook pedofiel, Bill. Hij had een strafblad wegens ernstige seksuele aanranding.'

Ik zat meteen rechtovereind in mijn stoel. 'Jezus christus,' vloekte ik. 'Ik dacht juist dat het de bedoeling was dat dat niet mogelijk is. Een antecedentenonderzoek en vingerafdrukken nemen, is toch om te voorkomen dat zulke mensen met kinderen kunnen werken?'

'Klopt,' beaamde hij, 'en dat werkte. Min of meer. Het systeem functioneerde, met al zijn beperkingen. Hij was op de eerste plaats leraar, en op de tweede plaats pedofiel. Tenminste, dat is de volgorde waarin zijn vingerafdrukken in de dossiers terechtkwamen. De werkelijkheid is dat hij vermoedelijk het onderwijs in is gegaan om makkelijk in aanraking te komen met kinderen. Maar op zijn werk is hij nooit betrapt.'

'Hoeveel informatie heb je gekregen?'

'Genoeg om de achtergrond te kennen en aan het achterhalen van de details te beginnen. Naam van die vent was Craig Willis, 31 jaar oud. Drie jaar geleden solliciteerde hij naar een functie als leraar, in Knoxville, overigens. Niet in Chattanooga. Werd aangenomen op Bearden Middle School, aan Middelbrook Pike, bij jou vlak om de hoek.' De kou sloeg me op de buik. Daar had mijn zoon Jeff op school gezeten. Dertig jaar geleden weliswaar, rond de tijd dat deze Craig Willis was geboren, maar dit toeval bracht het gevaar op een of andere manier toch dichter bij huis. 'Hij gaf er twee jaar Engels en maatschappijleer,' ging Art verder. 'Afgelopen zomer werd hij tijdens een dagkamp waar hij leider was opeens gearresteerd wegens het lastigvallen van een tienjarig jongetje.'

'Wat vreselijk,' reageerde ik. 'Hoe komt het dat ik me niet kan herinneren daar iets over in de krant te hebben gelezen?'

'Het heeft niet in de krant gestaan,' zei Art. 'Zijn advocaat – drie keer raden wie – slaagde erin om het allemaal stil te houden.'

'Grease?'

'Wie anders? Na de bewering dat zijn cliënt onherstelbare schade zou lijden als de arrestatie openbaar werd gemaakt, kreeg hij een persbreidel, en daarna wist hij de zaak wegens een vormfout geseponeerd te krijgen; kennelijk was de agent die hem aanhield zo over de rooie dat hij Craig afranselde en vergat hem op zijn rechten te wijzen. Maar de rechter weigerde de inhechtenisneming te schrappen, en de school liet hem als een baksteen vallen. Afgelopen najaar is hij naar Chattanooga verhuisd.'

Ik durfde het bijna niet te vragen, maar deed het toch: 'En wat deed hij in Chattanooga?'

Ik hoorde Art eens lang en diep ademhalen, waarna hij langzaam en kwaad de lucht weer sissend uitblies. 'Hij had net een karateschool geopend. Net zoiets als lesgeven, maar voor zijn bedoelingen een stuk geschikter: een antecedentenonderzoek is niet vereist. En het zijn vooral jongetjes die op les komen.'

Ik dacht meteen aan mijn kleinzoons van vijf en zeven, die allebei op karateles zaten in West Knoxville. 'God sta ons bij,' zei ik.

'Nou, misschien heeft Hij dat wel gedaan,' reageerde Art. 'Ze zeggen toch dat Zijn wegen ondoorgrondelijk zijn? Wie weet was het wel het gebed van een moeder dat verhoord is en waardoor een homohater met een gewelddadig karaktertrekje het pad kruiste van onze Craig toen hij in wijvenkleren rondliep.'

'Kijk, daar geloof ik dus niet in,' zei ik. 'Het gebeurt allemaal hier op deze wereldbol; goed en kwaad spruiten voort uit keuzes die wij mensen maken, uit de dingen die we doen. Ik heb niet de pretentie te begrijpen waarom de ene mens wordt aangezet om prachtige dingen te doen terwijl de andere wordt gedreven om afschuwelijke daden te verrichten, maar ik geloof wel dat wij degenen zijn die doen wat we doen, en dat wij degenen zijn die met de eer mogen strijken of de schuld moeten dragen.'

'Daar ben ik het grotendeels wel mee eens,' zei Art. 'Ik zou geen smeris kunnen zijn als ik niet meende dat mensen verantwoordelijk zijn voor hun daden. Maar goed, de zaak krijgt hierdoor wel een interessante draai.'

'Heb je al naar Chattanooga gebeld, met die rechercheur, of met Jess?'

'Nee. Jij hebt de huid gevonden die me de afdrukken opleverde, dus jij verdiende het eerste telefoontje. Ik zal Jess nu direct bellen.'

'Wacht even. Nog één vraag voordat je ophangt.'

'Brand maar los.'

'Ik neem aan dat die duimafdruk die je van Craigs afgesneden penis hebt genomen nog niets heeft opgeleverd?'

'Inderdaad.'

'Dus de vingerafdrukken van de moordenaar komen niet voor in de AFIS-database in Tennessee of bij de FBI?'

'Misschien niet, maar van de andere kant: zelfs als de afdruk juist is, zou de grootte onjuist kunnen zijn.'

'Hè?'

'We kunnen niet met zekerheid zeggen dat die piemel op het moment dat ik die afdruk nam van dezelfde omvang was als toen de moordenaar hem vastgreep,' legde hij uit. 'Ik moet dus wat vergrotingen en verkleiningen van de duimafdruk maken en ook die verzenden. Wat ik ze e-mail, moet binnen tien procent van de omvang van de afdrukken in de database vallen, want anders vindt AFIS geen match.'

'Weet je,' zei ik, 'het zou een hele prestatie zijn om aan de hand van de vingerafdrukken op een flinterdun stukje huid en een geamputeerde penis zowel het slachtoffer als de moordenaar te identificeren.'

'Ja,' gaf hij toe, 'denk niet dat ik daar niet aan heb gedacht. Maar daar heb je wel heel veel geluk voor nodig. Misschien wel meer geluk dan ik, alles bij elkaar opgeteld, ooit in mijn leven heb gehad.'

'We creëren ons eigen geluk,' zei ik. 'Ook daar geloof ik in. "Het toeval begunstigt alleen voorbereide geesten". Louis Pasteur.'

'Die gast van de gepasteuriseerde melk?'

'Ja, die.'

'Zei hij dat om te verklaren hoe hij op het idee van die melk kwam?'

'Nee,' antwoordde ik, 'hij zei het al jaren voordat hij dat idee kreeg. Maar het idee bewees wel zijn gelijk, zou je kunnen zeggen.'

'Daar lijkt het wel op,' beaamde Art. 'Over ideeën gesproken, ik heb zo het idee dat de politie van Chattanooga of het bureau van de lijkschouwer vandaag of morgen de naam van Willis zal vrijgeven.'

'Vast wel. Ze zullen beslist enige druk voelen om te laten zien dat ze vooruitgang boeken met de zaak.'

'Ik vermoed dat de media in Knoxville het verhaal ook wel zullen oppikken,' voegde hij eraan toe, 'omdat Willis daar tot een paar maanden geleden nog woonde.'

'Maar natuurlijk,' zuchtte ik. 'Lokale invalshoek in een kinky zaak.'

'Ik moet steeds aan de ouders van dat jochie denken,' zei Art. 'Dit zal weer heel wat diepe emoties bij hen naar boven halen, de wond weer helemaal openrijten – als die al dicht was. Misschien is de krant niet de beste manier om erover te vernemen.'

Ik probeerde me te verplaatsen in de ouders en stelde me daarbij mijn zoon Jeff en diens vrouw Jenny voor; ik beeldde me in hoe het voor hen zou zijn als Tyler of Walker seksueel was misbruikt door een volwassene die zij vertrouwden, en hoe ze zich zouden voelen als ze in de krant lazen over het overlijden van de dader. 'Dat zou heftig zijn,' zei ik, 'maar niet per se negatief. Het zou weleens het beste nieuws voor hen kunnen zijn, precies wat ze nodig hebben om alles achter zich te laten en de draad van hun leven weer op te pakken.'

'Dit soort dingen laat je nooit achter je,' zei Art. 'Het lijkt veel op de dood van een kind; je draagt het voorgoed met je mee. Na een poosje wordt de pijn wel wat minder, maar er is niet veel voor nodig – een verjaardag, iets op tv, een tekening onder in een la – om weer een opdoffer te krijgen.'

Plotseling begreep ik wat hij van plan was. 'Je wilt zelf naar die ouders gaan om het hen te vertellen?'

'Niet helemaal,' antwoordde hij. 'Niet ik. Wij.'

'Wij? Jij en ik? Waarom?'

'Wij hebben het lichaam geïdentificeerd. Dat maakt ons tot de logische boodschappers. In zekere zin zijn wij getuigen van een sterfgeval; met kennis uit de eerste hand en absolute zekerheid zijn wij tweeën degenen die kunnen zeggen: "De man die uw zoon ooit misbruikte, is dood, en zo is hij aan zijn eind gekomen." Bovendien,' voegde Art eraan toe, 'is het wel zo fatsoenlijk om het hen te vertellen, en zijn wij op dit moment de enige fatsoenlijke kerels die ik kan bedenken.'

Ik kon er nog wel een paar noemen, maar ik kende Art goed genoeg om te weten dat zijn besluit vaststond. En zijn redenering, zij het niet geheel logisch, was gevoelsmatig sterk. 'Goed,' gaf ik toe. 'Wanneer?'

'Tiffany komt pas over een paar uur thuis van school en cheerleadertraining,' liet hij me weten. 'Wat zeg je ervan als ik je over een halfuur oppik? Dat geeft mij wat tijd om die lui in Chattanooga te bellen.'

'Wil je dat ik je bij de tunnel aan de kant van de eindzone op het veld opwacht?'

'Ik bel wel zodra ik Stadium Drive op draai,' zei hij. 'Dan heb jij tijd zat om de botluizen van je handen te spoelen en naar beneden te komen.'

Een halfuur later belde hij terug. 'Oké, ik kom net van Neyland op Lake Loudoun Drive en draai nu Stadium op. Hé, wat is er aan de hand in Thompson-Boling Arena? Het ziet er zwart van de mediawagens.'

'Een bijeenkomst van creationisten,' antwoordde ik miserabel. 'Ik bedoel "intelligent design". O, en bedankt dat je nog even wat zout in de wonden strooit.'

'Sorry. Volgende keer zal ik citroensap gebruiken. Of misschien wel citroenschuimtaart.' Hij proestte het uit.

'Dag,' zei ik, en ik hing op. Ik maakte een pitsstop in het toilet vlak naast mijn werkkamer – een nuttig overblijfsel uit het vorige bestaan van Stadium Hall als studentenhuis – deed de boel op slot en liep de trap af. Net toen ik het gebouw uitliep, kwam Art om de hoek van het stadion gereden en stopte hij bij het harmonicahek naar de tunnel. Hij reed in een ongemerkte grijze Impala die ik nog niet eerder had gezien. Anders dan de gebutste witte personenauto waar hij normaal in reed, was deze wagen voorzien van glanzende lak en een schone stoffering, en het interieur stonk niet naar koffie en muffe sigarettenrook zoals bij de meeste politiewagens. 'Mooi karretje,' zei ik. 'Waar heb jij zo'n chique bolide aan verdiend?'

'Ik heb de commissaris gechanteerd,' antwoordde hij. 'Niet opzettelijk, hoor. Vorige week vroeg hij me hoe het undercoverwerk verliep, en ik antwoordde: "Redelijk goed, chef; tussen twee haakjes, ik zie dat u zelf ook wat undercoveronderzoek naar sekssites verricht." Goddorie, ik zat hem alleen maar een beetje te stangen, maar hij kreeg een rode kop en het zweet brak hem uit. Voor ik het wist, kreeg ik een belletje van het wagenpark en zeiden ze dat ik mijn oude brik moest komen ruilen voor dit ding.'
'Ik neem aan dat je gelijk had.'
'Waarmee?'
'Het toeval begunstigt inderdaad alleen voorbereide geesten.'
'Ik geloof niet dat Louis Pasteur internetporno en toevallige chantage in gedachte had toen hij dat zei.'
'Nee, maar als ik iets intellectueels kan aanhalen om mijn toevallige geluk te rechtvaardigen, dan geeft me dat in elk geval een relaxter gevoel over het feit dat ik in deze wagen rij.'
'Denk je dat de commissaris zich met die smeerpijperij inlaat?'
'Nee, joh. Hij is een goeie vent, maar hij blijft een vent. Het percentage volwassen mannen met een internetaansluiting die nog nooit een pornosite hebben bezocht, is ongeveer net zo hoog als het percentage volwassen kerels die zich nog nooit hebben afgerukt.'
'Hm,' reageerde ik. 'Nogmaals, ik beschouw mezelf als een uitzondering op de regel.'
'Over welke heb je het eigenlijk? Nee, laat maar; ik wil het níét weten.'
Art reed in noordelijke richting over Broadway, naar Broadway Jewelry & Loan. Enkele straten voor het winkelcentrum sloeg hij echter linksaf naar Glenwood en daarna nog eens linksaf naar Scott. Volgens een bord op een hoek reden we Old North Knoxville binnen. Scott Avenue was, zoals de meeste straten in de buurt, een straat in ontwikkeling. Ooit was het een keurige buurt geweest met victoriaanse huizen van twee en drie verdiepingen, op grote, schaduwrijke percelen. Maar binnen enkele decennia waren vele daarvan verloederd; een aantal was opgedeeld in appartementen en betimmerd met aluminium gevelplaten; andere waren afgebrand en vervangen door sombere bakstenen schoenendozen. De afgelopen paar jaar was er sporadisch en stukje bij beetje sprake geweest van een lichte opleving. We passeerden verscheidene huizen in verschillende fasen van verval, met overwoekerde gazons en boomtakken die zich vastgrepen aan doorzakkende daken. Vervolgens reden we langs een woonkern met prachtig gerestaureerde woningen. Een aantal ervan was in een neutrale kleur of een subtiele pasteltint geschilderd; andere waren verfraaid met felle, contrasterende kleuren – een huis combineerde turkooizen gevelpla-

ten met goudkleurige vensters en oranje opschik – en werden door mijn collega's van de faculteit Kunst en Architectuur 'lichtekooien' genoemd. Ze deden me denken aan de travestieten die Jess en ik in de nachtclub in Chattanooga hadden gezien, en de overeenkomst deed me glimlachen. Zelf zou ik een huis nooit zo bont schilderen, maar ik had wel waardering voor de manier waarop deze woningen een buurt opfleurden.

'Nou, vertel maar eens wat over de bofkonten bij wie we straks aankloppen,' zei ik. 'En hoe weet je of er wel iemand thuis is?'

'Vlak voordat ik jou belde, heb ik ze gebeld,' antwoordde hij. 'Een vrouw nam op. Ik zei: "Sorry, verkeerd gedraaid", en hing op. Over de telefoon wilde ik er niets over zeggen.' Ik knikte begrijpend. 'De ouders heten Bobby en Susan Scott; de naam van dat jochie is Joseph. Joey. Pa is een soort aannemer; ma werkt parttime als mondhygiëniste.'

'Verder nog kinderen?'

'Weet ik niet.' Hij minderde vaart om een huisnummer te controleren. 'Het moet het volgende huis rechts zijn.'

Het volgende huis rechts was een oerdegelijk huis met een reusachtige veranda over de volle breedte en om de hoek langs één kant. Ook twee van de slaapkamers op de eerste verdieping hadden een overdekt, zuilvormig balkon, en de tweede verdieping – waar een eeuw geleden misschien wel dienstvertrekken waren ondergebracht – was een constructie van daklei en dakkapellen. Het huis vormde een microkosmos van de buurt zelf: een werk in uitvoering, een studie in ontwikkeling. Een kant van de gevel was pas geschilderd, met de cederhouten dakspanen in een sierlijk blauwgrijs en met witte opschik; tegen de andere kant stond een toren van steigers waardoorheen ik een glimp van een bonte schakering van geribbelde verf en nieuwe, ongeschilderde dakspanen opving.

Naast het huis, onder een overkapping waarvan het dak door geribbelde witte zuilen werd gesteund, stond een minibusje geparkeerd. 'Dat noem ik nog eens een carport,' merkte Art op. 'Zo worden ze gewoon niet meer gemaakt.'

'Inderdaad,' beaamde ik, 'maar ik wed dat jouw energierekening 's winters ongeveer een tiende is van die van hen. Moet je al die vensters zien met die petieterige glasruitjes. Zo te zien ontbreken er bovendien nog eens een paar. In de muren zit waarschijnlijk ook geen isolatie en als het hier 's winters goed waait, kun je het binnen denk ik gewoon voelen.'

'Dat is goed tegen ziektekiemen,' zei hij. 'Wordt je immuunsysteem ook taaier van.' Hij parkeerde langs de stoeprand en zette de motor uit. 'Goed, ben je zover?'

'Nee.'

'Ik ook niet. Nooit trouwens, voor dit soort dingen. Je moet het gewoon voorzichtig aanpakken; niet meteen met de deur in huis vallen.' Hij ademde eens diep in, ik volgde zijn voorbeeld, waarna we ons langzaam over het trottoir naar het verandatrapje begaven.

De voordeur was een enorm grote plaat eikenhout met een fijne nerf en gebobbeld oud glas. Het hout – met de hand gesneden in een motief van bladeren en ranken – was nauwgezet afgekrabd en opnieuw gepolitoerd tot een glanzend goudkleurige tint. Het glas werd aan de binnenkant afgeschermd met een gordijn van wit kant, dat fijnmazig genoeg was om privacy te bieden, maar tegelijk ook voldoende doorschijnend om meer dan genoeg licht binnen te laten. Net als de deur was ook de deurbel origineel: in het midden, net onder de ruit, zat een knop in de vorm van een sleutel. Art gaf er eens een flinke draai aan, en er klonk een kletterend spervuur van geklingel. 'Sorry, ik liet me een beetje gaan geloof ik,' zei hij. 'Ook die worden niet meer zo gemaakt.'

Binnen hoorden we het geklepper van schoenen met harde zolen op een hardhouten vloer naderen. Het geluid hield op en een gemanicuurde hand trok het kanten gordijn opzij. Een vrouw van ergens in de dertig staarde ons aan. Haar uitdrukking hield het midden tussen neutraal en licht argwanend, wat je ongeveer kon verwachten bij een vrouw die twee vreemde kerels op haar veranda ziet staan. Het volgende moment zag ik iets in haar ogen; paniek en wanhoop maakten zich meester van haar gezicht. Met een ruk trok ze de deur open en bracht ze een trillende hand naar haar mond. 'O god,' fluisterde ze, 'wat is er nu weer gebeurd?' Ik had met haar te doen, en plotseling drong de volle betekenis van Arts woorden aan de telefoon tot me door: sommige wonden helen nooit; sommige geesten achtervolgen je voorgoed.

'Het is in orde, mevrouw Scott,' zei Art vlug. 'Niets aan de hand, dat beloof ik. We hebben alleen wat informatie die u misschien zou willen horen.' Ze keek van Art naar mij en weer terug. 'Mogen we even binnenkomen?'

Haar hoofd schoot even snel heen en weer, alsof ze een nachtmerrie van zich af wilde schudden. 'Ja. Natuurlijk, neemt u me niet kwalijk.'

We stapten een hoge hal binnen. Rechts leidde een brede eikenhouten trap naar een royale overloop halverwege de eerste verdieping, om vervolgens links de bocht om uit te komen op een soort zithoek. Aan de linkerzijde van de hal bood een brede overwelfde doorgang met zuilen toegang tot een salon die zo uit de jaren negentig van de negentiende eeuw kon zijn overgebracht. In tegenstelling tot de half gerestaureerde buitenkant van het huis oogde het interieur – althans, het weinige dat ik tot nu toe had gezien – volledig opgeknapt. Ze gebaarde Art en mij naar een fluwelen sofa, waarvan de rug door drie, in walnotenhout omlijste ovalen werd gevormd. Zelf nam ze plaats in een leunstoel met een rugleuning in de vorm van twee vleugels; in plaats van ontspannen te gaan zitten, liet ze zich gespannen op de rand zakken.

Art stelde zichzelf voor, daarna mij. Terwijl hij mijn werk als antropoloog beschreef, knikte ze. 'Ik heb over u gelezen,' zei ze. 'Uw werk klinkt interessant en erg belangrijk.' In haar ogen en stem bespeurde ik een zweem van een vraag.

Ik keek even naar Art; hij knikte bijna onzichtbaar naar me: je mag het woord nemen. 'Een paar weken geleden is er in Chattanooga een man vermoord,' begon ik. 'Het lichaam werd niet meteen geïdentificeerd. De plaatselijke autoriteiten vroegen of ik kon helpen uitzoeken wie hij was en wanneer hij om het leven was gebracht.' De ogen van mevrouw Scott schoten heen en weer terwijl ze de talloze mogelijkheden afwoog in een poging te begrijpen waar dit naartoe zou kunnen leiden.

'Mevrouw, dr. Brockton en ik hebben het lichaam van die man zojuist kunnen identificeren,' zei Art. 'Het bleek om Craig Willis te gaan.' Ze ademde scherp in, en ditmaal bracht ze beide handen naar haar mond. Haar ogen stonden wijd open, en ik zwoer dat ze bijna vonkten. Haar handen begonnen te beven en het beven kroop omhoog van haar armen naar haar schouders, haar gezicht en borstkas. Ze liet haar gezicht in haar handen vallen en begon te snikken, eerst nog geluidloos, maar daarna met een rauw, snikkend geluid dat vervolgens week voor een hoog, aanhoudend zacht gejank dat eerder dierlijk dan menselijk klonk. Ik herinnerde me een regel uit een film – 'het geluid van het ultieme lijden' – en ik wist dat ik dat geluid nu hoorde. Machteloos keek ik Art aan en ik gebaarde een vraag – Moet een van ons niet even naar haar toe lopen? – maar hij schudde licht zijn hoofd, me te kennen gevend dat ik rustig moest blijven zitten.

Met een reeks huiverende naschokken bedaarde ze ten slotte iets, en ze tilde haar hoofd op en staarde somber tussen haar vingers door. Toen ze Art aankeek, haalde hij uit zijn colbertzak een schone zakdoek tevoorschijn die hij haar aanreikte. Ze veegde haar ogen, haar wangen en haar druppende neus af en snoot tweemaal. De zakdoek was inmiddels doorweekt, dus ik gaf haar de mijne ook maar. Ze herhaalde het proces, keek naar de knoeiboel die ze van beide zakdoeken had gemaakt en slaakte een soort gegeneerd lachje. Vervolgens ademde ze een paar keer achter elkaar stevig in en uit, alsof ze zojuist achthonderd meter had gesprint. 'Ik heb me... dit... al talloze malen... voorgesteld,' wist ze uit te brengen. 'Op ontelbaar verschillende manieren. Ervan gedroomd, dag en nacht. Ervoor geleefd, op momenten dat ik me nergens anders aan kon vasthouden om nog voor te leven. Ervoor gebeden.'

'Ja, mevrouw,' reageerde Art. 'Dat kan ik me goed voorstellen.'

'Maar waarom voelt het dan toch alsof mijn ingewanden er zojuist uitgerukt zijn?'

'Omdat het nu echt is,' antwoordde hij. 'Deze keer is het niet uw fantasie.'

'God, wij hebben zo ons best gedaan om dat achter ons te laten,' zei ze. 'Maanden en maanden van therapie. Voor Joey. Voor Bobby. Voor mij. Voor mij en Bobby samen. Voor ons alle drie samen. Het misbruik is bijna onze dood geworden; en nu gaan we bijna failliet aan het herstel.'

'Ik begrijp het,' zei Art. 'Het spijt me. Ik weet dat het misschien een schrale troost is, maar deze zaak – Joeys zaak – motiveerde ons om nog harder en slimmer te werk te gaan om mannen als Craig Willis te pakken. We hebben een nieuwe taakeenheid in het leven geroepen om mensen in de kraag te vatten die zich via internet op kinderen richten of handelen in kinderporno. Als we ze in cyberspace kunnen pakken, kunnen we ze van federale misdrijven beschuldigen. Het is nu nog een klein programma, maar het zal alleen maar groter worden. En een aantal van deze lieden beginnen we nu in de smiezen te krijgen.'

Ze oogde verontrust en dankbaar tegelijk.

Art wierp een blik op zijn horloge. 'Het is nu ongeveer drie uur,' zei hij. 'Hoe laat komt uw man thuis van zijn werk?'

'Vermoedelijk niet eerder dan zeven of acht uur. Hij maakt veel overuren – zo kunnen we de rekeningen voor die therapie betalen.'

'Wilt u dat we vanavond nog even terugkomen om hem hierover te vertellen?'

Ze schudde haar hoofd. 'Nee,' antwoordde ze. 'Hij zal van streek zijn – hij zal wel moeten, net zoals ik daarnet – en met u erbij zal dat lastiger zijn. Als ik het hem vertel, kan ik hem vasthouden, en wie weet zal dat het hem makkelijker maken. Wat draaglijker, op de een of andere manier.' Ze glimlachte flauw. 'Hij is nogal een stoere,' voegde ze eraan toe. 'Als u het hem vertelt, zou hij u weleens een optater kunnen verkopen. Doe ik het, dan is hij misschien wél in staat om te huilen.'

Art glimlachte nu ook. 'Zo te horen is hij getrouwd met een verstandige vrouw met een groot hart.'

Het leek haar iets op te beuren. 'Als dit wijsheid is, geef mij dan maar domheid.' Plotseling keek ze bedenkelijk. 'Joey komt om kwart over drie thuis van school.'

Art kwam overeind. 'We gingen net weg.'

Ze keek opgelucht en dankbaar. 'Hij herkent een agent al van een kilometer afstand,' zei ze. 'Ik vrees dat hij echt doodsbang zou worden als hij u hier zag. Ik zal zijn therapeut bellen en vragen hoeveel we hem zouden moeten vertellen, en wanneer.'

'Zolang u maar niet vergeet dat het morgenochtend waarschijnlijk al in de krant staat,' zei Art. 'Dus als u het hem niet snel vertelt, zou hij het weleens via een andere weg kunnen vernemen.'

'Verdorie,' zei ze. 'Dan vrees ik dat we vanavond al naar de therapeut kunnen voor een noodsessie.'

'Ik weet dat het niet makkelijk is,' zei Art, 'maar zo te zien doet u al het juiste.' Hij keek de kamer rond. 'Het is net zoiets als het opknappen van een groot oud huis dat een zwaar bestaan achter de rug heeft. Je blijft gewoon doorzwoegen, de ene kamer na de andere, steeds één probleem tegelijk.'

'Ja,' zei ze. 'Doorzwoegen. Dat doen we.'

Ze vergezelde ons naar de deur. Ik stak mijn hand uit, en ze nam hem in haar beide handen en kneep er hartelijk in. Art spreidde zijn armen uit, en ze stond hem toe haar even te omhelzen en ze leidde ons vervolgens naar de veranda en van het trapje af.

Op het moment dat onze Impala de hoek van de straat bereikte, kwam er net een schoolbus aangereden die stopte en zijn knipperlichten aandeed. Drie kinderen – twee meisjes en een jongen – stapten uit. Tegen de tijd dat de lichten doofden en het bordje STOP tegen de zijkant van de bus was teruggeklapt, stond Susan Scott al op de hoek, met een glimlach op haar gezicht en een arm om de schouder van de jongen.

'Volgens mij hebben we zojuist een goede daad verricht,' zei ik.

'En volgens mij heb je misschien wel gelijk,' beaamde Art.

20

*I*k sloeg de krant open en huiverde. VERMOORDE TRAVESTIET INWONER KNOXVILLE, tetterde de kop boven het hoofdartikel van de vrijdageditie van de *News Sentinel*. POLITIE ONDERZOEKT MOGELIJKE HAATMOORD IN CHATTANOOGA, luidde de onderkop.

Het artikel was van de hand van een misdaadjournalist die ik niet kende, en die pas sinds een paar weken zijn bijdragen aan de *Sentinel* leverde.

> De politie van Chattanooga heeft gisteren een grote doorbraak bereikt in de moordzaak die de homogemeenschap van de stad zwaar heeft geschokt, maar die nu de hele stad een rilling zou kunnen bezorgen. Het gehavende lichaam van een jongeman, gekleed in vrouwenkleren en met een pruik op, werd twee weken geleden even buiten Chattanooga aangetroffen, vastgebonden aan een boom in Prentice Cooper State Forest. Dr. Jess Carter, lijkschouwer te Chattanooga, identificeerde gisteren het slachtoffer als zijnde Craig Willis, 31 jaar, voormalig inwoner van Knoxville.
>
> Een autopsie door Carter, aangevuld met een skeletonderzoek door forensisch antropoloog (en oprichter van de Bodyfarm) Bill Brockton, verbonden aan de universiteit van Tennessee, bracht aan het licht dat Willis als gevolg van meerdere zware klappen op het hoofd was overleden. Omdat er geen papieren op het lichaam waren aangetroffen en de huid zich al van de handen – met daarop de vingerpatronen – had losgemaakt toen het slachtoffer werd gevonden, tastte de politie wat de identiteit van het slachtoffer betrof aanvankelijk in het duister. Een deel van de ontbrekende huid werd onlangs door Brockton tijdens een tweede onderzoek van de plaats delict ontdekt, aldus Carter, hetgeen inhield dat de vingerafdrukken nu konden worden vergeleken met bestaande dossiers van een beroepsgerelateerd antecedentenonderzoek dat Willis vier jaar geleden had ondergaan.

Een anonieme bron rondom het onderzoek vertelde dat het misdrijf een haatmisdrijf leek, kennelijk aangewakkerd door de seksuele geaardheid van het slachtoffer. 'Hij droeg een soort meesteresoutfit,' aldus de bron, 'bestaande uit een blonde pruik en een zwart lederen korset, wat voor de meeste mensen zal wijzen op een SM-achtige, tussen aanhalingstekens, fetisjistische, kinky levensstijl. Voor sommige mannen uit deze streek werkt een dergelijke uitdossing als een rode lap op een stier.'

Homoactivisten uit Oost-Tennessee hebben kritiek geuit op het trage verloop van het onderzoek. 'Als een heteroseksuele, keurige man of vrouw op zo'n afschuwelijke manier zou zijn afgeslacht, zou de politie geen steen onberoerd hebben gelaten,' aldus Steve Quinn, coördinator van de Gay and Lesbian Alliance van Chattanooga. 'In dit geval lijken ze de hele zaak liever onder het vloerkleed te willen vegen. De autoriteiten hier lijken homoseksuelen, travestieten en transseksuelen als tweederangsburgers te beschouwen, en dat is gewoon schandalig.' Homoactivist Skip Turner uit Knoxville voegde eraan toe: 'Craig Willis is een martelaar in de strijd voor seksuele vrijheid. Zijn stoffelijk overschot schreeuwt om gerechtigheid.'

Ongeveer een halfjaar geleden verhuisde Willis van Knoxville naar Chattanooga, aldus Carter. Hij gaf drie jaar les aan de middenschool van Bearden voordat hij verhuisde naar Chattanooga, waar hij onlangs een karateschool opende, genaamd Kids Without Fear. Herhaaldelijke telefoontjes naar Willis' huisadres en Kids Without Fear leverden niets op.

Ik vond het merkwaardig dat de journalist mij niet had gebeld, aangezien Jess ook mijn betrokkenheid bij het onderzoek had genoemd. Ook was het vreemd dat hij niets had opgevangen over Willis' strafblad of geneigdheden. Een paar uur nadat Art haar had gebeld om Willis' identiteit te melden, had ze hem teruggebeld met de mededeling dat een huiszoeking in zijn appartement honderden afbeeldingen met kinderporno had opgeleverd, op papier, op schijfjes en in zijn computer. Sommige toonden slechts naakte kinderen, andere toonden volwassenen met kinderen, en sommige toonden Willis, die seksuele handelingen met jongetjes verrichtte. Een meer doorgewinterde journalist, of iemand met meer contacten, zou wel degelijk lucht hebben gekregen van het onderzoek, zo wist ik zeker, en in elk geval van het arrestatierapport.

Het artikel bezorgde me gemengde gevoelens. Ik wist dat het de rechercheurs zou helpen nu ze over meer informatie beschikten dan de lezers. Maar om Craig Willis, kindermisbruiker, slechts omschreven te zien worden als een martelaar, en niets te lezen over de ontaarding en het misbruik, gaf me een misselijk gevoel.

Ook vroeg ik me af of Jess misschien een bepaalde bedoeling had met de manier waarop ze de informatie had vrijgegeven. Was zij de anonieme bron die naar Willis' 'kinky levensstijl' had verwezen? Het klonk anders helemaal niet als de vrijzinnige Jess zoals ik die kende, maar misschien had ze het opzettelijk provocatief bedoeld. Ik vermoedde dat ze gefrustreerd was door het trage verloop van het onderzoek in Chattanooga. Hoopte ze de politie meer onder druk te zetten door het zo te brengen dat het de woede van homoactivisten zou opwekken? Jess was een intelligente vrouw en een begaafd lijkschouwer, en dus wist ik zeker dat ze goed over haar woorden zou hebben nagedacht. Maar ze was ook voor niets en niemand bang, en een beetje non-conformistisch bovendien, en ik hoopte dat ze daarin niet wat te ver was doorgeschoten.

21

Drie dagen lang had het hoofd in het bijgebouwtje liggen sudderen voordat ik het uit de ketel haalde. Warm water, bleekmiddel, wasmiddel Biz, wasverzachter Downy en Adolph's Meat Tenderizer hadden hun werk goed gedaan: de laatste restjes weefsel waren er met een tandenborstel gemakkelijk af te schrobben; de schedel had een donkere ivoorkleur gekregen en de geur die erafkwam, had iets van fris wasgoed. Nou ja, fris wasgoed dat al een behoorlijk tijdje had liggen stinken voordat het in de wasmachine was gestopt. Fris wasgoed dat nog wel een spoelbeurt of twee kon gebruiken. Toch was de verbetering spectaculair te noemen, en de resultaten waren vrij redelijk. Deze schedel kon ik mee terug nemen naar Stadium Hall zonder iemands gevoel voor fatsoen of de reukzin te beledigen.

Ik legde de schedel en het schedeldak op wat tissues om hem te laten drogen, opende de klep van de ketel en diepte een paar kleine botfragmenten op van de zeef in de bodem. Ik deed ze in een afsluitbaar zakje, pakte alles in in een kartonnen doos en legde er nog meer tissues omheen.

Jess had gebeld om te zeggen dat ze naar Knoxville ging; in de koelcel van het ziekenhuis lagen twee autopsiegevallen op haar te wachten, maar voordat ze die onder handen nam, wilde ze weten wat ik aan de hand van de schedel, nu deze van zijn zachte weefsel was ontdaan, over het moordwapen te weten kon komen. 'Het vlees vergeet; het bot onthoudt alles,' had ze gezegd vlak voordat ze ophing. Het was een mantra van me die ik kennelijk vaak genoeg had uitgesproken om zich in haar geheugen te griffen. Haar stem had weer dat energieke. Of ze deed haar uiterste best om opgewekt te klinken, of ze had wat kunnen uitrusten sinds ik haar er laatst in het lijkenhuis zo afgetobd vond uitzien. Ik belde Peggy, mijn secretaresse, en verzocht haar om Jess straks meteen door te sturen naar mijn werkkamer, aan de andere kant van het stadion van waar de administratie zat.

Van het bijgebouwtje, vlak bij Neyland Drive, liep ik de eenbaansweg van de oprit op naar de dienstweg die om het stadion liep, en zocht me een weg onder de enorme steunberen door terwijl ik de doos als een kostbaar geschenk vasthield. In zekere zin was het dat ook: wie weet vormde hij de sleutel tot wat Craig Willis had gedood, en wie weet zelfs tot de dader.

Ik deed mijn kamerdeur van het slot, zette de doos op mijn bureau en knipte de lamp aan. Ik verwijderde het deksel en tilde met beide handen de schedel op. Deze legde ik op een donutvormig kussen, een van de tientallen die rondslingerden in de klaslokalen en in de labs op de faculteit antropologie, en ik draaide de lamp met in het midden het vergrootglas erbij om hem eens goed te kunnen bekijken. Ik had een theorie, gebaseerd op een vluchtige blik in het bijgebouwtje, maar op de vensterbank naast me lag het voorwerp waarvan ik hoopte dat het mijn theorie zou bevestigen.

Net op het moment dat ik ook het schedeldak uit de doos wilde vissen, klopte Jess Carter op het deurkozijn en beende ze naar binnen. 'Perfecte timing,' zei ik. 'Ik ben nog maar net klaar met hem. Wil je even kijken?' Bij wijze van antwoord stapte ze naar het bureau en bukte ze zich. Ze pakte de schedel op en draaide hem wat heen en weer zodat het ringvormige tl-licht vanuit alle mogelijke hoeken over de contouren danste. Zwijgend keek ik van een afstandje toe om haar alle tijd te gunnen, haar eigen waarnemingen te doen en haar eigen ideeën en vragen te formuleren. Haar ogen gleden snel over de schedel en concentreerden zich vervolgens op elke fractuur, barst en kerf die mij ook al waren opgevallen. Ik had haar al eerder bezig gezien; en elke keer werd ik eraan herinnerd waarom ze een van de beste lijkschouwers was met wie ik ooit had samengewerkt. Jess zette de schedel terug op zijn kussen en onderwierp het schedeldak aan eenzelfde nauwkeurige inspectie, waarbij ze het onder het licht steeds weer omdraaide. Klaar met haar onderzoek legde ze het ten slotte neer en keek ze me aan. 'Verbazingwekkend,' zei ze. 'Met al dat verweekte, gekneusde weefsel oogde het nog gewoon als één grote, papperige brij. Nu zie je makkelijk kleine, afzonderlijke sporen die het gevolg kunnen zijn geweest van een reeks klappen.' Ze pakte de schedel opnieuw op. 'Het lijkt er bijna op dat de moordenaar drie verschillende wapens gebruikte,' zei ze. Ze wees naar een inkeping op het linkerwandbeen, opzij van de schedel. 'Hier, deze inkeping komt van een voorwerp van ongeveer drieenhalve centimeter breed, misschien iets meer, met een platte voorkant en evenwijdige randen.' Ik knikte alleen maar; ze vroeg immers nog niets, en dus liet ik haar hardop denken. 'En hier in het voorhoofdsbeen zit precies in het midden een diepe, driehoekige groef.' Ik knikte weer. 'En de oogkas ziet eruit alsof hij werd geraakt met een breed en plat voorwerp van acht à tien centimeter breed.'

Er zaten nog meer inkepingen in het bot, maar ze had me gewezen op de drie meest prominente, en van de andere was er niet één die afweek van de patronen die haar waren opgevallen. 'Maar dat is helemaal niet logisch,' zei ze. 'Waarom zou iemand een klap uitdelen met het ene wapen, dit wegleggen, daarna met een ander wapen toeslaan en dit weer voor een derde verwisselen?'

Ik glimlachte. 'Precies wat ik me dus ook afvroeg,' zei ik. 'Daarna realiseerde ik me dat ze helemaal niet van drie verschillende wapens afkomstig hoefden te zijn; het kon heel goed één wapen met drie verschillende oppervlakken zijn.' Ze keek me vragend aan, en daarom pakte ik met een zwierig gebaar mijn visuele hulpmiddel van de vensterbank. Het was een stuk timmerhout, een doodgewoon balkje van vijf bij tien centimeter. Eerst legde ik de smalle kant in de smallere inkeping die ze het eerst had gezien. Deze viel perfect in de kerf, waarbij de randen precies in de evenwijdige lijnen van de wond pasten. Vervolgens legde ik de brede kant van het hout tegen de verbrijzelde rand van de oogkas. Hoewel er talloze botsplinters ontbraken, paste het in wezen goed. Restte nog de diepe, driehoekige groef in het voorhoofdsbeen. Ik zag Jess er peinzend naar staren; toen ik een hoek van het balkje schuin in de groef hield, lachte ze verrukt. 'Krijg nou wat!' reageerde ze, en ze nam het balkje in haar rechterhand en tilde de schedel met haar linkerhand omhoog. 'Lang geleden moest ik een test doen om te kijken voor welke opleiding ik geschikt was. Het enige wat toen tussen mij en een "8" op het onderdeel wiskunde stond, waren die vervloekte stereometrische figuren. Sommige dingen veranderen ook nooit.'

Mijn telefoon ging. 'Hallo, met dr. Brockton.'

'Dr. B., met Peggy. Ik wilde u even laten weten dat dr. Carter er net is. Ze moet nu zo bij u zijn.'

'Dank je,' zei ik, 'maar ze was je te snel af. Ze is hier al vijf minuten.'

Nu keek Jess verbaasd. 'Ik ben helemaal niet langs je secretaresse geweest; ik ben rechtstreeks hiernaartoe gekomen, heb mijn auto naast je pick-up geparkeerd, bij de tunnel achter de eindzone op het veld, en heb de trap pal naast je kamer genomen.'

'Peggy,' zei ik, 'wat droeg dr. Carter toen je haar tweeënhalve minuut geleden zag?'

'Daar heb ik niet echt op gelet. Eh, een donkerblauw mantelpakje misschien? In elk geval een donkere rok en een jasje, geloof ik.' Ik keek even naar Jess; ze droeg een olijfgroene suède broek en een beige trui met korte mouwen.

'En ze stelde zichzelf voor als dr. Carter?'

'Ja. Wacht... nee! Ze zei alleen: "Ik ben op zoek naar dr. Brockton", en dus nam ik aan...' Haar stem stierf weg, in verwarring of schaamte. 'Als dat niet dr. Carter was, wie was zij dan wel?'

'Weet ik niet,' zei ik terwijl op datzelfde moment een vrouw met een rood hoofd en gekleed in een donker mantelpakje binnenstormde, 'maar ik geloof dat ik daar nu achter ga komen.'

De vrouw staarde me met wilde ogen aan, daarna Jess en ten slotte de schedel en het houten balkje dat Jess nog steeds vasthield. Haar mond viel open, maar er kwam geen geluid, en dus deed ze hem weer dicht en probeerde het nog een keer. 'Is dat hem?' wist ze bij de derde poging uit te brengen.

Ik keek even ongemakkelijk naar Jess. 'Pardon?' vroeg ik.

'Is dat hém?' Met een trillende vinger wees ze naar de schedel.

'Is dat wie?'

'Is dat mijn zóón?!' riep ze.

'Mevrouw,' begon Jess op een geruststellende, neutrale toon, 'wie is uw zoon?'

'Craig Willis is mijn zoon. Is... dat... mijn... zóón, verdomme?!'

'Ja, mevrouw,' antwoordde Jess nog steeds op dezelfde zalvende toon. 'Daar zijn we vrij zeker van. Het spijt me heel erg.'

De vrouw keek haar aan alsof ze Jess nu pas echt voor het eerst zag. Haar gezicht straalde verwarring, pijn en woede uit. 'Wie bent u, verdomme,' siste ze tegen Jess, 'en wat hebt u hem aangedaan?'

'Mevrouw, ik ben dr. Carter, de lijkschouwer in Chattanooga,' zei Jess. 'Ik heb de sectie verricht op het... op het lichaam van uw zoon. Dr. Brockton heeft ons geholpen bij de identificatie, en hij helpt ons nu bij het vaststellen van de doodsoorzaak.'

'U bent dr. Carter? De dr. Carter die in de krant werd aangehaald waarin stond dat mijn zoon dood was?'

Jess knikte, maar keek gealarmeerd. 'Ja, mevrouw, dat was ik.'

'Ú hebt de kranten verteld dat mijn zoon in vrouwenkleren werd aangetroffen? Ú hebt de kranten verteld dat mijn zoon een homoseksueel was?'

'Ik heb gezegd dat zijn lichaam in vrouwenkleding werd aangetroffen,' antwoordde Jess. 'Die informatie was al bekendgemaakt toen het lichaam net was gevonden. Ik heb niet echt gezegd dat hij een homoseksueel was. Ik heb verklaard dat de moord op hem volgens een van onze theorieën een homofobe daad kan zijn geweest.'

'Dat komt godverdomme op hetzelfde neer als zeggen dat hij een flikker was,' zei de vrouw. 'Wat geeft u het récht? Wie denkt u wel niet dat u bent, om dingen te zeggen die de reputatie van een jongeman verwoesten? Is het al niet erg genoeg dat hij is vermoord? Moet u zo nodig ook nog eens zijn naam besmeuren?'

Ik schraapte mijn keel. 'Mevrouw – mevrouw Willis? – waarom neemt u

niet even plaats, hier in mijn stoel? Ik weet dat dit u erg van streek moet maken.' Voorzichtig pakte ik haar arm, maar furieus rukte ze zich los.
'Heb niet het lef om zo neerbuigend tegen me te doen!' brieste ze. 'U weet geen ene moer van me!'
'U hebt gelijk,' gaf ik toe. 'Ik weet niets van u. Als ik neerbuigend overkwam, bied ik u mijn excuses aan. Ik ben een beetje in verwarring,' voegde ik eraan toe. 'Normaal stelt de politie de familie eerst persoonlijk op de hoogte voordat de identiteit van een slachtoffer wordt vrijgegeven. Heb ik u goed begrepen dat u zijn overlijden uit de krant hebt vernomen?'
'Ja,' antwoordde ze. 'Ik las het in de kránt. En terwijl ik die zat te lezen, klopte er een tv-ploeg op mijn deur met de vraag hoe het nou vóélde nu ik wist dat mijn zoon op brute wijze was vermoord.'
Het gezicht van Jess was vuurrood. 'Mevrouw Willis, het spijt me vreselijk dat u niet persoonlijk in kennis werd gesteld. Onze onderzoeker heeft echt geprobeerd familieleden op te sporen, maar op de huurcontracten en medische formulieren die uw zoon onlangs nog ondertekende, beantwoordde hij vragen over dichtstbij wonende familieleden met "Geen".'
'Dat is gelogen,' bitste de vrouw.
'Dat kan zijn,' reageerde Jess op een kalme, ijzige toon die in mijn hoofd alarmbellen deed afgaan, 'maar als dat zo is, dan heeft híj gelogen, niet wij.'
Met een verrassende behendigheid sprong de vrouw naar voren en sloeg ze Jess met zoveel kracht in het gezicht dat zij over het bureau viel. Het balkje viel uit haar rechterhand en kletterde op de vloer; de schedel glipte uit haar linkerhand en vloog met een boog naar de archiefkast naast de deur. Ik stormde eropaf en wist hem vlak voordat hij neerkwam te vangen. De vrouw bleef op Jess inbeuken, die te verbluft was om zich zelfs maar af te schermen. Haastig zette ik de schedel op de archiefkast, greep de zwaaiende armen beet en trok de vrouw naar achteren. Ze was inmiddels in snikken uitgebarsten; grote, zwoegende snikken die haar hele lichaam deden huiveren in mijn greep.
'Hier krijgt u spijt van,' gaf ze Jess te verstaan. 'U hebt de reputatie van mijn zoon beschadigd! Daar zult u zwaar voor boeten!' Jess staarde slechts verstomd voor zich uit, haar gezicht een vlekkerig geheel van vegen en schrammen. De vrouw draaide zich om in mijn armen en keek me aan; haar eigen bevende gezicht was verkrampt en zag er angstaanjagend uit. 'Hebt u hem dat aangedaan? Hebt u hem in een van uw skeletten veranderd?'
'Mevrouw Willis, we moesten weten naar wat voor wapen we moeten zoeken,' zei ik.

'Loop naar de hel,' gromde ze. 'Geef hem aan mij.'

'Het spijt me, maar dat kan niet,' zei ik. 'Dit is bewijsmateriaal in een moordonderzoek. We willen de dader pakken.'

'Geef hem aan mij!' schreeuwde ze, en ze vloog naar de archiefkast. Ik wist me tussen haar en de kast te plaatsen en zo haar pad te blokkeren. Intussen zag ik achter ons dat Jess de telefoon had opgepakt en 911 draaide. 'Ik bel vanuit dr. Brocktons kantoor onder het footballstadion,' meldde ze. 'We hebben hier een gestoorde en gewelddadige vrouw. Kunt u alstublieft direct een agent sturen? ... Ja, ik blijf aan de lijn totdat de hulp arriveert.'

Mevrouw Willis stapte achteruit, en haar vuurspuwende ogen schoten van Jess naar mij en weer naar Jess. Opnieuw priemde ze met een vinger naar haar. 'U krijgt hier spijt van,' klonk het. En vervolgens draaide ze zich om en snelde ze de deur uit.

Verbijsterd staarden Jess en ik naar de lege deuropening, en vervolgens keken we elkaar aan. 'Dat... verliep... redelijk goed, geloof ik,' zei ze. Het volgende moment begon ze te trillen. En nog weer even later begon ze te huilen. Toen de vier politieagenten binnenkwamen, huilde ze nog steeds.

22

Zelfs uren na de confrontatie met de moeder van Craig Willis leek Jess nog nerveus te zijn. Als iets haar zou kunnen troosten, zo leek me, was het een ontspannen etentje in bistro By the Tracks.

By the Tracks dankte zijn naam aan de spoorlijn die, voorheen gelegen op slechts meters afstand van het restaurant, het bestek en de borden had doen trillen. Het restaurant was klein begonnen, maar dankzij de combinatie van prima eten, attente bediening, rustige ambiance, stijlvolle inrichting en prijzen die mijn portemonnee slechts een lichte kramp bezorgden, had de bistro een toegewijde clientèle opgebouwd. Al een lange tijd geleden was het restaurant zijn bescheiden beginlocatie langs het spoor ontgroeid, maar de naam was gebleven. Jaar in, jaar uit bleef By the Tracks onbetwistbaar het beste restaurant van Knoxville. Niet het duurste – die eer viel de Orangery te beurt, een klassiek poeharestaurant met Franse keuken, een paar straten verderop. Maar zelf vond ik de Orangery nooit echt ontspannend: altijd als ik er at, opgedirkt in mijn zondagse pak, had ik het gevoel dat ik werd beoordeeld, te licht werd bevonden en halverwege mijn gerecht al op straat zou worden gegooid. In By the Tracks, daarentegen, kon ik, gekleed in een oude spijkerbroek en een poloshirt, zonder reservering binnenslenteren en er zeker van zijn dat ik hartelijk werd begroet en heerlijk eten voorgezet kreeg. De voorgerechten varieerden van met basilicum gevulde forel met couscous, voor wie iets exotisch wilde, tot de grootste en beste sirloinhamburger van de stad, misschien wel van heel Tennessee.

Nog geen vijf minuutjes nadat we in ons hoekje hadden plaatsgenomen, nipte Jess al genietend van haar Cosmopolitan en oogde ze zichtbaar ontspannen. Een halfuur, een tweede drankje en een halve spekburger later, was ze een en al vrolijkheid. Ik hoopte dat ik haar na afloop kon overhalen om de nacht bij me thuis door te brengen, maar ik wilde niet aandringen – daarmee zou het hele positieve effect van het etentje teniet worden gedaan – en dus hield ik de toon van het gesprek licht. Ik kon de verleiding niet weerstaan om haar te vertellen hoe mooi en opwindend ik haar de vorige avond had gevonden. Ze bloosde en keek verlegen, maar ze leek er niet door geïrriteerd.

We zaten net aan een crème brûlée als toetje, met nog een koffie voor Jess, toen ik zag dat haar ogen zich plotseling op iets in de buurt van de bar vastpinden. Haar blik versteende tot een mengeling van verdriet, angst en woede, in gelijke doses. 'Jess?' vroeg ik. 'Wat is er?' Ik draaide me om en keek naar de bar, maar voor zover ik kon oordelen, was er niets aan de hand.

'Het is Preston,' antwoordde ze. 'Hij zit daar aan de bar. Hij kijkt naar ons. De zak is me gewoon aan het stálken.'

Opnieuw keek ik even achterom. Ditmaal kon ik me de man aan de hoek van de bar vaag herinneren. Het was al een paar jaar geleden geweest, tijdens een forensische conferentie. Een jurist, een aanklager, als ik me niet vergiste; wat betekende dat ze elkaar waarschijnlijk via het werk hadden leren kennen. 'Zal ik hem zeggen dat ie op moet donderen?'

'Nee, dit moet ik zelf doen,' besloot ze. Ze schoof de crème brûlée weg, haalde diep adem en klemde haar kaken opeen. Daarna stond ze op van ons tafeltje en beende ze naar de bar. Op dit moment zou ik niet graag in zijn schoenen willen staan, dacht ik bij mezelf. Driftig gesticulerend voerde ze het woord. Ik kon er niets van verstaan, maar haar toon was niet blij. Ik zag hem heftig het hoofd schudden, alsof hij iets ontkende – dat hij haar was gevolgd? – waarna híj opeens in de aanval leek te gaan. Hij wees naar me en eventjes klonken ze allebei agressief. Daarna werd zijn toon smekend en ook de hare verzachtte. Ze nam plaats op een barkruk naast hem. Inmiddels staarde ik hen openlijk aan. Jess keek hem aandachtig aan. Hij bracht een hand omhoog en veegde zijn tranen weg. Zij deed hetzelfde.

Ze bleef nog tien minuten aan de bar, maar het voelde als een eeuwigheid. Toen ze eindelijk terugkwam naar ons tafeltje, meed ze mijn blik. Behoedzaam ging ze zitten, alsof de stoel met explosieven was behangen. Ze zei niets. 'Vertel op, Jess,' maande ik haar.

'Hij is hier voor overleg met de officier van justitie,' zei ze. 'Bob Roper, de officier van justitie voor Knox County, heeft deze tent aanbevolen. Hij zweert dat hij hier nooit zou zijn gekomen als hij ook maar het vermoeden had dat ik hier een afspraakje met iemand zou hebben.' Even keek ze op, maar ze sloeg meteen haar ogen weer neer. 'Ik geloof hem.'

In mijn hoofd was inmiddels alarmfase één van kracht. 'Wat zei hij nog meer, Jess? Je lijkt nu veel meer van slag – meer in de ban, eigenlijk – dan toen je zonet nog dacht dat hij je stalkte.' Ik besefte wat mijn intuïtie me influisterde. 'Je hebt me aan de kant gezet, hè? We zijn nog niet eens begonnen of het is al voorbij. Is dat het?'

Ditmaal keek ze me recht in mijn ogen. Ze huilde een beetje, maar ze merkte het niet of het kon haar niet schelen. 'Verdomme, Bill, jij bent wel de laatste die ik zou willen kwetsen. Je bent de leukste, liefste, slimste en tederste vent die ik ken. Wat jij me de eergisternacht schonk, bracht me tot leven, maakte dat ik me sinds een heel lange tijd weer geliefd en begeerd voelde. Het was zo heerlijk, zo helend. En misschien is dit hele gedoe gewoon een hobbeltje in de weg, meer niet.' Ze zuchtte diep en schudde haar hoofd. 'Ik dacht dat ik over hem heen was, maar nu twijfel ik. Jezus, hij weet me nog steeds te raken. Kijk maar naar wat deze toevallige ontmoeting met me doet.' Ze schonk me een verdrietig glimlachje. 'Het ironische is dat ik met jou waarschijnlijk een stuk gelukkiger zou zijn... dat hij mij eigenlijk nou ook weer niet zó leuk vindt. En als ik met hem ben, dan geldt dat ook andersom.' Opnieuw die halve glimlach, en mijn hart werd even verscheurd. 'Maar jij, jij bent echt dol op me, en de afgelopen dagen ben ik zelf ook weer aardig tevreden met mezelf. Meer dan in... misschien wel meer dan ooit. Jij kijkt naar me door liefdevolle ogen, en als ik mezelf in jouw ogen weerspiegeld zie, dan kijk ik opeens ook wat milder naar mezelf.' Haar hand gleed over de tafel en landde aarzelend op de mijne. Aan de ene kant wilde ik haar hand vastgrijpen en nooit meer loslaten, maar tegelijkertijd wilde ik de mijne zo snel mogelijk terugtrekken. 'Ik weet dat ik niet het recht heb om het te vragen, maar zou je me misschien wat tijd willen gunnen zodat ik bij mezelf te rade kan gaan over wat ik nu werkelijk voel en wat ik eigenlijk wil?' Ik was als verlamd, kon niet meer praten. Ik slikte en staarde naar het tafelkleed, naar onze twee handen. Geen van beide leek nog langer de mijne. 'Op het dieptepunt van onze scheiding heb ik een tijdje bij een therapeut gelopen,' vertelde ze. 'Misschien dat zij me kan helpen om de boel te ontwarren, de diepere emoties, de dingen die ervoor zorgen dat ik zo'n moeite heb datgene te kiezen wat goed voor me is.'

Ik overwoog nog even om op haar in te praten, haar om te praten, maar het werd me al snel duidelijk dat elke smeekbede of elk beetje druk van mijn kant haar alleen maar zou afschrikken. Ik kon me aanstellen of proberen me waardig en volwassen op te stellen. Ik opende mijn mond, en belandde ergens in het duistere midden. 'Ga je nu met hem mee?'

'Nee,' antwoordde ze met een knikje in de richting van de bar. 'Hij loopt net weg.' Ik keek even, en ze had gelijk: zijn kruk was leeg, en de glazen buitendeur zwaaide net weer dicht. 'Ik heb hem gezegd dat als hij wil praten, prima, maar alleen met een therapeut erbij, en anders niet. Punt.'

'Maar je vertrekt ook niet met mij,' zei ik.

'Nee. Ik vertrek in mijn eentje. Terug naar een leeg huis in Chattanooga om daar de hele nacht te liggen janken, vermoed ik.'

145

'Nou, dan ben ik toch een stuk beter af dan ik dacht,' reageerde ik. 'Ik hoef maar vijf minuutjes te rijden voordat ik me aan mijn Kleenex-doosje kan vergrijpen.' Ik glimlachte, althans, probeerde het, om duidelijk te maken dat het als een grapje was bedoeld. Ongelooflijk, maar ze lachte, hoewel ik me afvroeg of dat door de opmerking kwam of door het rare gezicht dat ik trok.

'Lieve schat die je er bent,' zei ze. 'Ik bel je zodra ik eindelijk weet wat ik in godsnaam wil, ik beloof het. Zelfs als ik vermoed dat het voor jou niet makkelijk zal zijn om aan te horen.'

'Nou, geweldig,' zei ik. 'Met zulke beloften heb je geen verwensingen meer nodig.' Opnieuw deed ik een poging tot glimlachen. 'Hoe staat het ondertussen met je werk?'

'Morgen komt Garland terug,' klonk het. Ze lachte even, en voegde eraan toe: 'Moge God je bijstaan. In die Willis-zaak hebben we allebei gedaan wat we kunnen, tenzij er een arrestatie wordt verricht en de zaak voor de rechter komt.' Ze had gelijk. Het was alleen dat ik haar gigantisch zou gaan missen, zelfs gewoon als collega.

Al bijna voordat ik er erg in had, gleed ze van haar stoel en stond ze op. Ze liep naar mijn kant en gaf me een snelle kus op de wang. 'Dank je, Bill. Misschien dat je het niet zult begrijpen of geloven, maar ik hou echt van je.'

Daarna was ze verdwenen.

23

Drie dagen waren verstreken sinds Jess en ik afscheid hadden genomen. Drie dagen zonder telefoontje, zonder e-mail, zonder een briefje in mijn postvak.

Het hek naar de Bodyfarm stond op een kiertje, wat vermoedelijk betekende dat een van de promovendi binnen was om even poolshoogte te nemen bij een onderzoeksobject. Ik parkeerde op de plek die het dichtst bij het hek was – de Bodyfarm was de enige plaats die ik kon bedenken waar het dichtstbijzijnde parkeerplekje het minst begerenswaard was, in termen van ambiance tenminste – en zwaaide het gaashek naar buiten. Terwijl ik naar de houten binnenpoort stapte, bemerkte ik opeens iets vreemds. Ik liep terug naar het parkeerterrein en speurde snel de omgeving af. Mijn auto was het enige voertuig in de buurt, zag ik, en dat bevreemdde me. Het was onwaarschijnlijk dat een student hier te voet zou zijn gekomen; via de weg lag het instituut op bijna vijf kilometer van de faculteit antropologie, en de enige manier om van het ene gebouw naar het andere te komen was via deze weg, tenzij je de Tennessee over wilde zwemmen om zo de afstand tot slechts anderhalve kilometer te bekorten. Iemand kon van het lijkenhuis of het forensisch centrum zijn komen lopen, maar het instituut en het ziekenhuis werden van elkaar gescheiden door achthonderd meter aan toegangswegen en parkeerterreinen. Het was niet ondenkbaar dat iemand het stuk had gewandeld, maar ik had het een student nog nooit zien doen.

Bij de poort aangekomen zag ik dat er tussen twee planken een briefje was geschoven. '*Bill, ik ben binnen. Zoek me maar. Jess.*' Ik speurde het parkeerterrein nog eens af, deze keer wat verder, maar geen spoor van een rode Porsche.

Ik liep de grote open plek op, half verwachtend Jess daar te zien kletsen met een promovendus die ze had gepaaid om haar binnen te laten. Er was niemand. 'Hallo?' riep ik. 'Jess?' Geen reactie. Ik wandelde een stukje de heuvel af, over wat nog resteerde van een oude grindweg, waar we doorgaans lijken neerlegden die slechts tot een geraamte dienden te vergaan. In de afgelopen twee jaar had Jess er zeker een stuk of twaalf vanuit Chattanooga hierheen laten brengen. Ze was bezig om voor het bureau van de lijkschouwer een collectie skeletten aan te leggen, niet om met die van ons te wedijveren, maar gewoon ter raadpleging en als lesmateriaal. Ik herinnerde me vaag dat we op dit moment twee of drie lijken uit Chattanooga hadden liggen, dus het kon zijn dat ze even was komen kijken hoe dat vorderde.

De Chattanooga-lijken lagen er inderdaad, twee stuks, maar Jess was nergens te zien. Op een paar stukjes gemummificeerde huid boven de ribbenkast na was het ene lijk al kaal tot op het bot; het andere had de fasen van opzwelling en actieve vertering achter de rug en verkeerde nu in de verdrogingsfase, en zou spoedig gereed zijn voor verdere verwerking en retourzending. Op het schonere lijk was sectie verricht, zag ik; het schedeldak, dat keurig gelicht was – door Jess, ongetwijfeld – lag op de grond naast de rest van zijn schedel en leek een beetje op een ongewoon gladde schildpad. Aan de prominente bovenrand van de oogkassen en de gladheid van de schedelnaden te zien, die bijna helemaal opgevuld en verdwenen waren, betrof het een oudere man. De sterke beenderen van de ribbenkast en de armen, en de grote aanhechtingspunten van de spieren aan de armen duidden op een gespierd bovenlichaam. Maar de benen pasten niet in dit plaatje: de botten waren delicaat en spichtig, als die van een magere, broze oude vrouw, en het ene been oogde korter en vervormd. Verlamming, dacht ik aanvankelijk. Nee, wacht: polio. In de jaren dertig, veertig en begin jaren vijftig van de vorige eeuw had deze ziekte onder een hele generatie Amerikaanse kinderen dramatisch huisgehouden, waarbij de mergscheden van spieren en zenuwen het het zwaarst te verduren hadden gehad en jonge botten in enkele dagen of weken tijd rampzalig krom waren getrokken. Ik had gedacht dat polio zo goed als uitgebannen was, net zoals de pokken inmiddels bedwongen waren, maar ik had onlangs in de *New York Times* een verontrustend artikel gelezen over de heropleving van de ziekte in India en Afrika. Naar aanleiding van vaccinatieprogramma's die de overheid had opgestart, waren dorpelingen daar achterdochtig en bang geworden. Volgens een hardnekkig gerucht in Nigeria bevatte het vaccin een duister Amerikaans medicijn, bedoeld om nietsvermoedende Afrikaanse kinderen te steriliseren. Terwijl de angst en de woede zich van het ene dorp naar het andere verspreidden en medische hulpverleners daardoor voor hun leven moesten vluchten, werd het vaccinatieprogramma gestaakt. Al snel volgde er een uitbraak van poliogevallen die zich snel verspreidden, en de wereldwijde inspanningen om de ziekte uit te bannen werden maanden of zelfs jaren teruggeworpen. *What fools these mortals be*, dacht ik, een regel uit Shakespeares *Midsummer Night's Dream*. En wat zijn wij dwazen toch sterfelijk.

Ik sjokte terug de heuvel op, weer over de open plek en het pad dat naar Jess' experiment vlak bij de omheining voerde. Door het ontluikende voorjaarsgebladerte ving ik een glimp op van onze proefpersoon, die nog steeds aan de boom vastgebonden was en wiens blonde pruik bijna leek op te gloeien tegen de grijze boomschors. Maar waar was Jess?

'Jess? Ben je daar? Jess, je speelt toch geen verstoppertje met me, hè?'

Er kwam geen antwoord. En op het moment dat ik door de laatste kreupelbosjes in de richting van de grote pijnboom stapte, zag ik dat Jess er wel degelijk was, maar ik begreep ook meteen waarom ze niet had gereageerd op mijn geroep.

Ze stond tegen de boom; haar naakte lichaam was als in een obscene parodie op geslachtsgemeenschap aan het gedoneerde lijk vastgebonden. Een blonde pruik en bloedvegen bedekten deels het gelaat, maar het leed geen twijfel dat het Jess' gezicht was, dat het haar lichaam was. En het leed geen twijfel dat Jess dood was.

Ik had honderden plaatsen delict onderzocht, maar nooit een waarbij ik persoonlijk betrokken was, een intieme band met het slachtoffer had. Dat was niet wie ik was of wat ik deed: ik was de forensisch wetenschapper, de objectieve waarnemer, de doctor met de scherpziende blik, die was opgeroepen om de puzzel op te lossen. Nooit, zelfs niet toen ik naar het verminkte lichaam van Jess staarde, had ik me kunnen voorstellen dat ik zelf op een plek zou stuiten die mijn hart zou doen breken, die mijn knieën zou doen bezwijken of een ader in mijn hersens zou doen knappen.

Mijn voeten zaten op slot, ik kon geen kant op, mijn hoofd barstte bijna uit elkaar. Mijn eerste impuls was om naar Jess toe te rennen, naar een pols te voelen, te hopen dat ik de holle blik in haar ogen en de levenloze, slappe gestalte verkeerd had beoordeeld. Nee, fluisterde een tweede stem me in, raak niets aan, zet zelfs geen stap dichterbij. Dit is een plaats delict, die je absoluut niet mag verstoren. Zoiets zal ongeveer door mijn hoofd zijn geschoten, als het al in staat was geweest om woorden te vormen, want ik vocht tegen de impuls om naar haar toe te gaan.

Daar stond ik dan, als aan de grond genageld, een moment dat tegelijk ook een eeuwigheid duurde. Ten slotte voelde ik dat een van mijn handen iets hards in mijn achterzak omvatte, en ik trok het eruit om te zien wat het was. Het was klein, langwerpig en zilverkleurig; ik staarde ernaar alsof het een raadselachtig artefact uit een eeuwenoude of interplanetaire beschaving was; eindelijk herkende ik het voorwerp als mijn mobieltje. Onhandig frummelde ik het open, zocht diep in mijn geheugen en toetste de nummers 9, 1 en nog eens 1 in. Er gebeurde niets. Ik deed mijn uiterste best me te herinneren hoe ik dit apparaat ooit had gebruikt, in een vorig leven; langzaam daagde het vage besef van de SEND-toets, en ik dwong mezelf deze in te drukken. Toen ik een vrouwenstem '911' hoorde zeggen, liet ik het ding bijna uit mijn hand vallen.

Zwijgend staarde ik naar het apparaatje. 'Dit is 911, hebt u een noodgeval te melden?'

Wat moest ik nu zeggen? Hoe en waar kon ik beginnen te beschrijven wat ik te melden had, wat ik hier aanschouwde? 'Hallo, hoort u me? Is er sprake van een noodgeval?'

'Ja,' wist ik eindelijk uit te brengen. 'Een noodgeval. Help. O god, help me alstublieft.'

De telefoon viel op de grond, en ik zakte op mijn knieën; ik hoorde en zag niets meer, of nam in elk geval niets meer waar, totdat een tijdje later een paar sterke handen me overeind hielpen. Een politieagent bracht zijn gezicht vlak bij het mijne. 'Dr. Brockton?' vroeg hij. 'Dr. Brockton? Vertel ons wat er hier is gebeurd.'

DEEL 2

Daarna

24

De geüniformeerde agent voerde me via het pad naar de grote open plek, net binnen de Bodyfarm. Onder een boom aan de rand stond een verweerde, kromgetrokken picknicktafel. De agent liet me plaatsnemen op een van de bankjes. 'Vindt u het erg om hier even te wachten terwijl we de plek verzegelen en wat meer mensen oproepen?' Ik schudde mijn hoofd. 'Gaat het een beetje?' vroeg hij.

'Niet echt, maar ik red me wel. Doen jullie maar wat jullie moeten doen.' Ik hoorde een reeks sirenes naderen, op z'n minst een stuk of vijf. Iemand had de poort inmiddels al met lint afgezet. Door de opening zag ik dat het er al snel volliep met agenten, campuspolitie en beveiligingspersoneel van het Medical Center, plus de medische hulpdiensten en de brandweer. Hoofden koekeloerden over het lint en tuurden naar binnen. Naar mij.

Even later dook een stijlvol geklede man in een lavendelblauw overhemd met gele das onder het lint door en liep naar me toe. 'Dr. Brockton?' Ik knikte. 'Ik ben brigadier John Evers,' stelde hij zich voor. 'Rechercheur zware misdrijven, moordzaken inbegrepen.' Hij reikte me een zongebruinde hand en schudde krachtig de mijne. Daarna gaf hij me zijn kaartje. Ik trok mijn portemonnee tevoorschijn en borg het op. 'Mag ik een korte getuigenverklaring van u nu alles nog vers is?'

'Natuurlijk.'

'Op het bureau zullen we met meer gedetailleerde vragen komen, aangezien u degene bent die het lichaam heeft aangetroffen. Maar op dit moment zijn wat basisfeiten voldoende.' Hij trok een pen tevoorschijn en een klein notitieboekje, dat hij midden op het kromgetrokken tafelblad legde. Daarna noteerde hij mijn naam, adres en telefoonnummer, waar ik werkte en nog wat andere gegevens, en informeerde hij naar het hoe en waarom we ons hier bevonden. 'Hoe laat arriveerde u hier vanochtend?'

'Tegen achten, denk ik. Ik luisterde naar het nieuws op de radio, dus het kan hooguit een paar minuten later zijn geweest.'

Hij knikte. 'En wat kwam u hier doen?'

'Ik werk hier,' antwoordde ik. 'Dit is mijn onderzoekscentrum. Of eigenlijk dat van de vakgroep antropologie, moet ik zeggen.'

'Eh, uiteraard, meneer. Maar ik bedoel, waarom was u vanóchtend hier aanwezig?'

'Ik kwam poolshoogte nemen. Om te kijken hoe het gesteld was met de conditie van het mannelijk lichaam dat daar aan de boom staat vastgebonden.' Ik legde uit waarom en hoe we het onderzoeksobject zo hadden geplaatst. 'Ik deed onderzoek voor de lijkschouwer van Chattanooga,' legde ik uit. 'Jess – dr. Jessamine – Carter. Ik vond haar lichaam toen ik wilde kijken hoe het met mijn onderzoeksobject stond.'

'Dus u herkende het slachtoffer?' Ik knikte. 'U kende dr. Carter persoonlijk?'

'Ja. De afgelopen paar jaar hadden we samen al aan verschillende zaken gewerkt. Nu werkten we aan een zaak waarbij een vermoord slachtoffer vastgebonden aan een boom in de buurt van Chattanooga was aangetroffen. We probeerden de plaats delict hier na te bootsen, zodat we voor dr. Carter nauwkeuriger konden vaststellen hoe lang het slachtoffer al dood was.'

'Hebt u verder nog iemand gezien bij uw komst, hier op het terrein of anders op de parkeerplaats?' Ik schudde mijn hoofd. 'Iemand van het parkeerterrein zien wegrijden?' Opnieuw schudde ik van nee.

'Was de poort open of dicht toen u hier verscheen?'

'Hij stond open,' antwoordde ik. 'Dat was het eerste wat me opviel.'

'Hij zit normaal op slot?'

'Ja. Met twee sloten. Eentje aan het hek, en eentje aan de houten binnenpoort.'

'Wat viel u nog meer op?'

'Er hing een briefje aan de binnenpoort.' Plotseling herinnerde ik me dat het in mijn borstzak zat. Ik reikte ernaar, maar nog net op tijd bedacht ik me. 'Een van uw technisch rechercheurs kan het eruit vissen en in een zakje doen. Het is een briefje van dr. Carter. Er staat op: "Ik ben binnen, zoek me maar". Mijn vingerafdrukken zullen erop staan van toen ik het tussen de planken vandaan trok en het las. Maar misschien ook de afdrukken van degene die het briefje daar heeft gestopt.'

Hij knikte en tekende een vierkantje om het woord BRIEFJE, met als extra benadrukking vier pijltjes die vanuit elke hoek naar het vierkantje wezen. 'Wat deed u toen u dat briefje vond?'

'Ik ging het terrein op, zocht wat rond, riep de naam van dr. Carter. Eerst liep ik die kant op...' ik wees naar het lagere deel, waar Jess soms lichamen neerlegde om ze te laten ontbinden, 'en daarna liep ik via dat pad naar ons onderzoeksobject. Toen vond ik haar. Haar lichaam. Vastgebonden aan dat andere.'

'Wat deed u toen u haar zag?'

'Aanvankelijk niets. Ik staarde er alleen maar naar. Ik kon het niet bevatten, kon niet nadenken. Ten slotte – kijk, langer dan een minuutje of twee zal dat niet hebben geduurd, maar het voelde als een eeuwigheid – belde ik het alarmnummer.'

'En daarna, wat deed u toen? Bent u naar het lichaam toe gelopen? Hebt u het aangeraakt?'

Ik schudde mijn hoofd. 'Nee. Ik weet wel beter dan een plaats delict te verstoren.'

'Hoe dichtbij stond u?'

'Op zo'n twee meter. Of anders misschien tweeënhalf à drie meter.'

'Maar hoe wist u dan dat ze dood was?'

Ik sloeg mijn ogen op en pas nu keek ik hem voor het eerst werkelijk aan. 'Brigadier, al vijfentwintig jaar bestudeer ik de doden, heb ik honderden lijken gezien. Ik herken de holle, melkachtige ogen; weet een lichte ademhaling te onderscheiden van helemaal géén ademhaling; weet of iemand bewusteloos dan wel levenloos is.' Ik hoorde dat ik mijn stem begon te verheffen, maar het leek de stem van een ander, een stem waarop ik geen vat had. 'Ik weet dat als ik zwermen vleesvliegjes rond het bloederige lichaam van een vrouw zie zoemen en in en uit haar open mond zie kruipen, ik echt niet naar een hartslag hoef te zoeken om te kunnen vaststellen dat die vrouw dood is!'

Vol afschuw en fascinatie staarde Evers me aan. Vanuit mijn ooghoeken merkte ik dat nog meer ogen mij aanstaarden. Ik wierp een blik op de poort en zag een stuk of tien mensen mijn kant op kijken, met op de gezichten verschillende gradaties van geschoktheid. Ik zuchtte diep en wreef in mijn ogen en over mijn voorhoofd. 'Sorry,' verontschuldigde ik me, 'maar dit komt hard aan.'

'Dat wil ik best geloven,' reageerde Evers. 'U hoeft zich echt niet te verontschuldigen. Zeg, ik moet nu de heuvel op, naar de plaats delict. Waarschijnlijk zijn we daar de rest van de dag nog wel bezig. Maar morgen wil ik met u dieper op de zaak ingaan, als u het niet erg vindt. Wat meer achtergrondinformatie over dr. Carter, haar collega's, haar bezigheden. Goed?'

'Uiteraard,' antwoordde ik. 'Ik doe alles om te helpen. Hoe laat wilt u dat ik er ben?'

'Tien uur?' Ik knikte bevestigend. 'Goed. Dr. Brockton, bedankt. Doe het rustig aan vandaag. U hebt nogal wat te verduren gehad.'

'Ja, nou en of. Dank u. Ik hoop dat u in deze zaak uw uiterste best zult doen.'

Hij glimlachte breed, en met zijn rij parelwitte tanden zou hij zo in een tandpastareclame passen. 'Altijd, doc. Altijd. O, nog één ding. Blijf nog een minuutje zitten, dan zoek ik even iemand van de technische recherche om dat briefje uit uw zak te vissen.'

Ik bleef waar ik zat en een paar minuten later verscheen hij met een technisch rechercheur, van top tot teen in een witte Tyvek-wegwerpoverall. Met een pincet viste hij het briefje uit mijn borstzak, liet het in een afsluitbaar zakje glijden en labelde het. 'U weet waar u morgen moet zijn?' vroeg Evers. Ik knikte. 'Wij doen ondertussen ons best zo weinig mogelijk naar buiten te brengen en we zouden het waarderen als u ons daarbij helpt. Als de media u gaan bellen, wat waarschijnlijk wel zal gebeuren, dan verwijst u ze gewoon naar ons.'

'Doe ik.'

Evers stond op, wat ik opvatte als een teken om zijn voorbeeld te volgen. Hij vergezelde me naar de poort en hield even het geel-zwarte politielint omhoog zodat ik niet zo diep hoefde te bukken. Daarna draaide hij zich om naar een agent die vlak buiten de poort de wacht hield en een klembord bij zich had. 'Ik blijf hier, maar deze meneer gaat nu weg,' deelde hij de agent mee. 'Dit is dr. Bill Brockton, verbonden aan de universiteit van Tennessee. Dr. Brockton was al op het terrein toen de plaats delict werd verzegeld, dus hij staat nog niet op uw lijst. U moet zijn naam even noteren. Zet bij "tijd van aankomst" maar "n.v.t." en bij "vertrek",' hij keek even op zijn horloge, 'acht over halftien.' De agent knikte en noteerde het.

Een dikke twintig voertuigen van hulpdiensten, waarvan veel nog met de zwaailichten aan, versperden de noordoosthoek van het parkeerterrein. Sommige stonden geparkeerd tussen de auto's van het ziekenhuispersoneel, andere versperden de doorgangen en stonden op de grasstroken langs de oostkant van het terrein. Zo'n honderd meter verderop, op een afgezet stukje in de zuidoosthoek, zag ik een pluk mediavoertuigen, voornamelijk suv's van nieuwsploegen, maar ook een paar zendwagens met hun zendmasten overeind. Langs het afzetlint stonden een stuk of vijf driepoten met camera's, stuk voor stuk op mij gericht. Ik draaide me om, liep via de achterzijde om mijn pick-up heen, opende de cabinedeur en reed achteruit weg.

Terwijl ik voorzichtig heuvelafwaarts naar de uitgang van het parkeerterrein reed, verscheen er vanuit de richting van het lijkenhuis een zwarte Chevy Tahoe die met gezwinde vaart naar de Bodyfarm zoefde. Terwijl de wagen langsreed, ving ik een glimp op van de bestuurder. Het was Garland Hamilton: een lijkschouwer op weg naar een plaats delict waar het lichaam van een collega-lijkschouwer al op hem wachtte.

156

25

Als een slaapwandelaar schuifelde ik door de collegezaal, waar ik, nog geen uur nadat ik de plek had verlaten waar Jess was vermoord, college zou geven. Ik had overwogen om de les te annuleren, maar als ik dat deed, hoe moest ik dan dat uur overbruggen? En dus gaf ik college. Of draaide plichtmatig mijn lezing af. Na afloop kon ik me niet eens herinneren wat het onderwerp was geweest. Het enige wat me opviel, was dat Jason Lane, mijn creationistenstudent, opvallend afwezig was.

Na het verlaten van de zaal bracht mijn automatische piloot me terug naar mijn kamer; gelukkig liepen de trottoirs en opritten van het McClung Museum naar de voet van het stadion allemaal naar beneden, anders zou ik misschien niet eens de energie of wil hebben gehad om het voor elkaar te krijgen. De twee trappen omhoog naar mijn heiligdom werden me bijna te veel. Eenmaal binnen sloot ik de deur achter me, voor mij een zeldzame handeling, en een teken dat er iets helemaal mis was. Ik plofte neer in mijn stoel en staarde door de vuile ramen en tussen de elkaar kruisende steunberen door naar buiten, naar... ja, naar wat? Niet naar de rivier, hoewel die onverstoorbaar door de binnenstad en langs de campus bleef stromen. Niet naar de heuvels boven de oever aan de overkant, hoewel die nog altijd groen en massief waren. Niet naar de lucht of de zon, hoewel die nog steeds onverklaarbaar, meedogenloos helder waren.

Ik kon me niet herinneren ooit eerder zo passief en lusteloos in mijn kamer te hebben gezeten. Niet dat ik niets te doen had: ik had nog een hele stapel tentamens na te kijken en minstens tien artikelen te beoordelen voor de drie antropologie- en forensische tijdschriften waarvan ik in de redactieraad zat. En dan was er nog het handboek dat ik bijna een jaar geleden had beloofd te herzien, een karwei dat altijd pas na mijn forensische zaken op de tweede plaats leek te komen. Zoals na mijn onderzoek van Craig Willis' gehavende schedel. Het punt was dat ik niet voorbij kon aan het feit dat ik door Jess Carter was gevraagd om dat onderzoek te verrichten en dat rapport te schrijven. En nu was Jess dood.

De moord op Craig Willis moest nog altijd worden opgelost; het overlijden van Jess kon dat onderzoek weliswaar vertragen, maar zou het niet tegenhouden. In feite bevatte de inbox van mijn emailprogramma al een memo met de mededeling dat Garland Hamilton tijdelijk de functie van Jess in Chattanooga zou waarnemen, net zoals zij hier in Knoxville voor hem was ingevallen toen zijn vergunning nader onder de loep werd genomen. Maar de wetenschap dat het raderwerk der gerechtigheid zou blijven draaien, hoe langzaam ook, schonk mij niet de kracht om daar nu mijn eigen schouders onder te zetten.

Ik opende de kartonnen doos die de schedel van Willis bevatte en tilde hem eruit, samen met het schedeldak. Nadat ik de schedel op een donutvormig kussen had gezet, staarde ik naar de verruïneerde gezichtsbeenderen, alsof in de breuklijnen die in zijn botten geëtst waren een aanwijzing voor de moord op Jess gecodeerd zou kunnen zijn. Er moest wel een verband zijn, maar wat precies? Of wie?

Jess was vastgebonden geweest aan het onderzoekslijk dat we als stand-in voor Willis hadden gebruikt. Met het onderzoek wilden we het tijdstip van Willis' overlijden nauwkeuriger vaststellen. Wilde dat zeggen dat zijn moordenaar zich ook aan Jess had vergrepen? Zo ja, waarom? Omdat hij Jess als een bedreiging had gezien? Omdat ze de waarheid te dicht genaderd was? Maar hoe lúídde die waarheid dan? Ik had geen idee wie Willis had vermoord, en voor zover ik wist, had Jess noch de politie van Chattanooga een beter inzicht in zijn moord gehad dan ik. Maar als de moordenaar van Willis niet ook Jess had omgebracht, wie dan wel? Wie anders kon haar dood hebben gewild? Als lijkschouwer was ze natuurlijk bij tientallen zaken betrokken geweest; theoretisch kon bij elk daarvan iemand op wraak hebben gezind: een familielid van iemand die mede door een autopsie en getuigenis van Jess de gevangenis in was gedraaid bijvoorbeeld. Maar de timing deed er toch zeker ook toe: waarom nú? En door wie onlángs?

Mijn gedachten schoten terug naar de moeder van Willis, en de absurde woede waarmee ze Jess was aangevlogen. Ze had Jess ervan beschuldigd de reputatie van haar zoon te hebben beschadigd door informatie vrij te geven over zijn travestiekleding en – als Jess inderdaad de anonieme bron was geweest – vanwege haar speculatie dat de moord misschien door homofobe motieven kon zijn ingegeven. Kon de woede die ze in mijn kamer had getoond na haar vlucht nog zijn verhevigd en dusdanig zijn geëscaleerd dat ze een moord had gepleegd? Ze was met een vaag dreigement aan het adres van Jess weggegaan, maar als mensen kwaad waren, dreigden ze wel vaker zonder echt iets te doen.

Bovendien, als zij Jess had vermoord, waarom zou ze dan haar lichaam in zo'n obscene houding hebben gezet, vastgebonden aan het lijk dat als stand-in fungeerde voor het lichaam van haar eigen zoon? Dat leek niet logisch. Tenzij ze op die manier de theorie wilde verwerpen die Jess had aangevoerd; tenzij ze ermee wilde zeggen: 'Bekijk het maar, jij en je vernederende theorie over de dood van mijn zoon'.

Maar stel dat er van een dergelijk verband geen sprake was, stel dat degene die de bedreigingen op Jess' voicemail had ingesproken er ook daadwerkelijk naar had gehandeld, wat dan? In het flauwe, veranderende licht dat me had overspoeld in de uren sinds ik het lichaam van Jess had aangetroffen, zag ik alles vanuit elk standpunt even helder, of even vaag.

Geleidelijk werd ik me bewust van het gerinkel van mijn telefoon. Het was zelfs niet in me opgekomen dat ik te rade had kunnen gaan bij Jeff of Miranda, of bij iemand anders die om me gaf, in plaats van in mijn eentje te zitten piekeren. Gelukkig belde een van hen me nu. 'Met Art. Ik heb het net gehoord van Jess Carter. Ik vind het echt vreselijk, Bill. Ik weet dat je haar mocht en respecteerde.'

'Klopt, meer dan dat ook. We hadden net – jezus, ik weet niet hoe je dat moet noemen, Art – we hadden net iets samen, zou je denk ik kunnen zeggen.'

'Iets romantisch?'

'Ja.'

'Jeminee,' reageerde hij. 'Verdómme. Ik wed dat het jullie allebei goed zou hebben gedaan.'

'Dat geloof ik ook. Het begon heel leuk, hoewel ik niet zeker weet of ze wel echt over haar scheiding heen was. Misschien dat we een hobbelige start zouden hebben gehad, maar wie weet zou het al snel van een leien dakje zijn gegaan. We zullen het nooit weten.'

'Man,' zei hij. 'Ik dacht dat het me speet toen ik het hoorde. Nu spijt het me nog veel meer. Kan ik iets voor je doen?'

'Ik kan niks bedenken. Ik moet morgenochtend voor een vraaggesprek naar het politiebureau in Knoxville.'

'Waarom komen ze daar niet gewoon voor naar je werkkamer?'

'Ik vermoed omdat ik haar lichaam vond.'

'Jíj?'

'Ja. Bofkont die ik ben. Het was verschrikkelijk, Art. Ze was naakt, en ze was vastgebonden aan dat onderzoekslijk dat we aan een boom hadden vastgesnoerd. Alsof ze er seks mee had.'

'De klootzak.'

'Ja, zeg dat wel. Luister, Art, ik ga ophangen. Bedankt voor je belletje.'
'Mocht je iets nodig hebben, piep me dan op. Ook al is het midden in de nacht, voorál als het midden in de nacht is, want dan komt het altijd het hardst aan.'
Een akelig voorgevoel fluisterde me in dat hij vermoedelijk gelijk had.

26

Ik had nooit kunnen geloven dat een dag zo langzaam voorbij kon kruipen. Maar ja, de nachtmerrieachtige wending die zich tien uur geleden op de Bodyfarm had voorgedaan, zou ik ook nooit hebben verwacht. En wat ik nog wel geloofwaardig achtte, had niets meer met de realiteit van doen.

Miranda was bezig met het schoonmaken van het dijbeen. Ze kweet zich van haar taak alsof haar leven, of zelfs haar doctorstitel, op het spel zou staan als er zelfs maar een restje zacht weefsel zou achterblijven voordat ze het bot in de stoomketel zou plaatsen om het te laten uitkoken. We waren inmiddels meer dan een uur bezig in de snijzaal van het lijkenhuis om de botten van het onderzoeksobject – het lichaam dat zo schaamteloos en obsceen de levenloze Jess had omhelsd – van zacht weefsel te ontdoen.

Rond het middaguur had Garland Hamilton haar lichaam overgebracht en om halfvijf had de politie de plek van het misdrijf vrijgegeven. Tegen vijven waren alle agenten en voertuigen verdwenen, en daarmee tevens de cameraploegen. Al meteen toen het parkeerterrein weer leeg was, waren Miranda en ik in de pick-up van de vakgroep naar de poort gereden en hadden we de resten van ons onderzoeksobject verzameld om ze naar de snijzaal te brengen en ze daar verder schoon te maken. In zekere zin weet ik de dood van Jess aan dit onderzoek, en ik wilde zowel mezelf als het instituut van alle sporen zuiveren. Bovendien, Jess was er nu niet meer en we hadden al vastgesteld dat Craig Willis ongeveer een week dood moest zijn geweest toen de wandelaar het verminkte lichaam op de hoge, steile rivierwand even buiten Chattanooga had gevonden. Miranda noch ik had tot nu toe ook maar een woord gesproken tijdens ons werk. Ikzelf was volkomen overweldigd door de schok en het verdriet door de moord op Jess. Ik voelde me een drenkeling die bijna definitief kopje onder ging. De simpelste handelingen, een deur openen, een lichtschakelaar omdraaien, een zin uitspreken, leken volkomen vreemd, verwarrend en uitputtend. Miranda had Jess bij lange na niet zo goed gekend als ik. Wie weet hield ze zich stil uit respect vanwege al het verdriet dat ik uitstraalde, hoewel ook zij misschien te geschokt was om te willen praten. Een nabije confrontatie met de dood lijkt mensen in overdreven versies van henzelf te veranderen, net als dat een paar drankjes dat doen: de treiteraar wordt gemeen, de treurwilg wordt jankerig, de kletsmajoor weet niet meer van ophouden. Niet verwonderlijk dus dat twee introverte wetenschappers in stilzwijgen vervielen nu een gemeenschappelijke collega, en een geliefde van een van hen, was vermoord.

Maar er was nog een verklaring voor de gespannen stilte die overheerste, die bijna voelbaar was, alsof het een derde persoon betrof: in de grote autopsieruimte, aan het andere eind van de gang, werd op dat moment het lichaam van Jess Carter onderzocht. Door Garland Hamilton. Volgens een medewerker, die me bij mijn binnenkomst met een bedroefd gezicht had begroet, was Garland twee uur geleden begonnen. Ik vermoedde dat, tenzij hij iets opmerkelijks vond, hij snel klaar zou zijn.

Dat Jess' toegetakelde lichaam werd onderzocht door een lijkschouwer van wie ik wist dat hij slordig en incompetent te werk ging, maakte het alleen maar erger. Wie weet liet hij belangrijke aanwijzingen links liggen, of interpreteerde hij ze verkeerd, waardoor het politieonderzoek om het misdrijf te doorgronden en zo de dader aan te wijzen op losse schroeven kwam te staan. Of misschien zag hij aanwijzingen die er helemaal niet waren, net als toen hij tijdens zijn autopsie van Billy Ray Ledbetter een snee in de rug aanzag voor – of eigenlijk verkeerd interpreteerde als – een diepe, dodelijke steekwond die een zigzagpatroon over de ruggengraat vertoonde en vervolgens tussen twee ribben in het lichaam doordrong, waar het steekwapen een long had geperforeerd.

Terwijl ik wat weefsel rondom het foramen magnum wegschraapte, de grote opening aan de schedelbasis waar de ruggengraat in past, glipte het scalpel uit mijn hand. Ik probeerde het te grijpen, en de schedel gleed uit mijn linkerhand en viel met een klap ondersteboven in de roestvrijstalen spoelbak. Ik staarde ernaar. De bovenkant van de schedel bedekte de afvoer, en het water uit de kraan begon de bak inmiddels te vullen. Ik kon even niet bedenken wat ik moest doen. Als verlamd staarde ik naar het stijgende water. Inmiddels sijpelde het de gebarsten oogkassen in, vervolgens de neusholte, daarna kietelde het de rij beschadigde tanden van de bovenkaak. Miranda verscheen naast me en legde zacht een hand op mijn rug. Ze boog zich over de spoelbak en draaide met haar andere hand de kraan dicht. 'Niks aan de hand,' zei ze kalm. 'Je hoeft dit niet te doen. Waarom ga je niet naar huis?'

'Ik wil niet naar huis,' antwoordde ik. 'Ik weet dat ik me daar niet prettig voel.'

'Voel je je hier wel prettig?'

'Niet echt. Maar ik vind het hier minder erg dan thuis.'

'Blijf dan,' opperde ze. 'Maar probeer niet alles kapot te maken. Als jij nou eens de botten van de overige lange ledematen schoonmaakt en die schedel aan mij overlaat?' Zonder mijn antwoord af te wachten, pakte ze de schedel en droeg hem naar haar eigen spoelbak.

'Ik heb met haar geslapen,' zei ik, nog altijd in de inmiddels lege spoelbak starend. 'Met Jess. Vorige week, toen ik naar Chattanooga ging om Craig Willis' lichaam en de plaats delict te bekijken. Ze nodigde me uit bij haar thuis, die avond, en we zijn met elkaar naar bed gegaan.' Ik keek opzij naar Miranda en zag dat ze licht bloosde. Ze boog zich over de schedel en begon met een tandenborstel weefselrestjes uit de holten weg te schrobben.

'Waarom vertel je me dit?'

'Geen idee. Omdat het voor mij heel belangrijk was. Het was het beste wat me sinds jaren is overkomen. Het voelde als een nieuw begin van iets. En nu is dat er niet meer. Is zij er niet meer.'

Ze keek nu naar me en haar gêne had plaatsgemaakt voor mededogen. 'Jij kunt er anders niets aan doen, hoor.'

'Nee, dat weet ik. En jij ook niet, trouwens. Je probeert mij wat op te beuren, en dat waardeer ik, maar ik kan me niet aan de gedachte onttrekken dat het misschien toch iets met mij te maken heeft.'

'Zoals?'

'Zoals... Ik weet het niet. Misschien dat als ze niet iets met mij was begonnen, haar ex niet in razernij was uitgebarsten. Misschien dat als ze niet in mijn werkkamer was geweest op de dag dat Craig Willis' moeder opeens binnenstormde, die gestoorde tante haar nooit zou hebben gezien en Jess dus niet met die vervelende dingen over haar zoon zou hebben geassocieerd.'

'Misschien dat als ze niet iets met jou was begonnen, ze compleet door het lint zou zijn gegaan en een kleuterschool overhoop zou hebben geschoten,' wierp Miranda tegen. 'Misschien dat als ze die dag vijf minuten eerder van je kantoor was weggereden, ze een kettingbotsing op de I-75 had veroorzaakt waarbij de onderzoeker om het leven kwam die op het punt stond om een middel tegen kanker te ontdekken.'

'Welke onderzoeker? Waar heb je het over?'

'Waar ik het over heb, is dit. Als jij een "stel dat"-spelletje gaat spelen – een gigantische verspilling van tijd en energie, overigens, en bovenal het toppunt van narcisme – moet je het wel van twee kanten bekijken. Als jij jezelf als toevallige schurk wilt zien, dan moet je je ook als onbewuste held durven inbeelden, als iemand die een of andere megaramp wist te voorkomen door gewoon te doen wat je hebt gedaan. En wie weet,' voegde ze eraan toe, 'misschien hebben al die natuurkundigen wel gelijk, zijn er inderdaad triljoen parallelle universums. Met daarin alle onwaarschijnlijke scenario's die we voor waar aannemen, en alle wilde samenzweringstheorieën waarvan we denken dat ze inderdaad kloppen.'

Inmiddels was ik de draad van haar verhaal kwijt, maar ze had me in elk geval even uit het moeras van mijn ellende getrokken. Lang genoeg om emotioneel gezien wat op adem te komen, zoals een zwemmer tussen twee slagen door even lucht hapt.

Er werd op de deur geklopt en Garland Hamilton liep naar binnen. Hij keek gespannen, wierp een blik naar me, en keek Miranda nadrukkelijk aan. 'O,' zei ze. 'Ik moet even weg... nog even... iets doen.' Ze zette de schedel op een blad met tissues en haastte zich snel naar de deur.

'Vertel maar op,' zei ik. 'Kom maar op, over Jess.'

'Zeker weten?' Ik knikte. 'Ze stierf als gevolg van een pistoolschot in het hoofd,' deelde Hamilton mee. 'Klein kaliber, waarschijnlijk een .22, misschien een .25. De jongens van ballistiek zullen dat wel kunnen uitzoeken. Geen uitgaande wond. De kogel ketste in de schedel af en heeft het hersenweefsel dus behoorlijk beschadigd. Het goede nieuws, denk ik, is dat ze na het schot bijna onmiddellijk is gestorven.'

'Vanwaar dat "na het schot", Garland? Is er nog meer slecht nieuws, behalve dat iemand haar vermoordde?'

'Het kan zijn dat ze is verkracht,' was zijn antwoord. 'In haar vagina werden spermasporen aangetroffen.'

Het raakte me als een mokerslag. Misschien was ze inderdaad verkracht, maar wie weet had hij slechts de sporen van mijn eigen liefdesspel met Jess aangetroffen van enkele nachten geleden. Even overwoog ik hem op deze mogelijkheid te wijzen, maar het voelde te persoonlijk. Een inbreuk op niet alleen mijn eigen privacy, maar ook op die van Jess.

'Verder nog dingen gevonden die misschien belangrijk zijn? Huidschilfers onder vingernagels? Haar? Vezels?'

'Haar nagels leken schoon, maar ik heb wel een paar haren en wat vezels gevonden. Bill...' Hij aarzelde even. 'Ik weet dat je niet bepaald wegloopt met mijn werk, maar ik heb hier mijn uiterste best gedaan. Ik denk niet dat een andere patholoog grondiger zou zijn geweest. De politie beschikt over een kogel, een DNA-monster, haar en wat vezels. Ik heb het gevoel dat ze de dader snel genoeg zullen vinden. Als patholoog zeg ik dat Jess een vriend en bondgenoot van de politie was. Ze was als familie. Ze gaan alles op alles zetten.'

'Ik hoop dat je gelijk hebt,' zei ik.

'Reken maar.'

Toen ik mijn woonstraat in Sequoyah Hills in reed, was het inmiddels negen uur in de avond. Het voelde echter als drie uur in de ochtend. Mijn hart en longen leken zich met cement te hebben gevuld en ik had zo'n hoofdpijn dat ik letterlijk kotsmisselijk was, en elke keer dat ik met mijn ogen knipperde, was het alsof een stukje schuurpapier over mijn hoornvlies streek.

Ik rondde de bocht en mijn huis kwam in zicht. Plotseling trapte ik op de rem, en mijn pick-up kwam gierend tot stilstand op het asfalt. Vier suv's – elk toebehorend aan een van de vier tv-stations van Knoxville – stonden voor mijn huis geparkeerd. Cameramensen en verslaggevers kletsten met elkaar op mijn garagepad. Terwijl ik peinsde over wat te doen, richtte een van de cameramannen zijn lens op me, waarna de anderen zijn voorbeeld volgden. Al snel waren alle vier de videocamera's op mijn wagen gericht en ik voelde me als een dier dat weet dat er op hem wordt gejaagd.

Ten slotte overwon ik mijn angst en haalde ik mijn voet van de rem. Stapvoets reed ik naar mijn oprit. Terwijl ik die opreed, werden de camera's op de schouder genomen en werd mijn wagen omsingeld. De reporters volgden op de voet om vooral niet het beeld te blokkeren. Ik haalde diep adem, opende het portier en stapte uit.

'Dr. Brockton, wat kunt u ons vertellen over de moord op de Bodyfarm?' luidde de eerste vraag al voordat mijn voeten het asfalt raakten.

'Ik ben bang dat ik daar niets over mag zeggen,' antwoordde ik. 'Op last van de politie.'

'Kunt u ons zeggen wie het slachtoffer is?'

'Helaas, dat mag ik niet. Ze moeten eerst de nabestaanden op de hoogte brengen voordat de identiteit kan worden vrijgegeven.'

'Kent u het slachtoffer?'

'Ik... Het spijt me, daar kan ik niet op ingaan.'

'Is het een man of een vrouw? Daar kunt u ons toch wel iets over vertellen?'

'Nee.'

'Hoe is hij vermoord, is zíj vermoord?' Maar ditmaal schudde ik slechts mijn hoofd en liep ik over het ronde pad naar mijn voordeur terwijl cameramannen snel voor me uit liepen om mijn gezicht te kunnen filmen.

Ik liet de sleutel in het slot glijden en opende mijn voordeur. Op dat moment vuurde de reporter die de eerste vraag had gesteld zijn laatste

vraag op me af: 'Wordt u door de politie als een verdachte beschouwd, dr. Brockton?'
Ik stond als aan de grond genageld. Staand in de deuropening draaide ik me om naar de acht gezichten en vier lenzen. 'Goeie god, nee zeg. Natuurlijk niet,' antwoordde ik. En daarmee stapte ik mijn woning in en sloot ik de deur achter me.

27

*H*et hoofdbureau van politie in Knoxville was gevestigd in een kleurloze jaren zeventig blokkendoos, opgetrokken uit beige bakstenen en beton en met net genoeg ramen om te benadrukken hoe kaal en monotoon de meeste muren waren. Het grootste glazen oppervlak werd gevormd door de ingang, die tevens de gang vormde die het politiebureau verbond met de gemeentelijke verkeersrechtbank.

In de hal aangekomen ging ik rechtsaf en meldde me bij de dienstdoende brigadier achter glas. Bij het horen van mijn naam knikte hij, waarna hij iemand liet komen om mij naar boven te begeleiden. Mijn escorte bleek een gedrongen rechercheur te zijn met de bouw en de uitstraling van een brandkraan. Hoewel ik nog nooit een brandkraan had gezien met een half aangevreten tandenstoker, bungelend uit wat het gezicht van zo'n ding zou zijn. Als een brandkraan al een gezicht had. De naam luidde Horace Bingham, een naam die ik nogal ongelukkig gekozen vond – vooral omdat hij hem als 'horse' uitsprak – maar ik was zo beleefd om hem niet te wijzen op de onbevalligheid van zijn naam dan wel zijn uitspraak.

Horace liet me binnen in een uit grote, lichte bouwstenen opgetrokken kamer met een tafel, drie metalen klapstoelen en een videocamera, hoog in een hoek. Hij sloot de deur. Twintig minuten kropen voorbij.

Het gepiep van mijn mobiele telefoon deed me opschrikken. Het was Art.

'Hoe gaat het? Waar zit je?'

'Grappig dat je dat vraagt. Ik zit in een spreekkamer op de derde verdieping van het politiebureau in Knoxville en ik wacht op rechercheur John Evers.'

'Doet Evers deze zaak?'

'Ja. Wie weet met hulp van dat brandkraantypetje.'

'O, je bedoelt Horse?'

'Ja. Horse.'

'Nou, Evers is goed. Het beste wat ik van Horse kan zeggen, is dat hij zich afzijdig houdt en Evers het meeste werk laat opknappen. Hebben ze al aanwijzingen dat je weet?'

'Hebben ze niet gezegd. Ik ga er een paar suggereren.' Op dat moment ging de deur open en kwam Evers, vergezeld van Horace, binnenlopen.

'Hoor eens, ze komen net binnen om met me te praten. Ik moet ophangen.'

'Hou je taai. Bel me later.'

'Dank je, Art.' Ik klapte het mobieltje dicht. 'Art Bohanan,' verduidelijkte ik. 'Hij zei goede dingen over u beiden.'

Evers knikte en glimlachte even. 'Het spijt me dat we u hebben laten wachten, dr. Brockton. We hebben een hoop telefoontjes van de media moeten afhandelen, zoals u zich wel zult kunnen indenken. Op dit moment valt er nog weinig te zeggen; we willen zo min mogelijk naar buiten brengen, vooral in de eerste fase van een onderzoek, maar je moet hen wel wat kernachtige gegevens geven, want anders worden ze snibbig.'

'Ik hoop dat u dr. Carters naam nog niet hebt vrijgegeven? Ik weet dat ze een ex-man heeft; misschien heeft ze ook nog wel familie, die moet eerst op de hoogte worden gesteld.'

'Haar ex-man hebben we gisteren op de hoogte gebracht. Hij beloofde dat hij het nieuws persoonlijk aan haar moeder zou overbrengen. We moesten haar naam wel vrijgeven; als de naaste verwanten eenmaal op de hoogte zijn, dan kunnen we die niet langer buiten de publiciteit houden. Maar afgezien daarvan heb ik hun enkel verteld dat het om doodslag lijkt te gaan, en dat ze bij de Bodyfarm werd aangetroffen.'

'Hebt u ze verteld dat ik degene was die haar heeft gevonden?'

'Nee. Alleen dat een van de onderzoekers 911 had gebeld om de vondst van het lichaam te melden. Ze zagen u echter wel het hek uit lopen; iedereen weet dat u het was. Ik heb hen wel vijf keer verteld, op vijf verschillende manieren, dat ik verder niets kon zeggen over wie de melding deed, wie het slachtoffer was, hoe hij of zij was omgekomen of wie het gedaan zou kunnen hebben.'

'Over dat laatste gesproken,' zei ik, 'mag ik een paar namen noemen die bij me zijn opgekomen?'

'Natuurlijk,' antwoordde hij. 'Maar eerst moet ik het gesprek officieel beginnen. Elk verhoor nemen we op, zowel op die camera daar' – hij wees naar de camera achter hem, vlak onder het plafond – 'als op een audiocassetterecorder.' Hij haalde een zilverkleurig recordertje uit zijn hemdzak, drukte de opnametoets in en legde het apparaatje tussen ons in op de tafel. 'Ook ga ik u op uw rechten wijzen.'

'U gaat me op mijn rechten wijzen? Word ik soms verdacht?'

'Nee, en ja, meneer. Dat doen we met iedereen die we ondervragen. Kijk, in dit stadium is iedereen tot op zekere hoogte een verdachte; we staan open voor alles, en we wegen alle mogelijkheden af. We zullen iedereen op zijn rechten wijzen, voor het geval er iemand tussen zit die er plotseling een bekentenis uitflapt. Als we die persoon dan nog niet op zijn rechten hebben gewezen, zouden we die bekentenis weleens niet in een rechtszaak kunnen gebruiken. Is het u nu duidelijk?'

'Het zal wel. Toch krijg ik er een raar gevoel bij.'

Hij boog zich voorover naar de recorder. 'Dit is een vraaggesprek met dr. Bill Brockton betreffende de dood van dr. Jessamine Carter.' Hij voegde er de datum en het tijdstip aan toe, en vervolgens las hij me vanaf een gelamineerd kaartje dat hij uit zijn portefeuille trok mijn rechten voor.

Evers verzocht me de gebeurtenissen van de ochtend daarvoor nog eens op te sommen, maar nu wat gedetailleerder. Toen hij tevreden leek met de hoeveelheid bijzonderheden, vroeg hij me naar de bedreigingen die Jess op haar voicemail had gekregen. 'En wanneer was dit?'

Daar moest ik even over nadenken. 'Afgelopen donderdag,' antwoordde ik. 'Nee, woensdag. Op dezelfde dag als die demonstratie bij de universiteit. Die avond was ze op tv, en ze belde me donderdagochtend om me te vertellen dat ze de avond ervoor die telefoontjes had gekregen.'

'Hebt u die boodschappen ook gehoord? Of heeft ze u er alleen over verteld?'

'Ze heeft me erover verteld. Die avond belde ze me vanuit Chattanooga.'

'Hoe specifiek heeft ze die beschreven?'

'Niet erg specifiek. Ze zei dat er een aantal expliciete seksuele bedreigingen bij zat, en een paar behoorlijk zieke doodsbedreigingen. Maar ze vertelde geen bijzonderheden, en ik wilde haar er ook niet naar vragen. Zouden jullie die berichten nog kunnen achterhalen?'

'Misschien wel. Als ze die niet heeft gewist. We kunnen in elk geval bij het telefoonbedrijf navraag doen of ze gebruikmaakte van hun voicemaildienst. Zo niet, dan gaan we in haar woning zoeken naar een antwoordapparaat. Weet u ook of ze het telefoonbedrijf of de politie op de hoogte heeft gebracht van deze bedreigingen?'

'Ik denk het niet. Ik raadde het haar wel aan, maar ze leek niet zo ongerust als ik was. Ze zei dat ze wel vaker rare telefoontjes en dreigementen kreeg.' Evers knikte en maakte een aantekening.

Vervolgens vertelde ik dat Jess vrijdag in mijn kamer was aangevallen door mevrouw Willis, nadat Jess de identiteit van haar zoon aan de media had vrijgegeven en de moord op hem had beschreven op een manier die de woede van mevrouw Willis had gewekt. 'Hoe bruut was deze aanval?' vroeg Evers.

'Niet gewelddadig genoeg om verwondingen te veroorzaken,' antwoordde ik. 'Eigenlijk niet meer dan een paar klappen, geloof ik. Ik trok haar vrij snel bij Jess weg. Maar had ik dat niet gedaan, en als Jess niet de campuspolitie had gebeld, dan weet ik niet zeker wat er gebeurd zou zijn.'

'En vertrok mevrouw Willis uit eigen vrije wil? Voor of na de komst van de campuspolitie?'

'Ervoor.'

'Dus de politie had geen contact met deze mevrouw?'

'Nee,' zei ik. 'Maar ze moeten wel een opname van het telefoongesprek hebben. O, en Peggy, mijn secretaresse, zou zich haar vast en zeker herinneren, want ze wees haar de weg naar mijn werkkamer. Maar de mishandeling heeft ze niet gezien.'

'Leek mevrouw Willis naar uw mening in staat tot moord?'

'Die gedachte is op dat moment niet in me opgekomen,' antwoordde ik. 'Maar achteraf gezien, nu Jess is vermoord, moet ik dat haast wel denken.'

'Heeft ze specifieke bedreigingen geuit?'

In gedachten speelde ik de laatste woorden weer af, toen de vrouw woedend vertrok. 'Specifiek zou ik ze niet noemen, maar het waren wel bedreigingen. Een paar keer zei ze: "Hier krijgt u spijt van", en "Ik zal u laten boeten", geloof ik. Zoiets.'

'Dacht u dat ze daarmee geweld bedoelde, of financiële genoegdoening?'

'Op dat moment dacht ik er niet over na; ik deed het af als boze woorden. Maar nu vraag ik me uiteraard af of ze fysiek geweld bedoelde.'

Ten slotte vertelde ik Evers over een derde persoon die me zorgen baarde: de ex-man van Jess. Ik beschreef de ontmoeting in het restaurant, en dat hij Jess leek te smeken; ik vertelde dat ze daarna een geagiteerde indruk maakte, en dat ze even later vertrok.

Terwijl Evers aantekeningen maakte, bracht hij even zijn linkerhand omhoog, een gebaar dat hij meerdere malen gebruikte om me duidelijk te maken iets langzamer te praten of te stoppen. Het leek me onnodig, want het verhoor werd door twee opnameapparaten woord voor woord geregistreerd, maar misschien vond hij het wel gemakkelijker om naar aantekeningen te verwijzen. Hij schreef nog een paar woorden op en keek toen naar me op. 'Dit etentje van u en dr. Carter, was dat een zakendineetje?'

Ik voelde mezelf rood aanlopen. 'Deels zakelijk,' antwoordde ik, 'deels privé. Na die aanval van mevrouw Willis in mijn kamer was ze behoorlijk van slag. Ik dacht dat een lekker etentje in een stil restaurant haar wel zou kunnen helpen te kalmeren. Jess was een collega, maar ook een vriendin.'

'Het valt me op dat u haar al meerdere malen "Jess" hebt genoemd in plaats van "dr. Carter". Hoe goed bevriend was u met haar, dr. Brockton?'

'Vrij goed,' antwoordde ik. Ik aarzelde, maar besloot dat hij alles moest weten. 'En we werden intiemer. Tenminste, dat hoopte ik. We waren net begonnen met wat ik wel een romantische relatie zou kunnen noemen, denk ik.'

'En hoe definieert u een romantische relatie?' vroeg hij. 'Kaarten? Bloemen? Dagelijkse telefoontjes?'

'We werkten samen. We mochten elkaar. De laatste tijd waren we... een stuk intiemer.'

Hij hield zijn blik op zijn aantekenboekje gericht. 'Met "intiemer" bedoelt u seksueel intiem?'

De vraag maakte me kwaad. 'Wat heeft dat met de moord op Jess te maken?'

Nu keek hij me aan. 'Dat weet ik niet,' antwoordde hij kalm. 'Wat denkt u zelf? Ik wil alleen maar reconstrueren wat er speelde in haar leven vlak voordat ze werd omgebracht. Het klinkt alsof u een van de mensen was die haar het meest na stonden, alsof u een grote rol speelde in haar leven. Vlak voor haar dood.'

'Misschien; ik weet het niet,' zei ik. 'Ze speelde in elk geval een belangrijke rol in mijn leven. Ik weet niet of ik in het hare al zo'n prominente plek innam.'

'Waarom zegt u dat?'

Ik vertelde hem wat ze na haar gesprekje met haar ex tegen me had gezegd; dat ze er misschien helemaal nog niet overheen was... met hem.

'En zat u dat dwars?'

'Nee. Ja. Een beetje. Ze was nog niet zo lang gescheiden – acht maanden geloof ik dat ze zei – dus ik vind het niet zo verrassend dat ze er misschien nog niet helemaal overheen was. Maar voordat haar ex die laatste avond in dat restaurant opdook, leek ze zich echt meer open te stellen voor me.'

'Die laatste avond? Zei u dat net... die laatste avond?' Ik staarde hem aan, beduusd dat hij daar zo aan vasthield. 'Haar lichaam zou pas drie dagen later worden gevonden – of gemeld – dr. Brockton,' zei hij. 'Waarom verwees u daarnaar als haar laatste avond?'

'Ik bedoel gewoon dat het de laatste avond was dat ik haar heb gezien. Niet de laatste avond dat ze nog leefde.'

'Aha, ik snap het,' zei Evers.

Kort hierna kwam het verhoor ten einde, na nog een paar vragen over hoe snel na Jess ik het restaurant had verlaten (ongeveer tien minuten, omdat de serveerster nogal laat met de rekening kwam); waar ik daarna heen was gegaan (linea recta naar huis); en of ik die avond of dat weekend nog had geprobeerd contact te krijgen met Jess (nee, want ze had om een adempauze gevraagd).

Evers bedankte me voor mijn medewerking en begeleidde me de trap af naar de hal. Met de wederzijdse verzekering dat we contact zouden houden en elkaar van alle belangrijke feiten op de hoogte zouden houden, namen we afscheid. Terwijl ik over het asfalt naar mijn pick-up liep, was ik helemaal beduusd, en niet alleen omdat Jess was vermoord. Een kwarteeuw lang had ik ervaring met moordzaken en met rechercheurs, en tot nu toe was dat altijd onmiskenbaar positief geweest: ik hielp hen graag; zij waren er dankbaar voor. En nu opeens had ik voor het eerst een beetje inzicht in hoe het zou kunnen zijn om zelf te worden onderworpen aan een rechercheonderzoek, in plaats van er als behulpzame adviseur bij betrokken te zijn. Toen ik even later in mijn achteruitkijkspiegel keek, was ik opgelucht dat ik het stenen en betonnen fort van het politiebureau niet meer kon zien.

Ik nam de lange invoegstrook via de heuvel omlaag en reed Neyland Drive op. Links van me glinsterde de rivier in de middagzon. Die glinstering leek compleet misplaatst; het water had eigenlijk moeten kolken, als een zwarte, wervelende massa, in plaats van vredig als altijd voort te kabbelen. Vredig, alsof het lichaam van Jess Carter nu niet in de koelcel van het Regional Forensic Center op een brancard lag, met een gelichte schedel, een opengesneden borst en haar hart en andere organen als slachtafval bij de slager in zakken gestopt. 'Verdomme,' vloekte ik hardop. 'Godverdomme!'

Terwijl ik Thompson-Boling Arena passeerde en rechts afsloeg naar Lake Loudoun Drive zag ik blauwe zwaailichten achter me opdoemen. Ik stopte langs de kant om de politiewagen te laten passeren, maar in plaats daarvan stopte hij met piepende remmen vlak achter me. John Evers stapte uit en liep naar mijn portier. Ik draaide het raampje naar beneden. 'Wat is er aan de hand?' vroeg ik. 'Is er nog iets gebeurd?'

'U dient onmiddellijk uit dit voertuig te stappen,' beval hij. 'Wij confisqueren deze pick-up als bewijsmateriaal in een moordonderzoek, en u dient met mij mee terug te komen naar het bureau. Ik heb nog meer vragen voor u, dr. Brockton. Nog veel meer vragen. En deze keer zult u met een veel beter verhaal moeten komen.'

28

Evers zette me achter in zijn auto voor de terugrit naar het hoofd-bureau. Op de achterbank voelde het verre van goed. Mijn vraag waarom hij me had aangehouden, werd weggewuifd. 'We praten verder in de verhoorkamer, met de microfoon op tafel,' was het enige wat hij zei. Dat hij het woord 'verhoorkamer' gebruikte, vatte ik op als een slecht voorteken.

Het bleek dezelfde ruimte te zijn als de 'spreekkamer'.

Het enige wat verschilde was de sfeer, die nu duidelijk vijandig was. Horace Bingham wachtte al, in dezelfde stoel als een halfuur geleden. Het zou mij zelfs niet hebben verbaasd als hij in de tussentijd niet eens was opgestaan. Hij bestudeerde een notitieblok en keek niet op toen we binnenkwamen.

Zwijgend wees Evers naar de stoel tegenover de videocamera en hij legde zijn microcassetterecorder weer op tafel. 'Net als zo-even gaan we ook nu het gesprek opnemen, dr. Brockton,' zei hij en drukte de opnameknop in. 'Dit is het verhoor van dr. William Brockton met betrekking tot de moord op dr. Jessamine Carter.' Weer dat woord, 'verhoor'. Evers noemde de datum en het tijdstip en zette het recordertje tussen ons in.

'Dr. Brockton, laten we even teruggaan naar afgelopen vrijdagavond in het restaurant.'

'Goed,' zei ik. 'Ik weet niet wat ik u daar verder nog over kan vertellen, maar ik zal mijn best doen.'

'Wie van u twee zag haar ex-man voor het eerst aan een belendend tafel-tje, dr. Carter of u?'

'Hij zat aan de bar,' verbeterde ik hem, 'niet aan een tafeltje. Zij zag hem het eerst. Ik heb hem ooit eens ontmoet, een paar jaar geleden, maar ik zou hem nu niet hebben herkend.'

'Ze stond daarna op en ging bij hem zitten.'

'Een paar minuutjes, ja.'

'Daarnet had u het nog over tien minuten.' Evers keek Horace aan. 'Wat waren zijn exacte woorden?'

Horace bladerde door zijn notitieblok en las het citaat vervolgens hortend en monotoon voor. 'Tien minuten. Misschien een kwartier. Het leek een eeuwigheid.' Had ik dat werkelijk gezegd? En had Horace al mijn woorden genoteerd?

Evers keerde zich weer naar me toe. Een van zijn knieën stootte tegen de mijne. Hij ging wat verzitten zodat onze benen naast elkaar stonden. Maar daardoor kwam hij ook wat dichterbij. Onaangenaam dichtbij. 'Een eeuwigheid,' herhaalde hij. 'Dat lijkt me anders behoorlijk lang, nietwaar, dr. Brockton? Wat dacht u die hele tijd?'

'Weet ik niet. Kan ik me niet meer herinneren. Ik denk dat ik me afvroeg wat hij daar te zoeken had en dat ik liever had gewild dat hij niet was komen opdagen. Ik maakte me zorgen over wat voor uitwerking het op Jess zou hebben, en op ons tweeën. Ik vond het vervelend dat ons eten koud begon te worden, herinner ik me.' Ik probeerde een beetje te glimlachen om de spanning wat te breken, maar daar trapte hij niet in, waardoor de glimlach dubbel zo geveinsd voelde.

'Waren er nog andere gasten aanwezig?'

'Zeker. Het was vrijdagavond. Het zat behoorlijk vol.'

'Hebben die gemerkt dat uw date u aan de kant zette voor die vent aan de bar?'

'Ze heeft me niet aan de kant gezet, en ze was ook niet echt mijn date.'

'Nee? U had een seksuele relatie met deze vrouw, u nam haar mee uit eten naar een chic restaurant. Dat noem ík een date. Hoe noemen jullie professorentypes het dan?'

'Ik beschouwde het helemaal niet als een romantisch avondje. Ik wilde haar opbeuren, zodat ze zich wat beter zou voelen nadat ze in mijn kantoor was aangevallen.'

Evers keerde zich weer tot 'brandkraan' Horace. 'Hoor je dat? Hij beschouwde het helemaal niet als een romantisch avondje. Heb je nog met die serveerster gesproken?' Horace knikte. 'Wat zei ze ook alweer over hoe dat hij zich gedroeg? Ze antwoordde dat het wel twee tortelduifjes leken, toch?'

Horace bladerde wat terug in zijn notitieblok. 'Ze zei: "Hij pakte steeds haar hand vast. Hij kuste haar hand. Ik kreeg de indruk dat ze iets te vieren had of zo". Dat zei ze.' Zijn stenovaardigheden waren opmerkelijk. Art had Horaces rol in dit detectiveduo duidelijk onderschat.

Evers keek me weer aan en kwam nog iets dichterbij. Zijn knie raakte nu bijna mijn kruis. Vanaf de hoek van de tafel boog hij zich naar me toe en keek hij me recht in de ogen. Hij bleef me strak aankijken terwijl hij even in de richting van zijn collega knikte. 'En vertelde ze nog hoe keurig de goede doctor zich gedroeg terwijl zijn geliefde een tête-à-tête met haar ex had en hoe hij zich gedroeg toen ze weer bij hem kwam zitten?'

'Ze zei: "Eerst leek hij nerveus, en daarna steeds meer geïrriteerd",' las Horace hardop. '"Ik vroeg hem of hij nog iets wilde bestellen, een kop koffie of een drankje, en ik kreeg bijna de volle laag. Toen ze eindelijk weer aan haar tafeltje ging zitten, leek het of ze ruzie hadden. Geen knallende ruzie, in een bistro als deze doe je dat niet, maar van dat onderdrukte gekift waarbij je elkaar dingen toesist, waarbij de vrouw uiteindelijk altijd degene is die moet huilen. Alleen leek het in dit geval precies andersom." Dat was hoe hij zich volgens haar gedroeg.'

Ik voelde dat ik kwaad werd, en probeerde me te beheersen. Het was duidelijk dat Evers me expres wilde opnaaien, me uit mijn evenwicht wilde brengen in de hoop dat ik iets zou zeggen wat hij tegen me kon gebruiken, precies wat ik juist wilde vermijden. 'En wat had ze over de ex-man te vertellen?' vroeg ik op mijn beurt. 'En over hoe hij zich gedroeg terwijl ze een etentje met een andere man had?'

Evers sloeg keihard met zijn vlakke hand op tafel. Het klonk bijna als een pistoolschot, en ik schrok overeind. Ook het cassetterecordertje maakte een sprongetje. 'Ik stel hier de vragen, dr. Brockton, niet u! Maar nu u er toch naar vraagt, zal ik u eens het een en ander vertellen. We hebben Preston Carter al ondervraagd. We kijken altijd eerst naar de echtgenoot of de ex. En hij heeft iets wat u ontbeert, dr. Brockton. Kunt u raden wat?' Ik haalde mijn schouders op en schudde van nee. Ondertussen bekroop me een onaangenaam gevoel over wat het zou kunnen zijn, maar ik wilde het woord niet in de mond nemen. 'Hij heeft een álibi,' verduidelijkte Evers. 'Hij is waarnemend officier van justitie, en hij beschikt over een verdomd goed alibi.'

Evers pakte het cassetterecordertje op, sprak het tijdstip in en ook dat er een korte pauze werd ingelast. Daarna keek hij naar Horace en gaf hij een knikje in de richting van de deur. Zonder een woord te zeggen stonden de twee op en liepen de kamer uit. Zachtjes klikte de deur achter hen dicht, maar in het kille, kale kamertje klonk het bijna oorverdovend.

Ik trok mijn mobieltje tevoorschijn en drukte op REDIAL. Art had me het laatst gebeld, dus werd automatisch zijn nummer gedraaid. Neem alsjeblieft op, bad ik, en mijn smeekbede werd verhoord. 'Art, ik knijp hem,' zei ik.

'Wat scheelt eraan?'

'Kan ik je niet precies uitleggen, maar ik heb een naar voorgevoel.' Ik vertelde hem hoe Evers me het vuur na aan de schenen had gelegd, mijn pick-up tot bewijsmateriaal had verklaard, me opnieuw had ondervraagd en me nog net niet de moord op Jess in de schoenen had geschoven.

'Je hebt gelijk,' zei Art. 'Ziet er niet goed uit. Bill, ik vind het rot om het je te moeten zeggen, maar ik denk dat je maar beter een advocaat in de arm kunt nemen.'

'Waarom? Ik heb niets gedáán! Denk je soms dat ze denken dat ík Jess heb omgebracht? Dat ze op het punt staan me te arresteren?'

'Waarschijnlijk niet. Nog niet, althans. Maar ondertussen lijkt het er wel op dat Evers heeft besloten jou de duimschroeven aan te draaien.'

'Verdomme, Art, als ik een advocaat inhuur, dan lijk ik toch bij voorbaat schuldig?'

'In zijn ogen wel, ja. En voor een rechercheur moordzaken is schuldig lijken en schuldig zijn bijna hetzelfde. Evers zoekt naar de best passende theorie. En als hij heeft besloten dat jij de dader bent, dan zal hij in alle hoeken en gaten naar stukjes bewijs speuren die zijn theorie ondersteunen. Alles wat op het tegendeel wijst, zal hij negeren of zo verdraaien dat zelfs onschuldige zaken belastend worden. Niet omdat hij jou persoonlijk een loer wil draaien, maar omdat hij een moordpuzzel wil oplossen. En om wat voor reden dan ook begin jij steeds meer op de sleutel tot die puzzel te lijken.'

Ik wist dat Art gelijk had. Al jarenlang had ik met types als Evers gepraat, geluisterd terwijl ze verschillende theorieën opperden en weer verwierpen. Het stelde me in staat een stapje terug te doen en de zaak – in een korte vlaag van helderheid, althans – vanuit Evers' perspectief te bezien. 'Dus ik moet echt aan een advocaat?'

'Jij moet aan een advocaat.'

'Wie moet ik bellen?'

'David Eldredge is een goeie. Slim. Gerespecteerd. Net als Herb Greene. Herb heeft me drie à vier keer een kruisverhoor afgenomen bij een paar moordzaken. Hij is grondig. Beetje saai, wel. Een zwoeger. In elk geval geen Clarence Darrow. Hij zal de jury niet voor je kunnen winnen.'

Een onaangename gedachte zoemde door mijn hoofd. Ik probeerde haar weg te wuiven, maar ze liet zich niet verjagen. 'Er schiet me nog een andere naam te binnen,' zei ik, 'hoewel ik al huiver bij de gedachte...'

'Ik ook,' reageerde Art. 'Maar hij is de eerste aan wie ik dacht. Ik kon mezelf er alleen niet toe brengen om zijn naam te noemen.'

Tegelijk flapten we het eruit: 'Grease.'

'Art, ik zweer je, ik zou nooit hebben gedacht dat ik ooit nog eens zo diep zou vallen. Maar ja, ik had dit ook nooit verwacht.'

'Zelf had ik nooit gedacht dat ik hem nog eens zou aanbevelen,' vulde Art aan. 'Maar hoe je het ook wendt of keert, ondanks de vreselijkste cliënten heeft hij wel de meeste zaken gewonnen.'

'Ja, maar dan kun je net zo goed met een bord over straat lopen met daarop mijn gezicht en de tekst IK BEN DE DADER boven een foto van Jess' lichaam.'

'Maakt niet uit,' meende Art. 'Stel dat het de verkeerde kant op gaat en je hebt een advocaat ingehuurd die je respecteert, dan zul je misschien rustig slapen in je cel. Ga je voor Grease, dan kun je er rekening mee houden dat je de rest van je nachten zult liggen woelen, maar wel in je eigen bed. Tuurlijk, iedereen zal ervan uitgaan dat je schuldig bent. Dat wil nog niet zeggen dat ze gelijk hebben. Laat je niet kisten en bel de klootzak.'

'Ik zal erover nadenken. Eerst maar eens kijken hoe het verdergaat als Evers terug is en weer vragen gaat stellen.'

'Oké. Bel me vandaag nog terug. Ik weet even niet hoe ik je kan helpen, maar daar ga ik over nadenken.'

'Dat laatste heb je al gedaan,' zei ik. 'Bedankt.'

'Daar zijn vrienden voor. Moet ik het nog voor je zingen?'

'Liever niet, nee. Ik spreek je.' Met flinke tegenzin hing ik op. Arts stem voelde als een reddingslijn, en het viel niet mee om die los te laten. Maar ik hoorde de deurknop al bewegen en ik wist dat ik geen andere keus had. Evers en Bingham slenterden naar binnen en gingen zitten. Evers zette het recordertje weer aan. Ik voelde hoe zijn ene knie zich tussen de mijne wrong.

'Dr. Brockton, in uw eerste verklaring, op de plaats delict, vertelde u ons dat u rond ongeveer acht uur gisterochtend bij de Bodyfarm arriveerde.'

'Dat klopt,' zei ik.

'En ook tijdens ons vraaggesprek, hier in deze kamer, ongeveer een uur geleden, nietwaar?'

'Volgens mij wel, ja. Ik weet tamelijk zeker dat het rond achten was, met een minuutje meer of minder. Worden bij een melding via het alarmnummer niet automatisch de datum en het tijdstip vastgelegd?'

Hij negeerde mijn vraag. 'En daarvoor, uw voorlaatste bezoek?'

'De voorlaatste keer dat ik op de Bodyfarm was?'

'Ja. Wanneer? Denk goed na.'

Dat deed ik. 'Afgelopen donderdagmiddag. Aan het einde van de dag. Even na vijven. Ik was daar om te kijken hoe het met dat onderzoekslichaam gesteld was. Het lichaam tegen de boomstam.'

'U was daar dus het laatst op de dag vóór uw etentje met dr. Carter?'

'Ja. Hoezo?'

'En u zegt dus dat u daar tussen donderdagavond en maandagochtend – gisterochtend dus – acht uur niet aanwezig bent geweest?'

'Dat klopt.'

Weer gaf Evers met zijn vlakke hand de tafel een optater. 'U líégt, dr.

Brockton! En ik vind níéts irritanter dan wanneer er tegen me gelogen wordt.'

'Niks daarvan!' riep ik wanhopig terug. 'Waarom denkt u dat ik lieg?'

Hij zwenkte op zijn stoel en keek Horace aan alsof hij nog nooit eerder zo diep was beledigd. 'Hoor je dat?' Horace knikte ernstig. 'Zal ik hem vertellen waarom ik denk dat hij liegt?' Horace haalde zijn schouders op, maar terwijl hij Evers aanstaarde knikte hij opnieuw. Evers keek me weer aan. Zijn gezicht hing nu zo dicht voor het mijne dat ik de poriën op zijn neus kon tellen. 'Waarom ik denk dat u liegt, doctor, is dat ik zojuist de video-opnamen van de bewakingscamera heb bekeken waarop uw pick-up te zien is. Úw pick-up, die om vijf uur vanochtend door de poort van de Bodyfarm naar binnen rijdt. Drie uur voordat u het alarmnummer belde om te melden dat u haar lichaam had aangetroffen.'

'Dat kan niet,' zei ik.

'Hou me niet voor de gek, verdomme!' tierde hij. Vlokjes spuug vlogen tegen mijn gezicht. 'Het staat verdomme op de band! Úw pick-up, doctor!'

Ik veegde mijn gezicht schoon. Evers' speeksel vermengde zich met een laagje zweet dat opeens mijn voorhoofd bedekte.

'Ik was er níét,' verweerde ik mezelf. 'Om vijf uur in de ochtend was ik thuis, in bed.'

'Kunt u dat tegenover de rechter bewijzen?'

'Moet dat dan? Wilt u zeggen dat ik een verdachte ben?'

'Niet "een" verdachte, doctor. Dé verdachte.'

'Moet ik een advocaat inhuren?'

'Hebt u er een nódig?'

'Als u mij als een moordenaar beschouwt, dan denk ik dat ik er een nodig heb, ja.'

Opeens leunde hij achterover, weg van mijn gezicht. Zittend duwde hij zijn stoel naar achteren en trok hij zijn knieën tussen mijn benen vandaan. Hij haalde diep adem, tuitte zijn lippen en blies de lucht uit. 'Kijk, het punt is dit, doc,' klonk het op vermoeide, spijtige toon. 'Als u niet langer met me wilt praten totdat u over een advocaat beschikt, dan hebt u dat recht. Absoluut. Zeker weten. Maar als ik deze cassetterecorder uitzet en dit verhoor nu beëindig, dan is daarmee mijn jacht op u geopend, met beide pistolen getrokken. En hoe. Als u me nu alles vertelt – wat er verkeerd ging, hoe het escaleerde, wat u ertoe bracht – misschien dat ik u dan kan helpen. Wie weet komt het tot strafvermindering in ruil voor een bekentenis van doodslag. Ik kan verder niets beloven, maar kan het wel aanbevelen. Dit bod is eenmalig, en eindigt zodra we ophouden met praten.'

Ik staarde hem aan, keek vervolgens naar het uitdrukkingsloze gezicht van Horace, en weer naar Evers. 'U vraagt mij dus een moord te bekennen die ik niet heb begaan?'

'Ik vraag u uitleg te geven over een moord die u wél hebt begaan.'

'En mij beschuldigen, me in mijn gezicht spugen, op de tafel meppen, uw knie tegen mijn kruis duwen, dat zou u niet willen omschrijven als "met beide pistolen getrokken"?'

Hij glimlachte op een wat sinistere manier en schudde langzaam het hoofd. 'God nee, dr. Brockton. Verre van dat. Ik ben nog niet eens begonnen. U vond mij intimiderend? Dat was slechts het minimum. Vanaf nu wordt het het maximum. Wat jij, Horace?'

Die dacht even na en grimaste vals. 'Jullie kunnen ook gewoon op één lijn gaan zitten. Als ik u was, doc, zou ik de zaak gewoon proberen op te helderen. Vertel ons de waarheid. Maak het niet nóg moeilijker voor uzelf.'

Mijn blik gleed van de een naar de ander, en op beide gezichten bespeurde ik vijandigheid en vastberadenheid. Ik zuchtte eens diep, en nog een keer. 'Goed,' antwoordde ik. 'Ik wil inderdaad dingen ophelderen. Maar wat ik nu ga zeggen, valt me zwaar.' Evers en Horace bogen wat naar me toe. Beide rechercheurs zaten nu bijkans bij me op schoot. 'De waarheid is dat ik dr. Jess Carter enorm hoog had zitten. De waarheid is dat ik haar niet heb vermoord. En de waarheid is bovendien – en dit valt me nog het zwaarst om tegen twee politiefunctionarissen te moeten zeggen – dat ik in afwezigheid van een advocaat geen vragen meer zal beantwoorden.'

Voor de derde keer liet Evers zijn vlakke hand hard op het tafelblad neerdalen. Maar deze keer gaf ik geen krimp. Hij griste het recordertje op. 'Dit verhoor werd afgebroken toen de verdachte een beroep deed op zijn recht op een advocaat,' sprak hij in het microfoontje, waarna hij het tijdstip inblafte en het apparaat met een harde klik uitzette.

Evers stond zo woest op dat zijn stoel achteroverviel. Met een ruk draaide hij zich om en beende hij het kamertje uit. Horace verhief zich iets trager van zijn stoel.

'Zijn jullie klaar met me?' vroeg ik.

'We zijn nog niet eens met u begónnen,' snoefde Horace. 'Maar u kunt gaan, voorlopig. Laat uw advocaat zo spoedig mogelijk contact met ons opnemen.' De middelste woorden hadden een sarcastisch toontje. Hij ging me voor naar de lift en gebruikte de liftsleutel om me van de derde verdieping naar de hal te laten zakken. 'We zien u snel, doc. Zéér snel.'

Toen ik even later het parkeerterrein opliep, besefte ik dat ik geen wagen meer had. Die was als bewijsmateriaal immers in beslag genomen en zou op alles worden doorzocht wat maar tegen me kon worden gebruikt.

29

Vanaf de heuveltop waar het politiebureau gehuisvest was, kon ik aan de andere kant van de vallei de burelen van Burt DeVriess zien glimmen. Bij gebrek aan vervoer nam ik de benenwagen. Het kantoor van DeVriess bevond zich ergens op de hoogste verdiepingen van de Riverview Tower, een ovalen gebouw van 24 verdiepingen gevat in een harnas van groen glas en zilverachtig staal. Het groen had de kleur van geld.

De kantoortoren verrees hoog boven de rivieroever aan de zuidkant van Gay Street, de belangrijkste verkeersader van Knoxville. Ik stak de vallei over naar Gay Street op de Hill Avenue-brug, waarvan de parabolische betonnen bogen een kluwen van rijbanen, op- en afritten overspanden waar de brug een knooppunt vormde met James White Parkway en Neyland Drive.

Riverview Tower maakte deel uit van twee kantoortorens die gebroederlijk naast elkaar stonden en die begin jaren tachtig van de vorige eeuw waren gebouwd door de gebroeders Butcher, de bankiers Jake en C.H. Butcher; dit was vlak voordat hun financiële imperiums in een puinhoop van fraude ineenstortten. Oudere inwoners van Knoxville verwezen nog steeds naar de hoekige, zwartglazen toren als '*Jake's bank*' en naar de groenzilveren als '*C.H.'s place*', maar de gebouwen hielden geen verband meer met de in ongenade gevallen bankiers, behalve dan als een vervagende vlek op hun architectonische stamboom.

Via de draaideur opzij van Gay Street betrad ik de lobby, waarna ik staand tussen strakke zakenpakken en voorjaarsjurkjes de lift omhoog nam. Ik was er vrijwel van overtuigd dat ik hier de enige was die op het punt stond van moord te worden beschuldigd, maar aan de andere kant zou ook niemand van mijn medepassagiers zich mij kunnen voorstellen als een beginnend crimineel.

De entree van de kantorensuite van DeVriess ademde geld en verfijnde smaak, wat wel paste bij de succesvolste strafpleiter in Knoxville. De meeste dure advocatenfirma's hulden zich in een overvloed van walnotenhouten of mahoniehouten fineer, maar bij Burt neigde het interieur meer naar chroom, matglas en andere accenten van art deco. Zijn receptioniste, een navenant stijlvolle vrouw van ergens in de dertig, keek op

en begroette me met een glimlach. 'Hallo, kan ik u van dienst zijn?'
'Is... meneer DeVriess aanwezig?'
'Hebt u een afspraak?' Ze wierp een vluchtige blik op haar computerscherm.
'Ik vrees van niet, nee.'
'Het spijt me, we doen eigenlijk niet aan inloopspreekuren,' zei ze met een oprecht spijtige blik. 'Zou u een afspraak willen maken voor een consult, meneer...?'
'Brockton,' zei ik. 'Bill Brockton.'
Haar gezicht klaarde op. 'O, dr. Brockton, natuurlijk. Ik wist wel dat uw gezicht me bekend voorkwam. Ik ben Chloe Matthews.' Ze stak haar hand uit en gaf me een stevige handdruk. 'Meneer DeVriess heeft over een paar minuutjes een afspraak met een cliënt, maar ik weet zeker dat hij u wel even gedag wil zeggen.' Ze verdween om de hoek en verscheen even later weer met Burt DeVriess, mijn wreker, op wiens goedheid ik een beroep kwam doen.
'Hallo, doc,' begroette hij me, en hij gaf me tegelijk de combinatie van een hartelijke handdruk en een schouderklop, die moest onderstrepen hoe ontzettend blij hij was om me te zien. 'Wat brengt jou helemaal hierheen?'
'Zou ik je even kunnen spreken over... iets?' begon ik stuntelig.
Zijn blik kreeg iets verschrikts, maar hij maskeerde het snel. 'Loop maar mee,' zei hij, terwijl hij zich al omdraaide en terug de gang inliep. Ik volgde en nam ondertussen nog een laatste keer al mijn opties door, me afvragend of er misschien toch een andere manier zou zijn om mezelf te beschermen. Er schoot me evenwel nog steeds niets te binnen, en opnieuw vervloekte ik de omstandigheden die me hierheen gebracht hadden.
Burt DeVriess vragen of hij me wilde vertegenwoordigen in een moordonderzoek kon weleens het lastigste verzoek van mijn leven zijn. Hoewel ik bij één gelegenheid – toen een cliënt van DeVriess door Garland Hamiltons slordige autopsie onterecht van moord was beschuldigd – voor hem had getuigd, konden mijn gevoelens voor Grease het best worden omschreven als variaties op een thema van afkeer en walging. DeVriess was geneigd het laagste van laag te verdedigen: kinderverkrachters als Craig Willis; beruchte drugdealers; zelfs een seriemoordenaar die daar rond voor uitkwam. Politieagenten en rechters hadden unaniem minachting voor Grease. En toch was zijn talent om vlak vóór een proces kunstgrepen toe te passen, in de rechtbank mensen te confronteren en daarbuiten de media te manipuleren zo wonderbaarlijk dat hij er nagenoeg

altijd in slaagde om zijn cliënten er ongestraft of met een opvallend mild vonnis van af te laten komen. Het proces van de seriemoordenaar was geëindigd met een jury die niet tot een eenstemmig oordeel kon komen, dit vooral dankzij DeVriess' welslagen in het verzwijgen van de bekentenis van de dader. Als gevolg hiervan was een reeks veroordelingen wegens verkrachting de enige manier om een erkend monster achter de tralies te houden.

Het had tegen al mijn instincten ingedruist om John Evers' vragen niet langer te beantwoorden; jarenlang had ik met rechercheurs gesproken en al hun vragen zo volledig en openhartig mogelijk beantwoord. Ik vertelde hun alles wat ik wist over een plaats delict, over lijken, botten, het tijdstip van overlijden en de manier waarop. Spreek de waarheid, en je ziet wel wat er gebeurt: als forensisch wetenschapper had ik altijd volgens dat credo geleefd. Ik had er veel aan gehad, en het strafrechtsysteem ook. Nu had ik mezelf echter gedwongen om tegen een rechercheur moordzaken te zeggen: 'Ik weiger nog langer uw vragen te beantwoorden zonder de aanwezigheid van een advocaat.' En nu was ik gekomen om DeVriess te vragen die advocaat te zijn.

Grease ging me voor naar een kantoor dat in hetzelfde glimmende metaal en matglas was opgetrokken als de entree beneden, en hield de deur voor me open. Binnen stond een enorm bureau, dat uit vergelijkbare materialen was geboetseerd. Op het onberispelijke bovenblad bevonden zich een mooi gestroomlijnde zwarte telefoon, een mooi gestroomlijnde zwarte laptop, een mooi gestroomlijnd zwart aantekenboek en een mooi gestroomlijnde vulpen. Hij leidde me binnen, sloot de deur en wenkte me naar een mooi gestroomlijnde stoel van chroom en zwart leer.

Behoedzaam namen we elkaar op, ieder misschien iets te goed op de hoogte van de werkzaamheden en sentimenten van de ander. DeVriess nam als eerste het woord. 'Waar zit je over te piekeren?'

'Ik heb een advocaat nodig,' zei ik. 'Een strafpleiter.' Hij wachtte af. Ik meende zijn ogen te zien glinsteren. 'De lijkschouwer uit Chattanooga is het afgelopen weekend vermoord. Haar lichaam werd bij de Bodyfarm achtergelaten. De politie schijnt te denken dat ik het heb gedaan.' Hij zweeg nog steeds en maakte het me daardoor niet gemakkelijk. 'Ik zou jou graag inhuren om me te verdedigen.'

Dit laatste ontlokte hem een glimlach. 'Bill Brockton, jij bent wel de laatste van wie ik zo'n verzoek zou hebben verwacht.'

'Tja, ik ben net zo verrast als jij,' reageerde ik. 'Verbijsterd om van moord te worden verdacht; verbaasd om jou in te huren. Maar je hebt een buitengewone staat van dienst. Zo goed als je in het vrijpleiten van schuldige cliënten bent, moet het voor jou wel een makkie zijn om een onschuldige man te vertegenwoordigen.' Al meteen nadat de woorden mijn mond hadden verlaten, had ik er spijt van.

DeVriess wendde zijn gezicht af en keek me vervolgens weer aan. 'Nou ja, zeg! Zelfvoldane arrogante klootzak die je bent,' vloekte hij. 'Jij hebt het lef om op mij neer te kijken, om over míj een oordeel te vellen en tegelijkertijd hier te komen voor hulp in een moordzaak? Ik zou je er nu meteen moeten uitgooien.'

Ik voelde een golf van schaamte, vermengd met angst, door mijn lijf stromen. 'Je hebt gelijk,' zei ik. 'Ik bied mijn excuses aan. Dat was beledigend.'

'Dat was het zeker, verdomme! Ik doe mijn best voor iedere cliënt. Toen ik tot de orde der advocaten van Tennessee werd toegelaten, heb ik beloofd om mijn cliënten naar mijn beste vermogen te vertegenwoordigen. Of ze nu als een maagd zo puur of zo zwart als de zonde zijn, het is mijn taak, mijn plícht binnen het Amerikaanse rechtssysteem om mijn uiterste best te doen voor mijn cliënten. Weet je waarom? Omdat de aanklager zijn uiterste best zal doen om hen veroordeeld te krijgen, of ze nu schuldig zijn of niet. Je hebt het zelf ook meegemaakt – jouw vriendje Bob Roper, de officier van justitie, deed zijn best om Eddie Meacham op de elektrische stoel te krijgen voor die moord op Billy Ray Ledbetter, hoewel het een bizar ongeluk betrof. Als zij besluiten dat ze jou wegens de moord op deze vrouw kunnen veroordelen, zal hij zijn best doen om jou hetzelfde te flikken. Na die zaak-Meacham zou uitgerekend jíj beter moeten weten. Tenzij je een van de twaalf mensen op de jurytribune of God de Almachtige Vader bent, heb je niet het recht om mij of mijn cliënten te veroordelen.'

Nu was het mijn beurt om kwaad te worden. Ik had mijn excuses aangeboden, en oprecht ook, maar in plaats van die te aanvaarden, had hij het er nog eens ingewreven en was hij op zijn achterste advocatenpootjes gaan staan. 'Weet je, dat klinkt allemaal heel nobel van je, Grease. Maar ik zat een paar dagen geleden tegenover Susan Scott terwijl ze als een stervend dier zat te huilen. Je herinnert je Susan Scott toch nog wel, hè? Moeder van Joey Scott, dat kleine jochie dat door jouw cliënt Craig Willis werd verkracht? Joey Scott, die jarenlang therapie zal moeten ondergaan en zelfs dan nóg nooit meer helemaal zal herstellen? Jij zegt me dat ik niet het recht heb om Craig Willis te veroordelen, een kinderverkrachter die op heterdaad werd betrapt? Jij zegt dat ik een warm gevoel van burgertrots moet krijgen omdat jij hem hebt bevrijd om op andere kinderen te azen? En je hebt het lef om míj zelfvoldaan en arrogant te noemen?'

Zijn ogen schoten heen en weer, en even beet hij zijn kaken op elkaar alsof hij op een stukje kraakbeen kauwde. Eventjes vreesde ik dat hij zowaar over het bureau zou springen om me aan te vliegen. 'Shit, doc,' reageerde hij ten slotte. 'Godverdomme...' Hij wendde zijn gezicht af, en toen hij me weer aankeek, zag ik de pijn in zijn ogen. 'Er zijn een stuk of vijf zaken waar ik 's nachts van wakker lig. En deze is nummer twee op de lijst.'

'Laat me raden wat nummer één is,' zei ik. 'Die zaak van dat meisje dat was ontvoerd en daarna werd vermoord terwijl jij de zoektocht naar de auto van de verdachte traineerde?'

'Inderdaad, ja. Dat is nummer één. Ben je nou tevreden?' Hij zuchtte vermoeid. 'Ik geloof graag dat de goede zaken de slechte compenseren. Zoals het vrijpleiten van Meacham van een moord die hij niet had gepleegd.'

'Dat kan geen kwaad,' beaamde ik. 'Je hebt alleen wat meer van die goede zaken nodig.'

'En dit is er zo een?'

'Ja. Ik heb Jess Carter niet vermoord.'

'Je weet dat ik je net zo goed zou verdedigen als je het wel had gedaan.'

'Dat weet ik, ja. Maar ondanks dat, en niet wegens dat, wil ik je inhuren.'

'Doc, strafpleiters hebben een gezegde: "Geen cliënt zo gevaarlijk als een onschuldige man." Weet je waarom?'

'Nee, waarom?'

Hij dacht even na en haalde vervolgens zijn schouders op. 'Weet je, ik heb echt geen flauw idee.' Hij glimlachte quasi-zielig. Ik ook. Hij pakte de telefoon en drukte een toets in op het paneel. 'Chloe, annuleer de rest van mijn afspraken voor vanmiddag,' zei hij. 'Ja, zelfs hem. En stel een contract voor me op met dr. Brockton. Ja, het standaard dienstcontract. Twintigduizend.' Bij het horen van dit bedrag voelde ik mijn sluitspier samentrekken. 'Dank je, Chloe.' Hij zette de handset terug in de lader. 'Goed, brand maar los,' zei hij, terwijl hij het leren aantekenboek opensloeg en de dop van de vulpen verwijderde. 'Begin bij het begin.'

'Welk begin?'

'Het begin van het einde. Toen het uit de hand begon te lopen.'

En ik brandde los. Ik begon met het lijk dat Miranda en ik voor Jess aan een boom bij de Bodyfarm hadden vastgebonden, en vertelde verder over de heisa rond de creationisten, over Miss Georgia, over de razende woede van Craig Willis' moeder, over het razende verdriet van Susan Scott, over hoe lief Jess was geweest toen ze me eindelijk binnen had gevraagd, over haar wantrouwige ex-man en over de obscene pose waarin haar dode lichaam was geplaatst. Tegen de tijd dat ik het einde van het einde – of althans het heden – had bereikt, waren twee uur verstreken; buiten was het inmiddels donker, en ik voelde de uitputting en het verdriet tot in het diepst van mijn botten doorsijpelen.

30

Vanaf het kantoor van DeVriess nam ik een taxi naar McGhee
Tyson Airport en liet me afzetten voor de deuren naar de bagage-
afgifte. Daar was ook de balie van Hertz. Er was geen rij, dus liep
ik erheen. 'Ik wil graag een auto huren,' zei ik tegen de jonge vrouw achter de balie.
'Hebt u een reservering?'
'Nee. Is dat een probleem?'
Ik zag haar mondhoeken even opkrullen. 'Hebt u soms de indruk dat we
op dit moment de drukte niet aankunnen?'
Ik glimlachte. 'Dit zou voor mij vandaag weleens het eerste beetje mazzel
kunnen zijn,' zei ik.
Ze voerde de gegevens van mijn rijbewijs en creditcard in haar computer
in en vijf minuten later reed ik zuidwaarts over Alcoa Highway in een
witte Ford Taurus, wat mij betrof het allersaaiste model dat sinds jaren in
Detroit van de lopende band was gerold. Maar mijn voeten deden nog
altijd zeer na de voettocht naar het kantoor van DeVriess, dus saai of niet,
ik was blij met het voertuig.
Ik passeerde de afslag naar het Medical Center en de Bodyfarm, een plek
waar Jess' geest vanaf nu voor altijd zou rondwaren, stak de rivier over en
nam de afslag naar Kingston Pike. De slingerende weg door de Sequoyah
Hills voelde vreemd, waarschijnlijk omdat de Taurus anders aanvoelde
dan mijn pick-up. Maar misschien ook omdat de wereld de afgelopen
twee dagen zo radicaal was veranderd.
Omdat mijn pick-up in beslag was genomen, moest ik het zonder garage-
opener stellen, zo realiseerde ik me, en dus zou ik de huurwagen 's nachts
op mijn garagepad moeten laten staan, of eerst de garage in lopen, van
binnenuit de deur opendoen en de auto naar binnen rijden. Al met al in
een minuutje gepiept, maar het voelde als een megaklus. De Taurus leek
me niet echt een verleidelijk object voor autodieven, die kozen liever een
Audi, Mercedes, Jaguar en andere dure auto's op naburige opritten in dit
deel van de stad. Maar als veiligheidscompromis draaide ik me op de veranda nog even om en drukte op het vergrendelingsknopje waarna de deuren zich met een piepje op slot zetten.

Terwijl ik door de voordeur naar binnen stapte, hoorde en voelde ik het typische geknars van glasscherven onder mijn zolen. Ik knipte het licht in de hal aan en zag glas op de leistenen vloer – duizenden stukjes en splintertjes – en boven op wat scherven ook een steen. Met tape was er een briefje aan bevestigd. Ik trok het los en vouwde het open. 'Nu is het jouw beurt om te branden', stond er. Eronder was een aapje getekend te midden van rode en oranje vlammen. Ik scheurde het velletje doormidden en wilde het versnipperen, maar realiseerde me opeens dat dit weleens heel dom kon zijn. Ik herinnerde me de nieuwsuitzending op de avond na de demonstratie van creationisten, en mijn verbazing te zien dat Jess ter plekke werd geïnterviewd. Ook zag ik de woede van Jennings Bryan weer voor me terwijl hij luisterde naar het sarcastische commentaar van Jess aan het adres van zijn beweging en zijn standpunten. En ik wist ook nog wat ze over de obscene en bedreigende telefoontjes had gezegd die ze die avond had gehad. Had de bedreiger de daad bij het woord gevoegd? En was ik het volgende doelwit?

Ik trok mijn portemonnee tevoorschijn, viste het kaartje eruit dat John Evers me had gegeven en draaide zijn nummer. Bij de tweede zoemtoon nam hij op. 'Rechercheur Evers? Met dr. Brockton. Moet u horen, ik ben net thuisgekomen en ik heb hier iets gevonden waarvan ik vind dat u het moet weten.' Ik beschreef het briefje en hoe dit was bezorgd, en wees hem nogmaals op de dreigementen aan het adres van Jess.

'Oké, als u een afsluitbaar zakje hebt, dan bergt u de steen en het briefje daarin op,' adviseerde hij. 'Laat het zakje daarna zo veel mogelijk onberoerd. Neem het mee als u en uw advocaat morgen bij ons langskomen.'

Ik nam een lange, hete douche, in de hoop dat het me wat zou ontspannen. Leunend tegen het betegelde muurtje liet ik mijn hoofd vooroverzakken zodat de straal mijn hoofdhuid, nek en schouders masseerde. Stukje bij beetje begonnen mijn spieren zich te ontspannen en ik merkte dat ik niet langer leunde maar langs de tegels langzaam omlaag zakte. De douchecabine was mistig en verzadigd met stoom die bijna vaste vorm kreeg, ondanks het feit dat ik het afzuigventilatortje had aangezet. Toen mijn benen te loom aanvoelden om nog te kunnen staan, draaide ik de kraan dicht, wikkelde ik mijn roze lijf in een grote handdoek en strompelde ik mijn slaapkamer in. Uit de bovenste la viste ik een schone boxershort, waarna ik me zwaar op het bed liet ploffen en ik met veel moeite mijn voeten door de broeksband en de beengaten dwong. Het vereiste al mijn kracht om weer overeind te komen en de short op te hijsen. Terwijl ik me vooroverboog om de sprei en de deken terug te slaan, voelde ik dat mijn ogen bijna dichtvielen.

En opeens was ik klaarwakker. Mijn hart bonkte. Zo klaarwakker als ik van mijn leven nog niet was geweest. Mijn witte kussensloop zat vol bloed. Ik staarde ernaar en rukte al het beddengoed weg. Ook beide lakens waren doordrenkt met bloed, voor het grootste deel geronnen, maar nog niet helemaal. In het midden van het bed lag een damesslipje. Zelfs voordat de constatering zich in woorden liet vatten, wist ik dat het Jess Carters slipje was. En ook dat ik op het punt stond om te worden gearresteerd voor de moord op haar.

Ik strompelde mijn woonkamer in en drukte op de REDIAL-knop van mijn telefoon waarmee ik zo-even nog, voordat ik onder de douche was gestapt, Evers had gebeld.

'Evers,' klonk het.

'Nogmaals met dr. Brockton.' Mijn stem klonk me iel en aarzelend in de oren. 'Volgens mij moet u direct de technische recherche naar mijn adres sturen,' zei ik.

'Ik vind het vervelend om u uit de droom te helpen, doc, maar ik betwijfel of dat zin heeft. Als we echt mazzel hebben, treffen we misschien een vage vingerafdruk op die steen of dat briefje aan. Maar die kans is klein. Afgezien daarvan denk ik niet dat we nog veel zullen aantreffen.'

'Dit gaat niet over die steen,' zei ik. 'Of dat briefje. Er ligt bloed in mijn bed. Veel. En ook een damesslipje.'

Er viel een lange stilte. 'Waar bent u nu?' vroeg Evers ten slotte. 'U bent nog steeds in de slaapkamer?' Ik antwoordde dat ik naar de woonkamer was gelopen om hem te bellen. 'Blijf waar u bent,' zei hij. 'Ga zitten en blijf op uw plek.'

'Oké, doe ik,' antwoordde ik en hing op.

Ik moest nadenken, maar voelde me niet in staat dat op eigen kracht te doen. Bel Art, was de enige gedachte waar ik op kon komen. Nadat hij had opgenomen, vertelde ik over de bloederige lakens, het slipje en de rechercheur moordzaken die samen met de technische recherche in aantocht was. Hij zweeg.

'Iemand is hard op weg om jou er finaal in te luizen,' sprak hij ten slotte. 'Al met DeVriess gepraat?'

'Ja. Ik heb net twee uur geleden zijn kantoor verlaten.'

'Heeft hij je zijn mobiele nummer gegeven?'

'Ik geloof dat dat op zijn visitekaartje staat dat ik van hem kreeg.'

'Bel hem. Je had hem als eerste moeten waarschuwen.'

'Ik reageerde instinctief. En dus dacht ik meteen aan de politie. Jij stond als tweede op mijn lijst. Art, zullen ze me vanavond arresteren, denk je?'

'Dat betwijfel ik. Niet vanavond. Als bekend forensisch expert ben je van een iets te zwaar kaliber voor hen. Ze zullen naar de officier van justitie stappen, die het aan een *grand jury* zal voorleggen. Maar die van Knox County komt driemaal per week bijeen, dus ze zouden het morgen al kunnen voorleggen, waarna er over een paar dagen al een arrestatiebevel tegen je klaarligt. Je had een relatie met haar, jij was degene die haar lichaam vond, op jouw eigen, afgesloten onderzoeksterrein bovendien, en nu liggen er bloed en een kledingstuk in je woning, wat doet vermoeden dat ze daar is vermoord.'

'En dat is nog niet alles,' voegde ik er vertwijfeld aan toe. 'Evers beweert dat hij beelden van een bewakingscamera heeft waarop te zien is dat mijn pick-up het terrein op rijdt, drie uur voordat ik het lichaam vond en de politie belde.'

Aan de andere kant van de lijn viel een tergend lange stilte. 'Dit ziet er slecht uit, Bill. Zelfs de domste smeris kan een grand jury er nog van overtuigen dat er een vermoedelijke verdenking bestaat. En Evers is bepaald niet de domste. Hang op en bel onmiddellijk Grease.'

Ik deed het. Toen ik hem vertelde dat de politie al onderweg was, vloekte hij. 'Verdomme, doc, had mij toch eerst gebeld. Dan hadden we een betere manier kunnen bedenken om dit aan te pakken. Luister, ze zullen je om toestemming vragen om je huis te doorzoeken. Geef vooral geen toestemming. Waarschijnlijk moet je hen wel binnenlaten en hen de lakens uit je slaapkamer laten weghalen, maar laat hun weten dat ze zonder huiszoekingsbevel verder niets mogen doen. Dat zullen ze zo geregeld hebben, maar in elk geval geeft het ons een paar uur respijt. Bovendien zullen ze je uitgebreid willen verhoren. Zeg hun dat ik je op het hoofdbureau tref. Beantwoord geen enkele vraag, ik herhaal, geen enkele vraag, zolang ik nog niet naast je zit. Beloof me dat.'

'Oké, dat beloof ik.'

'Tot zo.' Hij hing op.

Even later hoorde ik de sirene. Hij gaf uiting aan wat ik vanbinnen voelde, een aanzwellende uitbarsting van verdriet, woede en angst. De sirene werd luider en het schijnsel van blauwe zwaailichten flitste door mijn ramen naar binnen. Daarna hield het op. Maar dat gold niet voor het gehuil binnenin me.

31

Het was vier uur in de ochtend, en ik was zo uitgeput dat mijn hele lichaam als een hoogspanningskabel leek te zinderen. Twee uur lang hadden DeVriess en ik zitten duimendraaien in dezelfde verhoorkamer als waar ik eerder vandaag al enkele uren had doorgebracht. Alleen voelde 'vandaag' als versmolten met 'gisteren', en was 'morgen' uitgesmeerd naar 'vandaag'. Het was alsof ik verstrikt zat in een nachtmerrie van waaruit ontwaken onmogelijk was. Ik stelde me de blikkerige stem van Rod Serling voor, die vertelde over hoe zelfs het meest respectabele leven in een fractie te gronde kon worden gericht... híér... in de Twilight Zone.

Eindelijk zwaaide de deur met een klap open, en Evers kwam met een dossiermap in de hand binnengelopen. Hij droeg nog steeds dezelfde kleren als achttien uur daarvoor – ik ook, overigens – maar zijn overhemd oogde niet meer zo gestreken en hijzelf zag er al net zo verkreukeld en vermoeid uit als zijn kleding.

Hij doorliep de gebruikelijke routine met de taperecorder. 'Vertel me over de lakens,' begon hij. 'Wiens bloed is dat op de lakens? Wiens slipje is dat?'

'Ik weet het niet,' antwoordde ik, 'maar ik veronderstel dat het van Jess Carter is.'

'Het bloed of het slipje?'

'Allebei, vermoed ik. Nogmaals, ik veronderstel het slechts, maar ik zou zeggen dat ze waarschijnlijk van dezelfde persoon zijn. En volgens mij zijn ze van Jess.'

'U zegt dat u veronderstélt dat ze van haar zijn. Wéét u of ze van haar zijn?'

'Nee, dat weet ik niet. Maar ik weet wel dat iemand Jess heeft vermoord en haar lichaam bij mijn onderzoeksinstituut heeft achtergelaten, en ook dat iemand die bloederige lakens op mijn bed heeft gelegd. Tel je die twee feiten bij elkaar op, dan denk ik dat iemand heel erg zijn best doet om mij de schuld in de schoenen te schuiven.'

'Enig idee waarom iemand dat zou willen doen?'

'Ik heb veel mensen achter de tralies helpen krijgen,' antwoordde ik. 'Het zou iemand kunnen zijn die net vrij is en het mij betaald wil zetten. Ook Jess helpt – híélp – veel mensen achter de tralies. Het zou kunnen dat iemand haar wilde vermoorden en dat ik toevallig een mooie zondebok ben. Mevrouw Willis misschien, die Jess in mijn kamer aanvloog. Of de ex van Jess. Wie weet iemand uit die groep van creationisten, degene die Jess vorige week heeft bedreigd en die vandaag een steen door mijn raam heeft gegooid.'

'U zegt dus dat de mensen in de rij staan om u erin te luizen, is dat juist, dr. Brockton? De hele wereld is tegen u?'

DeVriess nam het woord. 'Brigadier, u vroeg mijn cliënt waarom iemand hem de schuld in de schoenen zou willen schuiven. Op die vraag heeft hij u een redelijk antwoord gegeven. Als u hem nu begint te intimideren, zijn wij weg.'

Als een lankmoedige heilige slaakte Evers een zucht. 'Goed, vertelt u me de precieze opeenvolging van de gebeurtenissen nadat u vanavond thuiskwam. Gisteravond, eigenlijk.' Ik vertelde het hele verhaal. 'Waar sliep u de nacht daarvoor, de nacht nadat het lichaam van dr. Carter was gevonden?'

'Thuis. In mijn eigen bed.'

'Op die lakens?'

'Dat weet ik niet. De lakens waar ik twee nachten geleden tussen sliep, zaten niet onder het bloed. Ik weet niet of iemand ze heeft omgewisseld of bloed op diezelfde lakens heeft gesmeerd als waar ik tussen had geslapen.' Ik bedacht me iets. 'Dat bloed zag er nog niet helemaal droog uit, brigadier. Het was deels nog helderrood. Als dr. Carter ergens op zaterdag of zondag in mijn bed werd vermoord, zou het bloed maandagavond al droog en bruin zijn geweest.'

'Dat is een goed punt, brigadier,' viel DeVriess me bij.

'Niet per se,' was Evers' reactie. 'Dat is een zware sprei. Dik genoeg om het vocht dagenlang vast te houden. Dat heb ik wel eerder gezien.' Hij opende de dossiermap en nam er een formulier uit dat ik herkende als een sectierapport. Ook herkende ik het handschrift van Garland Hamilton. 'Dr. Brockton, bent u in het bezit van een vuurwapen?'

'Nee. Daar heb ik nooit behoefte aan gehad. De directeur van het Tennessee Bureau of Investigation wilde me er ooit een geven, maar dat aanbod sloeg ik af. Als ik op een plaats delict aan het werk ben, zit ik meestal op mijn handen en knieën, met mijn kont in de lucht en mijn neus op de grond. Iemand die mij besluipt, zou ik niet op tijd zien om hem neer te kunnen schieten. Bovendien word ik meestal omringd door gewapende politieagenten.'

'En voor zelfbescherming thuis?'

'Veel mensen worden met hun eigen pistool neergeschoten. Ik heb er geen, nooit gehad, en zal er waarschijnlijk nooit een hebben ook.'

'Dus als we uw huis doorzoeken – en dat huiszoekingsbevel hebben we binnen een uur geregeld – dan zegt u dat er geen kans is dat we het wapen waarmee dr. Carter is doodgeschoten, zullen vinden.'

Een vreselijke gedachte kwam in me op, en het moest tegelijkertijd ook in DeVriess zijn opgekomen. 'Geen antwoord geven,' zei hij. 'Je weet niet wat er behalve dat bloed nog meer in je huis kan zijn geplant.'

'Zegt u nu dat we weleens ander belastend bewijsmateriaal in uw woning zouden kunnen vinden?'

'Brigadier, mijn cliënt kan niet speculeren over wat wel of wat niet in zijn afwezigheid in het huis kan zijn achtergelaten. Als we nu bij de hypothetische en retorische vragen zijn aanbeland, dan kunnen we volgens mij beter allemaal naar huis gaan om wat te slapen.'

'Prima, meneer,' reageerde Evers, 'u kunt naar huis. Maar dr. Brockton? U niet. Uw huis is nog steeds verzegeld als een vermoedelijke plaats delict. En inmiddels beschikken we over een handtekening op een huiszoekingsbevel.'

'En waar moet ik dan naartoe?'

'Dat is niet mijn probleem, doc,' reageerde hij. 'Als u maar een beetje in de buurt blijft.'

Dat deed ik. Terwijl DeVriess en ik voor de derde keer in nog geen 24 uur door de voordeur van het politiebureau naar buiten liepen, realiseerde ik me dat ik niet alleen geen plek had waar ik heen kon, maar ook geen middel om er te komen. 'Verdomme,' mopperde ik. 'Ze hebben me weer zover dat ik geen kant op kan.'

DeVriess schudde zijn hoofd. 'De schoften. Je weet dat ze dat heel goed weten, hè? Gewoon nóg een manier om je af te matten. Zal ik je bij een hotel afzetten?' Hij wees naar de hoge oever aan de overzijde van de rivier, waar het piramidevormige Marriott als een stuwdam die een meter of vierhonderd van zijn geplande plek was opgetrokken uit de skyline oprees. 'Wat kan ons het bommen, daar gaan we voor jou een kamer regelen.'

Ik schudde mijn hoofd. 'Ik ben het beu om in andermans ruimte te verblijven,' zei ik. 'Je zult wel denken dat ik getikt ben, maar zou je zo vriendelijk willen zijn om me bij mijn werkkamer bij het stadion af te zetten? Daar heb ik een oude bank staan die ik de afgelopen twintig jaar nog niet goed heb kunnen benutten. Ik kan nu even geen andere plek verzinnen waar ik liever een tukje wil doen dan op die bank, omringd door mijn verzameling botten.'

Hij lachte. 'Je hebt gelijk, doc. Ik geloof inderdaad dat je getikt bent. Maar kom, ik zet je er af.'

Het leed geen twijfel welke van het handjevol auto's in de parkeergarage van de politie die van Burt was. Onder een van de natriumlampen stond een glimmend zwarte Bentley geparkeerd. Hij leek op wat je zou krijgen als je een Jaguar met een Rolls-Royce kruiste, en ik vermoedde dat hij nagenoeg net zo veel waard was als mijn huis. De stoelen waren bekleed met boterzacht, zilvergrijs leer, en het dashboard leek van knoestig eikenhout dat, zelfs in het halfduister van de garage, volgens mij echt geen plastic was. Het dichttrekken van het portier klonk als het sluiten van een zware kluisdeur, en toen de motor werd gestart, bleef het bijna stil, maar wat ik opving, klonk groots en krachtig. Burt reed de garage uit en Hill Avenue op en nam dezelfde boogbrug als die ik enkele uren eerder, op weg naar zijn kantoor, te voet had genomen. In de Bentley was het alsof ik de rivier in een luxe jacht overstak.

Ik loodste DeVriess door de labyrintische route rondom het stadion naar de poort, vanwaar een trap naar mijn kamer voerde. Afgezien van mijn pick-up en een paar dienstwagens van de universiteit zochten slechts weinig voertuigen zich een weg over deze enkele rijbaan van asfalt die tussen de steunberen en pilaren door liep; ik wist bijna zeker dat dit de eerste Bentley was die dit deed, en vermoedelijk ook meteen de laatste. Toen we stopten, was ik al half in dromenland.

'Zal ik even meelopen om te kijken of alles in orde is?' vroeg DeVriess.

Ik bedankte hem beleefd. 'Ik red me wel,' zei ik. Maar eerlijk gezegd was ik daar verre van zeker van. Veilig binnenkomen zou niet het probleem zijn. Nee, het binnen zíjn, en in mijn eentje, daar had ik over ingezeten, en daar zou hij echt helemaal niets aan kunnen doen.

Terwijl ik de deur van mijn werkkamer van het slot deed en naar binnen liep, ving ik door het raam nog net een glimp op van dure rode achterlichten die in het labyrint verdwenen. Het moment daarop was het donker; ik was alleen. Na slechts nog even te hebben geplast en daarna mijn schoenen te hebben uitgetrokken, kroop ik op de afgeleefde bank onder de rij smerige ramen. Op hetzelfde moment dat ik mijn hoofd op de bezoedelde armleuning te rusten legde, voelde ik al dat ik in een zwarte tunnel werd meegezogen.

32

*J*ess lag languit in mijn bed, op haar rug. We bedreven de liefde. Haar vingers omklemden de spijlen van het kersenhouten hoofdeinde. Ik keek in haar ogen, en zag dat ze dood was. Ik stond op en begon het bed om te bouwen tot een doodskist. Ten slotte legde ik het houten deksel erop en begon de kist dicht te timmeren. Klop, klop, klop.

'Dr. Brockton, bent u daar?' Klop, klop, klop. 'Dr. Brockton? Bill?'

Ik schudde mijn hoofd en wreef de slaap uit mijn ogen en de dufheid van mijn gezicht. Het zonlicht wierp korte schaduwen onder de spanten van het stadion, wat betekende dat ik tot rond het middaguur moest hebben doorgeslapen. Op zich misschien niet eens zo verrassend, gezien wat voor dag en nacht ik erop had zitten, en het feit dat ik me pas tegen de dageraad op mijn sofa had kunnen opkrullen.

'Dr. Brockton?' Terwijl ik mezelf dwong wakker te worden, drong het tot me door dat ik achter mijn deur twee verschillende stemmen hoorde. De ene behoorde toe aan Peggy, mijn secretaresse; de andere kwam me minder bekend voor, maar ook deze herkende ik uiteindelijk, en ik wist dat dit geen goed nieuws betekende.

'Ik kom eraan, ogenblikje alsjeblieft!' riep ik. Ik haastte me naar het toilet, waste mijn gezicht met wat koud water en bracht mijn warrige haardos zo goed mogelijk op orde. Daarna opende ik de deur. 'Sorry,' verontschuldigde ik me, 'ik moet even zijn ingedut.'

'Ik heb nog geprobeerd u te bellen,' zei Peggy, 'maar waarschijnlijk hebt u de beltoon uitgezet.' Ze had gelijk.

'Bill, we moeten praten,' sprak de vrouw naast Peggy. Het was Amanda Whiting, juridisch adviseur van de universiteit van Tennessee.

'Kom binnen, Amanda,' zei ik. 'Pak een stoel. Dank je, Peggy.' Met een bezorgde blik naar mij en een achterdochtige naar Amanda, liet ze me alleen. 'Wat zit je dwars?'

'Ik weet dat je een paar zware dagen achter de rug hebt,' begon Amanda, 'en ik vind het verschrikkelijk om je nog verder te belasten, maar we zitten met twee grote problemen. Zoals ik al vreesde, heeft die creationistische advocaat, Jennings Bryan, een rechtszaak aangespannen om schadevergoeding te eisen namens zijn cliënt: jouw student, Jason Lane.'

'Het spijt me,' zei ik. 'Ik wou dat ik alles kon terugdraaien en dat college nog eens over kon doen. Ik vind het verschrikkelijk dat ik zo over hem heen ben gewalst en dat de universiteit daarvan nu de lasten en de kosten voor de verdediging moet dragen.'

'Dat... is dus een van de dingen waar we het even over moeten hebben. Zoals je weet, is academische vrijheid iets waar we ons zwaar voor inzetten: dat een docent iets mag poneren, zolang het relevant is met betrekking tot het collegemateriaal. In dit geval werd mij erop gewezen dat een tirade tegen creationisme feitelijk niet relevant is voor een college forensische antropologie.'

'Wacht, wacht,' onderbrak ik haar. 'Ga je me nu vertellen dat de universiteit mij misschien niet zal steunen?'

'Dat vrees ik, ja,' antwoordde ze. 'De raad van bestuur is gisteren voor extra overleg bijeengekomen. Ze hebben overlegd met zowel de heer Bryan als met het faculteitsbestuur, dat overigens van mening is dat je in dit geval de grenzen van de academische vrijheid inderdaad hebt overschreden. In ruil voor een brief van de raad van bestuur, met dezelfde strekking, heeft de heer Bryan afgesproken de universiteit niet langer te vervolgen.'

'Maar hij gaat door met procederen?'

'Ja. Hij wil van jou smartengeld en een hoge schadevergoeding eisen.'

'Hoe hoog?'

'Een miljoen aan smartengeld. Drie miljoen als schadevergoeding.'

'Vier miljoen dollar omdat ik een studentje in het openbaar in verlegenheid heb gebracht?' Ze knikte ernstig. 'En de universiteit laat me min of meer aan mijn lot over?'

'Ik vrees het, Bill. Het spijt me dat ik je dat moet meedelen.'

'Nou. Een ongeluk komt niet alleen. Nu ik het erover heb, je zei net dat er twee problemen waren. Wat is nummer twee?'

'Ik denk niet dat het je zal verrassen dat het om de moord op dr. Carter gaat. Mij is verteld dat jij als verdachte wordt beschouwd. Bill, wij zijn een onderwijsinstelling. Ouders vertrouwen ons hun kinderen toe. We kunnen niet anders dan jou schorsen totdat deze zaak is opgehelderd.'

'Jezus, Amanda, wat is er overgebleven van het standpunt dat iemand onschuldig is totdat het tegendeel is bewezen?'

'Juridisch gezien blijft dat overeind staan,' antwoordde ze. 'Maar wij zijn een educatieve instelling die weliswaar van rijkswege wordt gesteund, Bill, maar de burgers hanteren andere, strengere normen.' Ze keek even naar mijn bureau, waarop twee foto's van Jeffs kinderen prijkten. 'Zijn dat je kleinkinderen?'

'Ja.'

'Als een van hun leraren werd verdacht van kindermisbruik, dan zou jij toch ook willen dat hij niet meer voor de klas kwam te staan totdat de zaak is opgelost?'

Had ze een ander voorbeeld gekozen, dan hadden we van mening kunnen verschillen. 'Verdomme, Amanda, je ontneemt me een van de weinige dingen die me nog een beetje overeind kunnen houden.' Ze keek spijtig, maar niet spijtig genoeg om er iets aan te kunnen veranderen. 'Als je me nu wilt excuseren, ik moet wat spullen bij elkaar gaan zoeken,' zei ik gereserveerd. 'Over een uur ben ik hier weg. Hartelijk dank, Amanda. Het zijn vijfentwintig mooie jaren geweest.' Ik keerde haar de rug toe en begon mijn papieren bij elkaar te zoeken.

Al maandenlang had ik een project voor me uitgeschoven waarvan de deadline telkens weer was verschoven. Ik had een uitgever beloofd het handboek over bottenleer te herzien dat ik had geschreven vlak nadat ik docent was geworden, bedoeld om studenten in het veld botten te leren determineren. Maar het college geven, mijn onderzoek, de administratieve plichten en forensische zaken hadden me de tijd ontnomen om me te kunnen buigen over het bijwerken van mijn boek. Misschien dat ik nu, uitgesloten maar nog niet ópgesloten, die klus eindelijk zou kunnen klaren. Ik propte alle artikelen en onderzoeksrapporten die ik als verwijzingsmateriaal had verzameld in mijn aktetas, tezamen met de versie van de huidige editie met driedubbele interlinie, knipte het licht uit en sloot de deur achter me. Nadat ik de sleutel had omgedraaid en ik even later de trap af liep naar de uitgang van het stadion aan de oostzijde, waar mijn auto geparkeerd stond, vroeg ik me af of ik hier ooit nog zou terugkeren. Mijn parkeervak was leeg. Natuurlijk, mijn pick-up was in beslag genomen en de gehuurde Taurus stond nog altijd, dankzij mijn enkele reis per politieauto de vorige avond, op mijn oprit geparkeerd, acht kilometer verderop. 'Verdomme!' vloekte ik. 'Is het dan echt te veel gevraagd?!'

Achter me werd getoeterd. Ik draaide me om en zag dat Miranda uit het raam van haar Jetta leunde. 'Is wát te veel gevraagd?'

Ik kon mijn opluchting niet verbergen en barstte bijna in tranen uit bij het zien van haar gezicht, dat me net zo open en vriendelijk aankeek als dat het al jarenlang had gedaan.

'Is het te veel gevraagd om me even een lift naar huis te geven?' vroeg ik. 'En misschien een opbeurend praatje onderweg?'

'Stap in,' zei ze. 'Briljante, knappe lieve man die je bent.'

Ditmaal barstte ik echt in tranen uit.

33

Na in mijn binnenspiegel te hebben gekeken of ik niet werd gevolgd, reed ik de huurauto de oprit bij Jeffs huis op. De dubbele deuren van de garage stonden open, en ik zag zowel Jeffs Camry als Jenny's Honda-minibusje binnen staan.

De voordeur was open, en door de glazen tochtdeur zag ik Tyler en Walker voor de televisie zitten. Ik roffelde op de deur, trok hem open en stak mijn hoofd naar binnen. 'Hallo daar,' riep ik naar de jongens, 'kijk eens wie er is!'

Beide jongens draaiden zich om. Walker begon als eerste te gillen, maar Tyler volgde al meteen zijn voorbeeld. Met een ui in de ene hand en een groot mes in de andere kwam Jenny de keuken uit gestormd. Toen ze zag wat er aan de hand was, vielen het mes en de ui op het tapijt. Ze repte zich naar de jongens en liet zich op de knieën vallen terwijl ze een arm om haar beide jongens sloeg. 'Rustig maar, rustig maar,' suste ze. 'Kom maar met mama mee naar de keuken. Toe. Niks aan de hand. Niemand doet jullie kwaad.'

Even later kwam Jeff uit de keuken tevoorschijn; hij leek in verlegenheid gebracht en boos tegelijk. 'Goeie god, pa, het spijt me,' zei hij. 'Had even gebeld voordat je kwam.'

Nu was het mijn beurt om me te generen. 'Het spijt me,' zei ik. 'Ik wist niet dat... dat dat nodig was.'

Jeff trok een gezicht. 'Een paar kinderen op school... je weet hoe gemeen kinderen kunnen zijn. Ik denk dat sommige ouders hun kinderen naar het nieuws laten kijken. Wij niet, maar niet iedereen is zo pietluttig als wij over wat hun kinderen te zien krijgen. Maar goed. Kennelijk zijn ze nu een beetje... in de war over jou.'

'Doodsbang voor me, zou ik eerder zeggen.' Hij kromp ineen, maar knikte. 'Ik neem aan dat dit dus niet zo'n fantastische plek is om te vluchten voor de media, hm?' Hij verschoot van kleur en oogde bijna net zo benauwd als de jongens hadden gedaan. 'Nou, dan ga ik er maar weer eens vandoor.' Ik draaide me om en liep de voordeur uit.

Hij volgde me naar buiten. 'Pa, wacht. Kom nou, ren nu niet weg. Wat heb je nodig? Wat kan ik doen om te helpen?'

Ik schudde mijn hoofd. 'Ik weet het niet, Jeff. Ik weet eigenlijk bar weinig op dit moment. Alles wat ik dacht te weten – alles wat stabiel en betrouwbaar leek aan mijn leven – is de afgelopen paar dagen verdampt. Een vrouw op wie ik net verliefd begon te worden is vermoord, ik sta op het punt te worden aangeklaagd wegens moord, de universiteit behandelt me opeens als een paria en mijn kleinkinderen denken dat ik een schurk uit een of andere horrorfilm ben. Ik weet niet wat ik nodig heb of hoe iemand me kan helpen. Het is alsof ik in de Twilight Zone ben beland of in een of ander parallel universum, waar al het goede dat ik had en waar ik voor stond in het tegendeel veranderd is.'

'Tyler en Walker zijn nog klein,' verontschuldigde hij zich. 'Ze begrijpen het niet; dat kúnnen ze ook niet. Maar ik kan het wel begrijpen, en ik zou graag willen helpen. Laten we daar even over nadenken. Heb je een advocaat nodig?'

Ik schudde van nee. 'Ik heb er al eentje in de arm genomen.'

'Wie is het? Is hij goed?'

Ik haalde mijn schouders op. 'Ja en nee. Burt DeVriess.' Hij kreunde. 'Ik weet het, ik weet het, hij is zowel de beste als de slechtste aller advocaten. Geloof me, ik ben me er pijnlijk van bewust dat ik een pact met de duivel heb gesloten. Maar iemand heeft verdomd goed zijn best gedaan om mij als de dader af te schilderen. Dit is niet het moment om al te kieskeurig te zijn over Grease.'

'Goed, ik begrijp het. Heb je een logeeradres nodig?'

'Ja. Ik veronderstel dat de technische recherche mijn huis is binnengevallen. En buiten op straat wemelt het van de tv-wagens.'

'Verdomme,' zei hij. 'Het spijt me. Ik snap hoe pijnlijk dit moet zijn.'

'O, dat betwijfel ik,' zei ik. 'Zelfs ík kan niet helemaal bevatten hoe vreselijk het is.'

Hij oogde gefrustreerd, en ik zag dat hij zich verbeet, en ik had spijt dat ik hem uit zelfmedelijden had afgebekt. 'Je hebt gelijk, ik snap het niet,' zei hij, 'maar ik zou wel graag helpen. Laten we een rustig plekje voor je zoeken, ergens buiten de stad, weg van alle drukte.' Hij dacht even na. 'Je hebt niet echt een computer of tv nodig, of wel?'

'Nee,' antwoordde ik. 'Eigenlijk zit ik het liefst zo ver mogelijk van een tv.'

'Ik heb een idee. Wat zou je zeggen van een vakantiehuisje in Norris Dam State Park? Weet je nog die week die mama, jij en ik daar ooit doorbrachten, toen ik een jaar of tien was? Met een kano over het meer, wandelen in de bossen. Dat was geweldig.'

'Inderdaad. En bovendien de goedkoopste vakantie die we ooit hebben gehad. Wie weet ook wel de beste.'

'Afgelopen herfst zijn Jenny en ik daar nog een weekend met de jongens geweest. Volgens mij hebben ze sinds mijn tiende niets meer aan die huisjes gedaan.'

'Nog steeds verlicht door petroleumlampen? Met alleen maar een grill om op te koken?' Hij glimlachte en knikte. 'Klinkt goed,' zei ik. 'Maar ik moet denk ik wel een telefoon hebben. En mijn mobieltje kan ik niet gebruiken, die heb ik na het honderdste telefoontje van de pers uitgezet.'

'Geen probleem,' zei hij. 'Op kantoor heb ik nog een mobiele telefoon; die wordt gebruikt door de belastingaccountants als ze bij cliënten worden gedetacheerd. We kunnen even langsrijden en hem oppikken en kijken of er een oplader voor in de auto is. Als je wilt, rij ik met je mee naar de supermarkt en help ik je een koeltas volgooien met wat melk, cornflakes, broodbeleg en iets om te grillen.' Hij leek steeds enthousiaster te worden over het idee, en ik voelde in elk geval een beetje van die energie op mij overslaan.

'Ik vind het wel wat,' zei ik. 'Het zal me goed doen om een poosje uit Knoxville weg te zijn en wat in de bossen te wandelen. Kom, we gaan.'

Hij liep naar binnen om even met Jenny te overleggen. Vijf minuten later reden Jeff en ik onze auto's het parkeerterrein bij zijn kantoor op, en nog eens tien minuten later struinden we de gangpaden bij de Kroger-super af, overleggend over de betrekkelijke voors van hotdogs versus hamburgers, mesquite-kip versus honingham, volkorenbrood versus zevengranenbrood en Honey Nut Cheerios versus naturel. Honderdvijftig dollar later hesen we een koeltas vol vleeswaren, melk, mayo, mosterd en augurken; brood en cornflakes; fruit en bessen; en een keuze uit krokante zoutwaren in de kofferbak van de Taurus. Ik bedankte Jeff voor het idee en de mobiele telefoon, en verruilde de voorstedelijke McVilla's van Farragut voor de rustieke hutten van Norris.

Op weg naar de supermarkt had Jeff gebeld met de beheerders van Norris Dam State Park, waar hij met zeer veel geluk het enige beschikbare huisje had weten te bemachtigen, dat net vanwege een annulering op het allerlaatste moment vrij was gekomen. Op het moment dat ik Knoxville achter me had gelaten, voelde ik iets van de last op mijn schouders afglijden. Ik merkte dat ik me verheugde op een rustige week in een huisje, waar ik mijn tijd kon verdelen tussen het redigeren van mijn boek en het maken van wandelingen onder torenhoge eiken.

Tussen Chattanooga en Knoxville liep de I-75 in noordoostelijke richting, maar voorbij Knoxville boog hij af naar het noordwesten, en maakte de Tennessee Valley plaats voor het Cumberland Plateau. Net aan de rand van het plateau, waar het groene water van de rivier de Clinch door dichtbeboste valleien meanderde, had de Tennessee Valley Authority in de jaren dertig van de vorige eeuw de eerste van een netwerk van stuwdammen gebouwd, waarmee een hele regio van zichzelf bedruipende landbouwers werd geholpen aan elektriciteit en fabrieksbanen. Norris Dam State Park strekte zich uit over de hellingen aan weerszijden van de dam; de zuidkant kon bogen op moderne chalets met een zwembad; de noordkant, waar ik veel liever kwam, bood een rustieke tearoom en eenvoudige vakantiehuisjes. Het mijne bleek achter de rondweg te staan, precies bij het begin van een wandelpad dat de heuvel op voerde naar een enorm ongerept stroomgebied. Ik laadde mijn boodschappen uit, bracht mijn uitpuilende aktetas naar binnen en wandelde de heuvel op. Toen ik twee uur later bij het huisje terugkeerde, viel de duisternis in, waren mijn benen op en kroop ik zonder een hap te hebben gegeten mijn bed in.

De volgende ochtend werd ik om zes uur gewekt door vogelgezang, en een uurtje later zat ik verdiept in mijn redigeerwerk. De picknicktafel werd helemaal bedolven onder de papieren, die dankzij wat stenen, fonkelend van het kwarts en glanzend zwarte strepen steenkool, niet konden wegwaaien.

Om tien uur belde DeVriess; ik had hem de vorige avond vanuit de auto gebeld en mijn nummer op zijn voicemail ingesproken. 'Ik ga nu naar de rechtbank voor een fraudezaak,' vertelde hij, 'dus ik heb maar even. Ik wil je wel nog even doorgeven wat ik zojuist via de geruchtenmolen heb vernomen. Ik heb me vergist in je vriendje Bob Roper, de officier van justitie.'

'Je bedoelt toen je zei dat hij me, zelfs als ik onschuldig was, nog zou vervolgen, zolang hij dacht dat hij kon winnen.'

'Zoiets, ja. Ik heb hem onderschat. Hij en zijn staf trekken zich terug uit jouw zaak, wegens tegenstrijdige belangen en banden voor het hele kantoor, zegt hij.'

'Dat is goed nieuws,' reageerde ik. 'Heel achtenswaardig van Bob.'

'Misschien,' zei Grease. 'Of misschien wil hij de volgende keer dat hij aan de herverkiezingen meedoet gewoon niet dat de kiezers van Knox County zich hem zullen herinneren als de man die dr. Brockton aan het kruis nagelde.'

'Burt, nu ben je te cynisch.'

'Ik verdedig het schuim der aarde, mijn huidige gesprekspartner uitgezonderd, natuurlijk. Geen werk voor een optimist.'

'Ik begrijp het. Wat betekent dit praktisch gezien?'

'Om te beginnen moet de Tennessee Conference of District Attorneys General op zoek naar een andere officier van justitie om deze zaak te doen, bij voorkeur iemand die nog nooit met jou aan een zaak heeft gewerkt.'

'Daar zullen ze misschien wel voor naar Midden-Tennessee of zelfs West-Tennessee moeten gaan,' zei ik. 'Ik geloof dat ik hier in Oost-Tennessee voor alle officieren wel getuigd heb.'

'Dus afhankelijk van hoe lang het duurt om iemand te vinden, kunnen wij wel een tijdje in het ongewisse verkeren. Weken- of misschien wel maandenlang.'

'O, dan is het dus helemaal niet zulk goed nieuws,' zei ik. 'Ik haat onzekerheid. Ik ben geschorst van mijn werk als hoogleraar, ik heb mijn toevlucht gezocht in een staatspark, mijn kleinkinderen denken dat ik een monster ben en ik kan alleen maar afwachten tot er weer iets ergs gebeurt.'

'Ik zal de rechtbank verzoeken om een spoedig proces, Bill, maar ik betwijfel of ik daar enige invloed op heb.'

'Tja, doe je best.'

'Goed, ik bel je zodra er nieuws is.'

Ik dwong mezelf me opnieuw te concentreren op mijn werk en al snel ging ik er weer helemaal in op. De rest van de ochtend spitte ik voor vijf jaar aan proefschriften door over de symfyse – het gewricht in het midden van het bekken waar de schaambeenderen van het linker- en rechterbekken samenkomen – en werkte ik in mijn handboek de discussie bij over hoe kenmerken en veranderingen op dit punt konden worden benut om de leeftijd van een vrouwelijk skelet met opmerkelijke nauwkeurigheid te schatten. Na de lunch schakelde ik over op schedelfracturen; een van de promovendi van mijn vakgroep had onlangs een fascinerend proefschrift voltooid waarin ze een reeks experimenten beschreef met schedels en een 'valtoren' op de technische faculteit: een platform verbonden aan een verticale glijplank, die haar in staat stelde om de schedels aan meetbare, nauwgezet gecontroleerde botsingen te onderwerpen en vervolgens de meetresultaten te vergelijken. Het viel te betwijfelen of een levend iemand ooit aan de valtoren zou worden vastgesnoerd om vervolgens te pletter te vallen – tenzij de interne concurrentie op de technische faculteit een stuk heftiger was dan bij antropologie – maar de gegevens konden uitermate nuttig zijn bij het helpen bepalen of de klap die door een, pak hem beet, honkbalknuppel of een val van de trap werd toegebracht, voldoende was om een dodelijke schedelbasisfractuur te veroorzaken.

Opgaand in de wetenschap vergat ik de tijd, wat ik als een zegen ervoer. Net toen het wat donkerder werd en ik mijn papieren begon op te ruimen, ging de telefoon. Het was DeVriess weer. 'Ik heb goed nieuws en slecht nieuws,' zei hij.

'Wat is het goede nieuws?'

'Het goede nieuws is dat je niet langer in het ongewisse verkeert. Ze hebben een officier van justitie gevonden die de zaak op zich kan nemen. Een nieuwe vent uit Polk County, heeft nog nooit van jou gehoord. De verkeerspolitie van Tennessee is hem zelfs met een heli gaan oppikken en heeft hem vandaag rond het middaguur op het dak van het City County Building afgezet.'

'Ik durf het bijna niet te vragen, maar wat is het slechte nieuws?'

'Het slechte nieuws is dat er weer iets ergs is gebeurd. De tijdelijk aangestelde officier van justitie en Evers zijn vanmiddag naar de grand jury gestapt. Ik kreeg net een beleefdheidstelefoontje van Evers. Bill, de grand jury heeft een arrestatiebevel voor jou uitgevaardigd.'

34

Het was nog altijd begin mei, maar toen ik de voordeur van mijn huis op slot deed en over de snikhete oprit naar mijn Taurus slofte, sloeg de middagzon me hard in het gezicht, alsof eind augustus nog even flink natrapte. Anderhalve dag nadat ik mijn intrek had genomen in een schaduwrijk vakantiehuisje in het Norris Dam State Park werd ik weer in Knoxville ontboden; terug naar de wereld van de pakkendragers, bewakingscamera's en arrestatiebevelen.

Te midden van de zinderende hitte die me insloot, leek de vanillekleurige lak van mijn huurauto eerder fris dan saai. De president van Amerika mocht dan niet overtuigd zijn van de klimaatverandering, maar zelf geloofde ik er heilig in. De lente diende zich steeds vroeger aan in Oost-Tennessee, en de herfst bleef steeds langer dralen alvorens plaats te maken voor iets wat maar nauwelijks voor een winter kon doorgaan, en die slechts een paar weken leek te duren, waarna de boel weer begon op te warmen. Toen de motor liep en ik de airco op tien had gezet, kleefde mijn T-shirt al aan mijn huid, mijn overhemd aan mijn T-shirt, en was mijn jasje gekreukeld en verfomfaaid.

Natuurlijk trof niet alleen de klimaatverandering blaam voor mijn transpireren. Ik was op weg naar het kantoor van Burt DeVriess, die me vandaar uit naar de detentieopvang van Knox County zou overbrengen. Ik ging mezelf aangeven, ging mezelf vrijwillig melden op beschuldiging van moord met voorbedachten rade en – het was niet eens in me opgekomen om me over dat laatste zorgen te maken – het onteren van een lijk. Mocht ik de doodstraf krijgen voor de moord, dan had het voor de rechter weinig zin om dat vonnis nog eens te verzwaren met betrekking tot aanklacht nummer twee. Dus misschien was het maar goed ook dat ik over die laatste niet al te veel zweetdruppels liet.

Driemaal had Burt de procedure moeten uitleggen voordat ik eindelijk alle details onthield. Rechercheur Evers en Michael Donner, de officier van justitie van Polk County die was ingevallen voor Bob Roper, hadden gedurende twintig minuten tegenover de grand jury op zakelijke toon het bewijsmateriaal tegen mij opgesomd. Op basis van de beelden van de bewakingscamera, de bebloede lakens, en het haar, de vezels en het sperma, die mij in verband brachten met het lichaam van Jess Carter, had de jury een aanklacht ondertekend, zodat de klerk van de rechtbank van Knox County tegen mij een *capias* moest uitvaardigen. 'Wat is een capias?' vroeg ik.

'Juridisch jargon voor een arrestatiebevel,' legde Burt uit. 'Je kent het Latijnse gezegde "carpe diem", pluk de dag? Capias is het zelfstandige naamwoord, afgeleid van het werkwoord, maar het komt neer op: grijp die klootzak.'

'Je bedoelt met zwaailicht en handboeien?'

'Wel als je hen daartoe uitlokt, ja,' antwoordde hij. 'Maar ik heb geregeld dat ik je er in mijn auto naartoe breng, zodat je jezelf met nog een beetje waardigheid kunt aangeven.'

Maar hij had nog meer voor me geregeld, zo bleek. DeVriess wilde niet dat ik het detentiegebouw via de hoofdingang zou betreden, aangezien hij meende dat de kans groot was dat iemand het nieuws naar de media zou lekken. In plaats daarvan had hij toestemming gekregen om me af te zetten voor de 'uitvalspoort', een lagergelegen toegang, afgesloten door een grote garagedeur, van waaruit de surveillanceauto's en boevenwagens gedetineerden van en naar de rechtszaal vervoerden. Gewoonlijk hadden alleen dienstvoertuigen hier toegang, maar Grease had Evers weten over te halen om me in zijn eigen auto binnen te mogen rijden. De rechercheur zou ons buiten opwachten en ons in zijn eigen ongemerkte Crown Vic naar de uitvalspoort begeleiden. Daar zou ik worden gefouilleerd, zouden mijn vingerafdrukken worden genomen en zou ik worden geverbaliseerd.

'Jezus,' mompelde ik. 'Vingerafdrukken. Alsof ik een crimineel ben.'

'Vertrouw me, doc, je wordt juist als een heel uitzonderlijke crimineel behandeld,' had DeVriess me verzekerd. 'Dit is wat ze een verbalisatie "met hoge attentiewaarde" noemen, wat betekent dat je als een prins wordt behandeld, iets wat doorgaans alleen is weggelegd voor gekozen functionarissen en "oud geld"-miljonairs.' Hij zweeg even. 'Over geld gesproken, doc, we moeten je borgtocht nog regelen.' Die was gesteld op vijfhonderdduizend dollar, een bedrag dat me even naar lucht had doen happen.

'Oeps, zoveel geld heb ik helemaal niet,' had ik gezegd. 'Zelfs als ik mijn huis, mijn pick-up en mijn kleine beetje aandelen verkoop, weet ik nog niet of ik aan dat bedrag kom.'

'Geen punt. Daarom heeft God de borgsteller geschapen.' Voor het schijnbedrag van vijftigduizend dollar – een bedrag dat al mijn spaartegoeden zou opslokken en mijn credietlimiet tot het uiterste zou belasten – zou de borgsteller de tien procent van de borgsom kunnen overmaken.

'De garantieverlener zal dan je bezittingen in pand moeten nemen,' had DeVriess eraan toegevoegd, 'voor het geval je de benen neemt en hem met vierhonderdvijftigduizend dollar schuld opzadelt.'

'Nooit gedacht dat crimineel zijn zo duur was,' merkte ik op. 'Om iemand te vermoorden moet je wel een rijke stinkerd zijn.'

'Niet om te moorden,' verbeterde hij me, 'maar gewoon om vrijuit te kunnen gaan.'

Aangekomen bij het kantoor van DeVriess begroette Chloe, zijn receptioniste, me met een zonnige glimlach, alsof ik was gekomen om een fonds voor mijn kleinkinderen in het leven te roepen. 'Dag dr. Brockton. Leuk u weer te zien. Ik zal meneer DeVriess laten weten dat u er bent. Wilt u misschien wat koffie, thee of frisdrank?'

'Nee, dank je,' zei ik. 'Ik moet wat ondermijnend papierwerk tekenen, maar daarna is het opzadelen en wegwezen, denk ik.'

Chloe glimlachte. 'One for the road?' Ik schudde mijn hoofd en ze drukte op een intercomtoets op haar telefoon. 'Meneer DeVriess? Dr. Brockton is binnen... Heb ik gedaan, maar hij wees me af.' Ze keek even naar me op en gaf me een knipoog. 'Hij lijkt er erg op gebrand om op te zadelen en weg te wezen... Goed, ik kom hem brengen.'

Ze ging me voor naar de werkkamer van DeVriess. 'Dank je, Chloe,' zei hij terwijl hij achter zijn glazen werktafel vandaan stapte om me de hand te schudden. Met twintig ruggen kocht je zo te zien flink wat hoffelijkheid. 'Bill, ga zitten.' Ik liet me in een stoel zakken. 'Laat me de borgovereenkomst even met je doornemen en je uitleggen wat je bij de verbalisering te wachten staat.' Ik had moeite me op mijn financiële teloorgang en mijn ophanden zijnde inhechtenisneming te concentreren, maar toen hij de documenten onder mijn neus schoof, zette ik achter de vrolijk gekleurde plakkertjes met daarop HIER TEKENEN een krabbel. Na al mijn bezittingen, en wie weet mijn onsterfelijke ziel te hebben verpand, nam DeVriess weer het woord. 'Goed. Tenzij er nog iets is wat ik niet heb aangestipt, denk ik dat we nu maar beter kunnen opzadelen.' Hij glimlachte om me duidelijk te maken dat hij mijn woorden herhaalde. Ik probeerde terug te glimlachen om te laten zien dat ik het waardeerde, maar verder dan een grimas kwam ik niet. Hij pakte de telefoon en draaide een nummer. 'Brigadier? Met Burt DeVriess. We komen er nu aan. We zien u bij het detentiegebouw.'

In stilte daalden we af naar zijn auto, die pal naast de lift geparkeerd stond. 'Ik durf te wedden dat ik de eerste gevangene van Knox County ben die per Bentley wordt afgeleverd,' zei ik, terwijl ik het portier opende. We verlieten het centrum over de James White Parkway, hielden op de

I-40 rechts aan naar ringweg 640, waarna we weer een paar kilometer naar het noorden en westen reden. Even later namen we de afslag naar Washington Pike en reden we nog zo'n acht kilometer in noordoostelijke richting verder. Dit deel van Knox County was gedurende de vijfentwintig jaar dat ik hier woonde agrarisch geweest, maar inmiddels schoten de appartementen en bouwkavels tussen de verweerde boerderijwoningen als paddenstoelen uit de grond.

DeVriess nam gas terug, gaf links aan en we reden Maloneyville Road op. We slingerden langs een plukje bungalows. Vervolgens bereikten we een S-bocht waarna de weg in een brede vallei omlaag voerde. Rechts, achter een groot hekwerk met prikkeldraad, stond de oude gevangenis van Knox County, een oude betonnen kazerne met een roestig metalen dak en een brede, vierkante schoorsteen. Verderop – onder en links van ons – strekte een nieuw golfterrein zich uit, met daarachter een enorm complex met meerdere zijvleugels. Er waren geen bewakingstorens en er was ook geen omringend hekwerk met prikkeldraad, maar toch was dit duidelijk een gevangenis. Geconfronteerd met de grimmige, tastbare realiteit voelde ik dat mijn maag zich even in een knoop legde. 'Jezus, nooit geweten dat het zo groot was,' zei ik. 'Hoeveel gedetineerden zitten daar?'

'Nu? Geen idee,' antwoordde DeVriess. 'Maximaal 667. Anders overschrijden ze een federale grens. Zie je dat nieuwe cellencomplex dat ze pal achter het golfterrein aan het bouwen zijn? Daarmee zal de maximum capaciteit bijna op duizend komen.' Zijn toon was somber. Ik wierp een blik op hem en hij keek bedachtzaam, een woord dat ik nog nooit met Burt DeVriess had geassocieerd. 'Wist jij, doc, dat er op dit moment twee miljoen Amerikanen achter de tralies zitten? De grootste gevangenispopulatie ter wereld.' Dat wist ik niet. 'En bovendien hebben we het hoogste arrestatiequotiënt van welk land dan ook. Zesmaal hoger dan China, een land dat wij graag als een stuk hardvochtiger beschouwen dan het onze.'

'Je weet zeker dat die getallen kloppen, Burt?'

'Ik heb dit net zo goed bestudeerd als jij tanden en botten onderzoekt, doc. In de VS van A woont slechts vijf procent van de wereldbevolking, maar een kwart van alle gevangenen. Dan klopt er iets niet.'

Hij had gelijk, hoewel ik niet precies kon zeggen waarom. 'Nou, laten we dan maar hopen dat het je lukt om te verhinderen dat ik gevangene nummer twee miljoen één word.'

De hoofdingang was een lange oprit, links, aangegeven met een zevenpuntige ster op een grazig heuveltje. De ster had een doorsnede van ongeveer twee meter veertig à drie meter en was voorzien van het opschrift

KNOX COUNTY SHERIFF. DeVriess reed verder, passeerde het hoofdgebouw en reed achter een kleiner gebouw om, een barak van één verdieping omringd door een hoog hekwerk. Een basketbalveldje lag genesteld in de oksel van het L-vormige gebouw. Iets verderop draaiden we links een smalle oprit in die ons weer met een boog terugbracht bij het centrale complex. De hoofdingang was ter hoogte van de eerste verdieping, maar wij reden naar een grote deur die op een ondergrondse garage leek te duiden. Een ongemerkte Crown Victoria met stationair draaiende motor stond aan de kant. Terwijl DeVriess met zijn Bentley naderde, reed de Crown naar een meldpaaltje en stak John Evers het hoofd naar buiten en sprak hij in het apparaatje alsof hij bij een *drive through*-hamburgertent een bestelling plaatste. Met een bonk en wat gezoem gleed de garagedeur omhoog. Evers reed voorzichtig naar voren het donkere gat in, bijna bumper aan bumper gevolgd door DeVriess. Toen beide auto's binnen waren, zoemde de deur omlaag en viel hij met eenzelfde dreun weer dicht.

Rechts stapten drie geüniformeerde agenten van een trottoir op ons af. Een van hen liep naar brigadier Evers, die nu uitstapte. De andere twee stelden zich op naast mijn portier. Evers overhandigde een formulier – de capias, vermoedde ik – aan degene van wie ik vermoedde dat hij de leiding had, en gebaarde me uit te stappen. Terwijl DeVriess en ik onze portieren openden en uit de Bentley stapten, verschenen de twee hulpagenten links en rechts van me om me bij een arm te grijpen. DeVriess liep snel om de auto heen. 'Ho, ho, dat is helemáál niet nodig. Handen af van mijn cliënt!' Waarop de twee agenten me nog steviger vasthielden.

Hun chef haastte zich naar ons toe en duwde zijn vlakke hand bepaald niet zachtzinnig tegen Burts borst. 'Even goed luisteren,' blafte hij, 'dit is óns terrein, hier gelden ónze regels. We doen er alles aan om dr. Brockton zo veel mogelijk te ontzien, maar hij wordt wel verdacht van moord, en we willen de veiligheid van onze agenten niet in gevaar brengen. Als hij niet volledig meewerkt – als ú niet volledig meewerkt – dan is het uit met de toezeggingen. Dan gaat hij in de handboeien en in een boevenpak en behandelen we hem exact als alle andere gedetineerden hier. Is dat duidelijk?'

'Laat maar zitten, Burt,' zei ik. 'Ze doen gewoon hun werk en dat doen ze goed. Dit is geen gevecht dat we moeten aangaan.' DeVriess keek niet blij, maar hij knikte en hield zich gedeisd. Ik voelde dat de greep van de twee agenten wat losser werd.

'Dank u, dr. Brockton,' sprak de agent die de leiding had. 'Ik ben trouwens brigadier Andrews, de dienstchef. We willen graag dat u zich hier even tegen deze muur opstelt, zodat we u kunnen fouilleren.' De twee agenten leidden me naar de plek die hij aangaf. 'Zet uw handen tegen deze blauwe stootrand, op schouderhoogte en met de armen zo veel mogelijk gespreid.' Ik nam de houding aan die ik al zo vaak op tv had gezien, waarna vier handen me grondig fouilleerden. Een van de agenten verwijderde het leren tasje aan mijn broekriem. Hij keek wat verbaasd, en ook wat beteuterd toen hij zag wat erin zat. Het was mijn getuige-deskundigepenning van het Tennessee Bureau of Investigation. Ik droeg hem deels uit ijdele trots, deels als een niet echt subtiele boodschap aan mijn verbalisanten en deels als een desperate poging mezelf – wie ik was en waarvoor ik stond in deze wereld – niet uit het oog te verliezen.

Toen ze ervan overtuigd waren dat ik geen verborgen wapens bij me had, verzocht Andrews me om mijn zakken leeg te maken, mijn horloge en broekriem af te doen en mijn overhemd uit te trekken, waarna ik in mijn T-shirt stond. Op een doorzichtige plastic tas, gelabeld BEZITTINGEN GEDETINEERDE, schreef hij mijn naam, geboortedatum, burgerservicenummer plus de datum en het tijdstip. Daarna noteerde hij alle voorwerpen, mijn TBI-penning inbegrepen, en sloot ze in de tas met een stuk tape over de flap. Vervolgens verzocht hij me een krabbel op de zak te zetten als bewijs dat de inhoud klopte. Eronder zag ik nog een tweede regel waar ik moest tekenen, waarschijnlijk over nog geen uur, als ik mijn spullen weer terugkreeg en ik mocht gaan. Dit deel van het justitiële apparaat liep in elk geval op rolletjes.

Ik hoorde dat Andrews Evers en DeVriess verzocht om weg te rijden, nu de garagedeur achter Evers' auto omhoogging. Maar voordat het zo ver was, werd ik via een glazen deur, met daarop een bord OPNAME, afgevoerd. Het vertrek was groot, schoon en felverlicht door tl-buizen. Bovendien hingen er, voor zover ik kon zien, minstens drie videocamera's. Buiten had ik er al meerdere op het dak zien staan, die met ons meedraaiden toen we het gebouw naderden, en verder nog eentje buiten voor de garagedeur. 'Over camera's hebben jullie niet te klagen,' zei ik tegen mijn begeleiders. 'Dat zal een flinke regiekamer zijn, met voor elke camera een monitor.'

Verbaasd keken de twee agenten elkaar even aan. De meeste gedetineerden knoopten een dergelijk gesprek kennelijk niet aan, vermoedde ik. 'Ja, meneer,' antwoordde de een. 'Het is een tamelijk geavanceerd systeem. Gemaakt door een firma die Black Creek heet. We hebben hier meer dan tweehonderd camera's, dus een monitor voor elke camera is gewoon onmogelijk.' Hij wees naar de drie camera's die aan het plafond hingen. 'De regiekamer beschikt over een touchscreencomputer waarop alle camera's op alle verdiepingen staan aangegeven. Je hoeft alleen maar het icoontje aan te raken van de camera die je wilt en de beelden verschijnen meteen op het scherm.'

Ik knikte. 'Klinkt doordacht. En jullie archiveren de beelden op videoband of op een grote harddisk?'

'Een gigantische harddisk,' was het antwoord. 'We hebben dit systeem sinds een maand online. Tot nu toe hebben we alle beelden van alle camera's opgeslagen en nog maar een fractie van de opslagruimte gebruikt.'

'Nou,' reageerde ik, 'als ik had geweten dat ik door zo veel camera's voor het nageslacht zou worden gefilmd, dan was ik vanochtend even naar de kapper gegaan.'

Hij lachte, maar leek zich opeens te generen, alsof ik met mijn grapje over mijn arrestatie hem er weer op had gewezen waarom ik was gearresteerd. 'We moeten nu daarheen om een foto van u te maken en uw vingerafdrukken te nemen,' zei hij, en hij wees naar een klein kamertje in een van de hoeken.

Daar stonden twee mannen klaar. De een verzocht me met mijn rug naar de muur te gaan staan. 'Plaats uw rug tegen het kruis,' instrueerde hij, 'en kijk naar het kruis op de muur tegenover u.' Dit tweede kruis was boven op een fotocamera gemonteerd die nu flitste, waarna een foto op een computerscherm verscheen.

'Ik hoef geen bordje met een detentienummer omhoog te houden?' vroeg ik.

'Nee, meneer,' antwoordde hij op een toon alsof hij al een tijd niet meer met zo'n domme vraag was geconfronteerd. 'Tegenwoordig wordt dat automatisch door de computer gedaan. Goed, dan nu graag even kijken naar het kruis op die muur daar,' verzocht hij, wijzend naar rechts. 'En dan nu naar het kruis op de andere muur.' En zo belandden in een paar tellen mijn portretfoto's in het bestand.

Zijn collega behoorde tot het gilde van vingerafdruknemers. In tegenstelling tot de politie van Knox County, die nog altijd van echte inkt op een glasplaat gebruikmaakte, was deze opnameruimte voorzien van twee geautomatiseerde vingerafdrukscanners met het opschrift CROSS MATCH. Ik moest de vier vingers van mijn linkerhand op de glasplaat van de scanner leggen voor een afdruk die hij een 'vier op 'n rij' noemde, daarna de vier van mijn rechterhand, en daarna mijn beide duimen. Ten slotte rolde hij alle tien mijn vingers nog eens over het glas, soms een paar maal, omdat de Cross Match-computer hem meedeelde dat de afdruk vanwege een 'verticale onderbreking' niet kon worden opgeslagen. Toen hij al mijn vingerafdrukken op schijf had, verwijderde hij een zwart dekseltje van een doorzichtig plastic kegeltje, links van de glasplaat. Door het plastic aan de brede onderkant zag ik draadjes naar een zwart, rechthoekig kastje lopen waarop een groen lampje brandde. 'Wat is dat?' vroeg ik.

'Een palmscanner.' Ik moest met mijn beide handen een voor een het kegeltje beetpakken waarbij de punt tussen mijn duim en wijsvinger naar buiten stak. De scanner onderin – het rechthoekige kastje – draaide om een as terwijl het groene lampje steeds feller werd en de huidpatronen van mijn palmen belichtte. Op het moment dat ik dacht dat hij klaar was, moest ik ook nog de zijkant van elke hand tegen de kegel plaatsen, mijn 'schrijverskussentjes' zo noemde hij ze.

'Heel grondig,' constateerde ik. 'En nu stuur je ze naar de TBI en de FBI om te kijken of ik al in hun dossiers sta?' Hij knikte. 'Volgens mijn vriend Art Bohanan heb je al binnen een uur of nog sneller een uitslag,' zei ik. 'Klopt dat?'

'O, vaak al binnen tien minuten,' antwoordde hij. 'In elk geval van de TBI.'

'De wonderen van de moderne techniek. Zijn we nu klaar?'

Hij keek me wat schaapachtig aan. 'Nee, meneer, nog niet helemaal. Voor u volgt ook nog de "procedure zwaar vergrijp".'

'Wat houdt dat in?'

'Dat houdt in dat we Old Betsy erbij moeten pakken,' legde hij uit, en hij wees naar een grote, stoffige houten kist die onder de balie was geschoven waarop de fotocomputer stond.

'Wat is Old Betsy? Ga je me soms neerknallen?'

'Nee, hoor. Old Betsy is een ouderwetse vingerafdrukkit. Naast de scans moeten we ook inktafdrukken nemen – vier op 'n rij, rollers, vingertoppen, schrijverskussentjes en polsen.'

'Hoezo? Je hebt ze net bijna allemaal gescand. En ik dacht dat het vooral om de víngers ging.'

'Heel vreemd, maar veel criminelen proberen hun vingertoppen zo glad mogelijk te houden,' antwoordde hij, 'alleen, daarbij vergeten ze vaak de randen van hun handen of hun polsen. Deze inktafdrukken zullen in een envelop worden verzegeld en persoonlijk bij de hoofdonderzoeker worden afgeleverd, zodat ze over meer gegevens beschikken die ze op de plaats delict bij het onderzoek in een moordzaak kunnen betrekken.'

'Slim bedacht,' zei ik. 'Wisten ze maar waar de plaats delict precies was, waar dr. Carter werd vermoord.' Opeens leek ook hij opgelaten. De laatste tijd leek ik dat effect op veel jonge mensen te hebben. Hij zei niet veel terwijl hij de afdrukken maakte, en toen hij me na afloop wat bevochtigde handdoekjes gaf zodat ik mijn handen en polsen kon schoonwrijven, leek hij opgelucht dat hij me naar de volgende beambte kon doorschuiven, ditmaal een leuke vrouwelijke beambte die me een aantal routinevragen stelde – naam, adres, leeftijd, geboortedatum, burgerservicenummer, wat medische gegevens, enzovoort – terwijl ze haar vingers ondertussen razendsnel over het toetsenbord liet dansen. Ook voerde ze wat gegevens in van het arrestatiebevel dat brigadier Evers na onze komst aan haar had overgedragen.

Terwijl ze tikte, merkte ik dat een tamelijk gestage stroom medewerkers in- en uitliep, alleen of in groepjes van twee, en ogenschijnlijk zonder enig doel. Ten slotte drong het tot me door dat ze stiekem kwamen gluren en dat ik de attractie vormde. Een mengeling van woede en vernedering welde in me op, maar ik deed mijn best om nonchalant te lijken. Uiteindelijk begon ik hen toe te knikken en te groeten, wat de zaak weer in evenwicht leek te brengen: de op heterdaad betrapte ramptoeristen leken nu net zo opgelaten als ik.

Toen de beambte klaar was met het geselen van haar toetsenbord – met meer aanslagen, in kortere tijd, en met minder zichtbaar resultaat dan wie dan ook behalve misschien een medewerkster van een ticketbalie op een luchthaven – keek ze me glimlachend aan. 'Goed, volgens mij zijn we wel zo'n beetje klaar. Ik denk dat brigadier Anderson u zo meteen komt ophalen. Wilt u misschien daar even plaatsnemen?' Ze wees naar een zijkamertje. Op mijn beurt wees ik naar de hoofdruimte, waar drie in gestreepte gevangenisuniformen gestoken gedetineerden op een stalen bank onderuit hingen.

'Ik hoef niet bij die andere drie te gaan zitten?'

'Nee, meneer,' antwoordde ze. 'Ze lieten ons weten dat u een "hoge attentiewaarde" hebt. Dat betekent dat u wordt afgezonderd van de andere gedetineerden.' Ze schonk me weer een glimlach, en die leek oprecht. Zelfs hier, in de onderbuik van de maatschappij, heerste een klassensysteem waar DeVriess voor mij een plekje tussen de elite had geregeld.

'Nou, dank u vriendelijk,' zei ik. 'Goed te weten dat ik een vip tussen moordverdachten ben. Opdat u maar weet dat ik dr. Carter niet heb vermoord.'

Ook haar gezicht kleurde knalrood, en ze sloeg haar ogen neer. Verdomme, dacht ik bij mezelf, ik en mijn grote bek.

Stilletjes liep ik naar het zijkamertje en ik nam plaats op het bankje. Nog geen vijf minuten later verscheen brigadier Anderson. 'Dr. Brockton, uw borgtocht is betaald en we zullen nu tot uw vrijlating overgaan. Als u me wilt volgen? Dan lopen we die kant op.'

Een glazen zijdeur gleed automatisch open en voerde langs een lift en een trap. Verderop wachtte ons een tweede deur die open gleed waarna we in een ruimte met op de deur een bordje ONTSLAG belandden. 'Ontslag' bleek welhaast het evenbeeld van 'opname', behalve dan dat de apparatuur voor de portretfoto's en vingerafdrukken ontbrak. Ook hier weer een beambte achter een computer, en wederom een leuke blonde dame, die me mijn spullen overhandigde, samen met een Sharpie-markeerstift. Ik gebruikte de stift om een krabbel op de onderste regel te zetten, daarmee bevestigend dat al mijn bezittingen weer aan mij waren teruggegeven. Het vereiste wat kracht om de zak open te krijgen, maar toen dat lukte, zag ik dat een rij dunne rode streepjes langs de bovenkant volledig was versnipperd. Zelfs onze gevangenissen gebruikten dus nu verpakkingen waaraan kon worden afgelezen of er met de inhoud was geknoeid of niet. Een goede zaak, vermoedde ik. Het zou weleens de reden kunnen zijn dat mijn TBI-penning, zodra ik eenmaal voor de rechter stond, niet op eBay te vinden zou zijn.

Ik trok mijn shirt aan en deed mijn horloge en penning om, waarna Anderson me via een glazen deur naar de uitvalspoort leidde. De deur, wederom aangeduid met ONTSLAG, was dezelfde als die met OPNAME, zo'n vierenhalve meter verderop. Anderson bracht zijn portofoon naar zijn mond. 'Mag ik een een-tweeënzestig?' verzocht hij, en ik hoorde een elektronisch slot van een stalen deur in de muur naast de garagedeur openspringen. Hij leidde me naar buiten en knipperde even met zijn ogen in het licht van de felle Tennessee-zon, waaronder DeVriess met stationair draaiende motor al op me wachtte. Op het heuveltje aan de rand van het parkeerterrein zag ik een haag van tv-camera's, en ik vermoedde dat een van de pottenkijkende agenten een neef of vriendin had getipt die voor een van de tv-stations werkte. Snel, en met alle waardigheid die ik daarmee kon combineren, stapte ik in. Burt reed even achteruit naar een plekje om te keren. Daarna vervolgden we onze weg terug over Maloneyville Road, Washington Pike en de snelweg, totdat we uiteindelijk de parkeergarage onder de Riverview Tower weer in reden. Burt liet me uitstappen bij mijn huurwagen. Ik opende het portier van zijn Bentley, maar hij hield me nog even tegen. 'Over een paar minuten staan die reporters waarschijnlijk bij je op de stoep. Misschien dat je beter nog even een nachtje of twee in dat zomerhuisje kunt blijven.'

'Verdomme. Waarschijnlijk heb je gelijk.'

Op de terugweg naar Norris liet ik de hele registratie en mijn vrijlating in gedachten nog eens de revue passeren. Afgezien van de extra vingerafdrukken voor de 'procedure zwaar vergrijp', leek niets van dit alles enig verband te hebben met de verschrikkingen die Jess waren aangedaan. Ik had net zo goed wegens winkeldiefstal kunnen zijn geverbaliseerd. In dat opzicht verschilde het weinig van het papierwerk voor een kleine chirurgische ingreep in een polikliniek. Een rectoscopie was het eerste waaraan ik moest denken. Het strafrechtsysteem bood relatief weinig dramatische momenten, zo realiseerde ik me – net als mijn eigen forensische bezigheden – afgewisseld met lange perioden van vervelend, eentonig werk.

Tijdens mijn één uur en tien minuten als gedetineerde – mij was beloofd dat ik binnen een uur weer buiten zou staan, maar ik ging ervan uit dat ik zelf gedurende ten minste een kwartier vragen had gesteld – had ik een minutieus georkestreerde assemblagelijn doorlopen, in de vorm van een grote U-bocht, met rechts de opname, en links het ontslag, onderling verbonden via een korte gang bij de basis. Enkele procedures hadden onnodig geleken, zoals het afstaan van mijn persoonlijke bezittingen, om die nog geen uur en tien minuten later weer te mogen ophalen. Maar toch vertoonde het hele proces ook een elegante symmetrie, en gaf het me een bevredigend ceremonieel gevoel.

Ik was van de ene kant binnengekomen, ontdaan van bijna alles wat ik bezat, om aan de andere kant weer naar buiten te komen, waar alles me weer was teruggegeven. Ik vroeg me af of diezelfde symmetrie hopelijk ook voor de rest van mijn leven zou gelden. Dat laatste zag ik nog even niet gebeuren. Maar ik hoopte dat dit alleen maar kwam omdat ik nog steeds in de opnameruimte van mijn eigen nachtmerrie gevangenzat.

35

En etmaal nadat ik me voor mijn inhechtenisneming had aangekleed, hees ik me andermaal in dezelfde kleren en stapte ik in de Taurus. Ik voelde me vreemd en opvallend – beschaamd bijna – om in een jasje en das langs de rustieke vakantiehuisjes en over het kampeerterrein te rijden, vooral omdat het de tweede dag op rij was. Hier in de bossen leek het keurige kostuum net zo misplaatst als een korte broek en een T-shirt bij het bezoeken van een symfonieconcert. Maar eenmaal bij de rouwdienst zou ik niet meer opvallen.

Dat Jess godsdienstig was, had ik niet geweten, maar de locatie van haar herdenkingsdienst – St. Paul's Episcopal Church – deed vermoeden van wel, of degene die de plechtigheid had geregeld was gelovig. Wat vreemd, dacht ik terwijl ik weer de buitenwijken van Chattanooga naderde, om iemands lichaam zo intiem te kennen, zoals ik dat van Jess, maar nagenoeg niets te weten over haar geest, of op z'n minst haar overtuigingen. Er waren zo veel dingen die ik nu nooit meer over haar te weten zal komen, dacht ik, en het besef deed me opnieuw wegzakken in een spiraal van verdriet.

St. Paul's was gevestigd in de binnenstad van Chattanooga, drie straten verwijderd van het congrescentrum en praktisch aan de U.S. 27 gelegen, de verhoogde snelweg langs de westrand van het zakendistrict voordat je de Tennessee overstak en in noordoostelijke richting verder door het rivierdal reed. Ik nam de tweede afslag naar het centrum, die me op Pine Street bracht; ik was vroeg, zodat ik de auto bij een parkeermeter direct aan de overkant van de kerk kon neerzetten.

St. Paul's stond boven straatniveau, en de ingang was naast een hoge klokkentoren van rode baksteen, oprijzend vanuit een grijs kalkstenen fundament. Episcopalen, had ik gemerkt, hadden vaak een fijne neus voor architectuur, én het geld om zich erin uit te leven. Terwijl ik de straat overstak naar de trap aan de voorzijde zag ik een aantal politiewagens langs het trottoir geparkeerd staan. Formeel gezien hoorde Jess niet bij de politie, maar ze had wel bij de grotere familie van wetsdienaars gehoord en vandaar dat de erecode zich ook tot haar uitstrekte: je draaft op om je gevallen collega's te eren. Het ongeschreven, duisterder uitvloeisel hiervan, zo had ik door de jaren heen opgemerkt, was dat hoe schokkender het sterfgeval, hoe groter de opkomst, alsof een vertoon van postume solidariteit op een of andere manier kon opwegen tegen de tragedie die een van hen fataal was geworden – of de volgende kon voorkomen.

Toen ik via twee trappen een rond stenen pleintje bereikte, vlak voor de dubbele houten deur die toegang bood tot het schip van de kerk zelf, zag ik aan weerszijden van de ingang een geüniformeerde agent staan. Even dacht ik dat ze misschien een programma uitdeelden, maar hun handen waren leeg en dus concludeerde ik dat ze gewoon een soort erewacht vormden. Een van de agenten keek mijn kant op; ik maakte oogcontact en knikte somber. Hij stapte naar voren om me te begroeten. 'Dr. Brockton?'

'Ja, goedemorgen,' reageerde ik. Ik stak mijn hand uit en las de naam MICHAEL QUARLES op een koperen plaatje op zijn borstkas. 'Hebben wij weleens samengewerkt, agent Quarles?'

'Nee, meneer,' antwoordde hij, 'we kennen elkaar niet. Dr. Brockton, het spijt me, maar u mag hier niet aanwezig zijn.'

'Pardon?'

'U mag hier niet komen.'

'Hoe bedoelt u?'

'Precies zoals ik het zeg, meneer. U mag de kerk niet in; eigenlijk mag u het terrein van de kerk helemaal niet betreden, dus ik moet u verzoeken om via deze trappen weer naar beneden te gaan.'

'Dit is toch de herdenkingsdienst voor dr. Carter?' Hij knikte. 'Ze was een collega en een vriend van me.'

'Dat kan wel zijn,' zei hij, 'maar wij hebben een bevel, ondertekend door rechter Avery, waarin u vandaag de toegang tot de kerk of haar grond wordt ontzegd. Dus ik verzoek u – nee, ik draag u op – om nu weg te gaan.'

Stomverbaasd keek ik hem aan. 'Wie heeft dit bevel aangevraagd?'

'Assistent-officier van justitie Preston Carter.' De ex van Jess dus.

'Dit is niet eerlijk,' protesteerde ik. 'Hij heeft hier helemaal geen reden toe.'

'Naar wat ik heb gehoord, wordt u beschuldigd van de moord op haar,' zei hij. 'Dat zou ik toch een tamelijk goede reden willen noemen. Hoe dan ook, wij staan hier om toe te zien op naleving van een toegangsverbod; u mag dit gebouw niet betreden. Ik geef u drie seconden om hieraan gehoor te geven; doet u dat niet, dan zal ik u aanhouden, meneer.'

'Wie kan ik hierover aanspreken?'

'Een...'

'Ik moet hierbinnen zijn.'

'Twee...'

'Tóé nou. Ik smeek u.'

'Drie.' Hij deed een stap naar voren en pakte me bij een arm. Ik rukte me los uit zijn greep. Terwijl hij me bleef aankijken, reikte hij naar achteren, waar ik wist dat agenten hun handboeien droegen. Met beide handen in de lucht liep ik de trappen af. Hij greep verder niet in. Een groepje toeschouwers dat zich onder aan de treden had verzameld, week uiteen om me door te laten. Een aantal van hen wierp een steelse blik op me; anderen staarden me openlijk aan.

Aan de rand van het groepje zag ik de receptioniste van Jess, met rood omrande ogen. 'Amy,' zei ik, 'wil je alsjeblieft kijken of je ervoor kunt zorgen dat ik naar binnen mag?' Ze boog snel haar hoofd en haastte zich de trappen op. De rest van de kleine schare volgde haar voorbeeld.

De twee agenten hielden me nog steeds in de gaten. Ik keek van het ene onverzettelijke gezicht naar het andere, schudde ten slotte mijn hoofd en stak de straat over naar de Taurus. Terwijl ik wegreed van het trottoir draaide ik mijn raampje naar beneden en stopte om de agenten een lange, laatste blik toe te werpen, die ze uitdrukkingsloos beantwoordden. Ik tilde mijn voet van het rempedaal en reed langzaam in noordelijke richting over Pine Street naar het stopbord bij Sixth Street. Terwijl ik rechts afsloeg, keek ik nog een laatste keer om en ik meende te zien dat agent Quarles iets in de portofoon op zijn schouder mompelde.

Twee straten verder kruiste Sixth Street met Broad Street, de hoofdboulevard door het hart van het centrum. Rechtsaf naar Broad en daarna nog eens rechtsaf naar Martin Luther King Boulevard zou me terug naar highway 27 en van daar naar de I-75 en naar Knoxville voeren. Maar ik ging niet rechtsaf; in plaats daarvan sloeg ik linksaf naar Broad Street, weg van mijn route naar huis. Ik parkeerde bij de eerste meter die ik zag, wierp er vijf kwartjes in en begon naar St. Paul's te lopen. Vervolgens liep ik terug naar de auto; ik deed mijn colbertje uit en mijn stropdas af en zette een pet van de University of Tennessee op. Mijn kleren – een zwarte pantalon, een blauw overhemd met stropdas en zwarte puntschoenen – oogden te opgeprikt voor de pet, maar ik hoopte voor een toerist of een toevallige voorbijganger te kunnen doorgaan als een politieagent niet al te goed keek.

Op de kruising van Sixth en Pine keek ik naar links naar de voorzijde van de kerk. Op het trottoir zag ik geen agenten, maar voor de veiligheid liep ik toch een stukje verder over Sixth, langs een hoog verzorgingstehuis dat St. Barnabas heette, en keerde terug via een steeg tussen het tehuis en de achterkant van de kerk. Een ijzeren hek achter de kerk bood toegang tot een kleine speelplaats; aan de ene kant bevond zich een deur naar wat zich liet aanzien als een vleugel met klaslokalen. Ik probeerde het hek, maar dat zat op slot. Ik keek om me heen, zag niemand, greep de spijlen stevig vast en zette me schrap om eroverheen te klauteren. Het volgende moment dacht ik aan al die ramen van St. Barnabas en aan al die kamers vol bejaarden wier voornaamste vertier weleens kon bestaan uit het naar buiten staren in de hoop iets boeiends te zien. Ik repte me de steeg in naar Pine Street en liep het trottoir op dat aan de kerk grensde.

Nog geen tien meter verder stuitte ik op een zijingang naar de vleugel met klaslokalen. In een diepe overwelfde doorgang, uit het zicht van de hoofdingang en bereikbaar via een stuk of vijf treden, bevonden zich een paar houten deuren. Ik beende de treden op en bekeek ze eens goed. Het waren ouderwetse deuren die in het midden samenkwamen, zonder een zuil ertussen. Het slot zat in de rechterdeur; ik hoopte dat de kerkbeheerder de verticale grendel, die de linkerdeur aan de grond verankerde, had vergeten dicht te schuiven. In dat geval zou een flinke ruk misschien genoeg zijn om beide deuren naar buiten open te krijgen, zelfs als de noodstang vastzat. Ik bleek zelfs nog meer geluk te hebben, want ik rook verse lak op het hout en zag dat er tussen de deuren een kleine wig was geplaatst om ze iets op een kier te laten zodat ze door de natte lak niet aan elkaar zouden plakken. Ik trok de vastgezette deur net genoeg open om me tussen de gelakte randen door te wurmen en duwde hem weer snel achter me dicht.

Mijn gefundeerde schatting was juist geweest: ik bevond me in een vleugel met klaslokalen, die naar ik hoopte in verbinding zou staan met het schip van de kerk. Ik liep de gang door om die verbinding te zoeken. Het rook er naar muffige was en vuile papierwikkels, de onmiskenbare geur van kleurkrijt dat door talloze handjes was vastgehouden. In een nis op de gang, naast een poster van de met dieren volgestouwde ark van Noach, was een grote poppenkast weggestopt. Op de deur van het eerste lokaal hing een poster van Jezus, met het opschrift 'Laat de kinderen tot mij komen'. Binnen stonden houten miniatuurstoelen en -tafels, en iets wat veel weg had van een houten schommelboot. Met een schok herinnerde ik me er opeens net zo eentje uit mijn eigen jeugd, en ook het liedje *Row, Row, Row Your Boat* van vijftig jaar geleden schoot me te binnen, gezongen door juffrouw Eloise, mijn lieve onderwijzeres op de kleuterschool.

Na drie klaslokalen, waarvan het laatste was voorzien van babyboxen, ledikantjes en een aantal schommelstoelen met kussens, kruiste de gang met een andere gang en een trap. Al voordat ik het kon horen, voelde ik vanuit de gang links het zware gedreun van een pijporgel, waarbij de bastonen tot in mijn buik door trilden. Ik liep door een stevige poort, die naar een ouder deel van het gebouw leidde; van daaruit kromde zich een gang om wat volgens mij de apsis van het schip moest zijn, het halfronde gedeelte achter het altaar. Ik liep naar links en binnen nog geen zeven meter vond ik een overwelfde houten deur waar, heel handig, SCHIP op stond. Hij stond iets open. Ik bracht een oog naar de kier en duwde hem nog een paar centimeter verder open. Wat ik zag, deed me terugdeinzen, alsof er op ooghoogte een opgerolde slang had gelegen. Op amper drie meter van me verwijderd bevond zich het hoge altaar, en links zat de organist met zijn gezicht naar mij toe. Ruim drie meter achter hem, nog verder naar links, zat de eerste rij mensen, hun kerkbank aangegeven met een witte boog. Ik herkende het gezicht van de ex-man van Jess. Op dezelfde bank, maar een stukje verderop, zat een vrouw die leek op een zeventigjarige versie van Jess. Haar moeder, realiseerde ik me, en het idee dat een moeder haar kind moest begraven, stemde me opeens treurig. Achter hen zaten, drie kerkbanken diep, in het blauw gehulde politieagenten schouder aan schouder. Achter hen zag ik tot mijn verbazing een elegante zwarte vrouw zitten; haar gezicht ging half schuil onder de brede rand van een hoed, maar ik vermoedde dat het Miss Georgia Youngblood was. Haar zitplaats die ze had uitgekozen – pal achter tientallen gespierde agenten – vormde zo goed als een bevestiging van mijn vermoeden. Voorzichtig trok ik de deur dicht. Deze gunstige uitkijkpost zou me een onovertroffen zicht op de dienst bieden, maar me ook gevaarlijk kwetsbaar maken.

Terwijl de klanken van het pijporgel met mijn gedachten en mijn hartslag aan de haal gingen, bracht de muziek me op een idee. In Engeland en Frankrijk had ik een aantal gotische kathedralen bezocht. De meeste beschikten over een balkon of tussenverdieping rondom het hele schip. Aangezien deze kerk neogotisch was, vroeg ik me af of hier ook een balkon was, en ik besloot nog een blik te wagen. Voorzichtig duwde ik de deur opnieuw open, nu nog geen tweeënhalve centimeter, en werd beloond met een glimp van een donkere galerij met zuilen en bogen, ongeveer zeven meter verderop. In de doorgangen stond een reeks zilvergrijze orgelpijpen, maar de meeste oogden verlaten, en ze leken het hele schip te omringen. Ik repte me terug naar de gang en de trap en beklom vier trappen naar de bovenverdieping. Daar sloeg ik opnieuw rechtsaf en stuitte ik op een andere ouderwetse houten deur. Op deze zat geen bordje, maar hij bevond zich recht boven de vorige, en toen ik mijn hand ertegen plaatste, voelde ik het hout op de bastonen van het orgel meetrillen. Boven aan de deur – buiten bereik van de kinderen van de zondagsschool

– zat een kleine klink, zoals je die in heel Tennessee op hordeuren ziet. Ik haakte hem los, duwde de deur open en trof een donkere, smalle gang van een meter of drie lang naar de bogen die ik van beneden af had gezien. Terwijl ik op de tast naar de dichtstbijzijnde boog liep, hoorde ik links van me een reeks pijpen; ik keek door de nauwe boog voor me naar de overkant van de apsis en zag de andere pijpen. Naast de dreunende lage tonen en hoge trillers en al de tussenliggende octaven hoorde ik de lucht door de pijpen stromen en het geklik van de kleppen diep in het mechanisme van het orgel. De boog verschafte me een panoramisch uitzicht op het altaar en de marmeren structuur die zich er als een zeven meter hoog poppenhuis boven verhief.

Een priester in een wit gewaad schreed langzaam in het zicht; hij droeg een koperen urn van ongeveer dertig centimeter hoog, die hij op een houten standaard voor het altaar neerzette, en ik realiseerde me geschokt dat de urn de 'as' van Jess moest bevatten. Dankzij mijn onderzoek wist ik dat haar as – vermalen stukjes kruimelig been, waarvan de mineralen het enige waren dat de hitte van de oven overleefde – vermoedelijk iets van vijf pond zou wegen. Ik wist dat de chemische samenstelling vooral uit calcium bestond, vermengd met een massa sporenelementen. En ik wist dat Jess, haar wezen, zich niet tussen de sporenelementen in die urn bevond.

Terwijl de priester de treden naar het altaar opliep, bereikte de muziek een crescendo waarbij het glazuur bijna van mijn kiezen en tanden sprong. Het volgende moment verstierven de orgelklanken, en de priester nam het woord.

'Te midden van het leven bevinden we ons in de dood,' begon hij. 'Bij wie kunnen we om hulp komen? Bij U alleen, o Heer, die door onze zonden gerechtvaardigd in woede ontstoken is.'

Vanuit het middenschip klonk een koor van stemmen. 'Heilige God, almachtige Vader en genadige Verlosser,' declameerde de parochie, 'geef ons niet over aan de bitterheid van de eeuwige dood.' O, reageerde mijn hart, maar hoe zit het dan met de bitterheid van het eeuwige leven? Als ik kon, zou ik zo met Jess hebben geruild.

De priester begon een gezang, een hoge bezwering zonder herkenbare melodie. Ik verloor de draad van het verhaal en dus keerde ik in gedachten terug naar de openingswoorden van de dienst. 'Te midden van het leven bevinden we ons in de dood.' Nee, dat is andersom, meende ik. Te midden van de dood waren Jess en ik juist springlevend. Het was ons dagelijks brood. We waren vreemde snuiters, zij en ik: een doctor die nooit een levende patiënt had, en een in een ivoren toren levende profes-

sor die tot aan zijn ellebogen in de dood en de uiteengereten lichaamsde-
len wroette. Zouden we samen een vreemd stel hebben kunnen vormen,
vroeg ik me af, dat in Knoxville of Chattanooga of ergens daartussenin
ruimte, elkaars hart en lijken deelde? Het superkoppel van het rijk der lijken, schoot het door me heen, en ik glimlachte om de grimmige humor,
terwijl me tegelijkertijd de tranen in de ogen sprongen om het verlies van
wat had kunnen zijn. Ik wist dat ik treurde om iets wat nooit echt had
bestaan, behalve in mijn fantasie, maar het verlies sneed toch door tot het
diepst van mijn ziel.

Terwijl de parochie reageerde op iets wat ik niet had gehoord, verschoof
ik wat en ik schopte daardoor per ongeluk tegen een stoel die ik op het
donkere balkon niet had gezien. Hij knarste over de stenen vloer, en de
priester keek op in mijn richting. Terwijl mijn aanwezigheid tot hem
doordrong, sperde hij zijn ogen eerst verrast open en daarna kneep hij ze
halfdicht. De politie had hem vast over mij, de verboden indringer, verteld, en plotseling zag ik hem de dienst – Jess' dienst – al onderbreken om
mij te laten afvoeren. Ik sloeg mijn handen voor mijn borst ineen alsof ik
bad, een gebaar waarvan hij hopelijk de oprechtheid zou inzien. Wie weet
deed hij dat ook wel; misschien zag hij mijn door verdriet getekende
gezicht, of de tranen die langs mijn wangen gleden; misschien wilde hij
de dienst gewoon niet onderbreken. Hoe dan ook, zijn gezicht verzachtte
en hij concentreerde zich weer op zijn tekst. 'O God van genade en glo-
rie,' sprak hij, 'vandaag gedenken wij hier voor U onze zuster Jessamine.
We danken U dat U ons, haar familie en vrienden, haar hebt geschonken,
om haar te kennen en lief te hebben als een metgezel op onze aardse pelgrimsreis. In Uw onbegrensde mededogen, troost ons die rouwen.' Geen
moment keek hij meer omhoog naar mij, maar op dat moment leek hij
alleen tot mij, vóór mij te spreken.

Aan het eind van de dienst nodigde de priester de aanwezigen uit om hem
voor een korte begrafenisplechtigheid op de binnenplaats naast het schip
te volgen. Daarna tilde hij de koperen urn op van het altaar en liep als in
een processie het schip uit.

Ondertussen trok ik me terug in de doolhof van gangen en trappen en
zocht ik op mijn gevoel de richting die de priester had aangegeven. Al snel
belandde ik in een keurige hal net buiten de parochievertrekken; vervolgens in een lange, zonnige gang met vensters waarachter ik een glimp
opving van een omheinde tuin. In het midden van de tuin lag een ver-
zonken ronde binnenplaats, ingelegd met zwarte en witte tegels in het
patroon van een doolhof, een symbool van een spirituele pelgrimsreis. In
een verhoogd bed van bloemen en hosta's stond een standbeeld van een

engel, en aan de rand hiervan zag ik een pas gegraven gat van misschien dertig vierkante centimeter. Daar stond de priester met de urn, en tegenover hem was de menigte samengedromd. Tussen hen herkende ik Preston Carter; ook zag ik de vrouw die ik met één oogopslag als Jess' moeder had herkend. Ze hield haar hoofd bijna uitdagend omhoog – opnieuw iets waarin ik Jess herkende – maar haar gezicht verried hoeveel dit vertoon van kracht van haar vergde. Ze bewaarde afstand van Carter, wat ik opvatte als een teken dat ze hem de oorzaak van de breuk tussen hem en Jess niet had vergeven.

De priester sprak, en ik sloop naar een venster om zijn woorden op te vangen. Net op tijd zag ik dat hij de inhoud van de urn in de grond uitstortte. Hij rechtte zijn rug en bracht beide handen in een zegening omhoog. 'In vaste en zekere hoop op de verrijzenis tot het eeuwige leven via onze Heer Jezus Christus,' zei hij, 'vertrouwen wij onze zuster Jessamine toe aan de Almachtige God, en geven wij haar lichaam prijs aan deze grond. Stof zijt gij en tot stof zult gij wederkeren. De Heer zegene haar en behoede haar, de Heer laat zijn aangezicht over haar schijnen en zal haar genadig zijn, de Heer schenkt haar vrede. Amen.'

'Amen,' fluisterde ik. 'Slaap zacht, Jess.'

36

Via de zijdeur van de kerk glipte ik naar buiten en ongezien wist ik Road Street te bereiken, met andere woorden, zonder te worden aangehouden. Net toen ik achter het stuur van de Taurus was gekropen voor de deprimerende terugrit naar Knoxville, hoorde ik opeens een zachte, bekende stem. 'Praat je niet meer met me?' Miss Georgia was ravissant gekleed in een mouwloze jurk tot op de kuit, die haar elegante lichaam bedekte en tegelijkertijd verpletterend liet uitkomen. De halslijn vertoonde een glimp van een decolleté, en het ondeugende van de kleding werd getemperd, en gek genoeg ook weer benadrukt, door de pikzwarte doorkijkstof die de halslijn bedekte. Een paar zwarte handschoenen en de breedgerande hoed, afgezet met veren, die ik haar ook al in de kerk had zien dragen, completeerden het geheel. Miss Georgia tilde een naaldhak op en plaatste hem op de treeplank. Door de beweging, en dankzij de lange split, viel de jurk open en onthulde deze een netkous, jarretel en daarboven zo'n tien centimeter ontblote dij. Het was een elegante, vrouwelijke dij, en wederom verbijsterde het me te bedenken dat Miss Georgia eigenlijk geen vrouw was. 'Dr. Bill, gecondoleerd met het verlies van je vriendin,' zei ze. 'Ik zag het op tv, en ik heb gehuild, gehuild en nog eens gehuild. Ze was een kanjer.'

'Zeker weten,' zei ik.

'Waarom liet de po-lítie je niet toe in de kerk? Je hield toch van haar?'

Ik knikte. 'Dat denk ik wel, ja. Het zou gekund hebben. Ik begon daar net achter te komen.'

'Nou en of. Laatst, in die club, straalde het van je gezicht af. En zij zag jou ook helemaal zitten, hoor; ik heb het haar zelf gevraagd, en ze zei het! Als iemand het recht had om op die begrafenis te zijn, was jij het wel. Jij en haar mams. Wie heeft die smerissen eigenlijk verteld dat ze je moesten tegenhouden?'

'Haar ex-man,' antwoordde ik. 'Ik denk dat hij denkt dat ik haar heb vermoord. En dat denkt ook rechercheur John Evers. En de officier van justitie.'

'Jij?!' Miss Georgia wierp haar hoofd in haar nek en schaterde haar hoge, klaterende lach waarvan het vrouwelijke karakter enigszins werd getemperd door de manier waarop haar dansende adamsappel zich manifesteerde. 'Dr. Bill, je bent zo mak als een babylammetje,' sprak ze. 'Jij doet de vrouwtjes geen kwaad, en al helemaal niet als je een dame ziet zitten. Ik heb zin om die ex-vent van d'r eens een flinke pets om z'n oren te verkopen, hem es goed bij de les te meppen. En ook die twee agentjes.' Ze grijnsde wellustig. 'Vooral die bleekscheetjes in hun uniformpjes, die snákken ernaar om eens door een langbenige Nubische godin te worden aangepakt.'

Ik moest ondanks mezelf glimlachen. 'Ik waardeer het dat je het voor me wilt opnemen, Miss Georgia, maar ik zal zelf mijn eigen broek moeten ophouden.'

'Broek?! Man, ik háát dat woord. Geef mij maar een jurk. Jurken en japonnen, daar hou ik van. Nou, de volgende keer dat iemand je het leven zuur maakt, krijgt ie met mij te maken. Zullen we eens zien wie er het laatst lacht.'

'Goed,' zei ik. 'De volgende keer dat de politie – po-lítie – me het leven zuur maakt, geef ik wel een gil.' Ze gaf me een overdreven, instemmende knipoog.

'Zeg, dr. Bill, ik heb iets ontdekt over die zaak waar jij en Jess mee in de weer waren.'

Op de hoek was een koffieshop, Ankar's Downtown, dus ik stelde voor daar even wat te gaan eten en verder te praten. 'Nou, kijk, eh, ik moet mijn meidenfiguurtje natuurlijk goed in de gaten houden, hè? Maar een glas zoete ijsthee lijkt me helemaal het einde.' Ik hield de deur voor haar open, bestelde twee ijsthee en een zakje chips, waarna we een hoekje zochten waar we ver genoeg van het handjevol klanten vandaan zouden zitten. Hoofden draaiden zich om terwijl we naar onze plek liepen en Miss Georgia straalde naar degenen die haar aangaapten, alsof ze het als een eerbetoon beschouwde. En misschien was dat in zekere zin ook zo.

Toen we waren gaan zitten, trok ze haar handschoenen uit, legde ze deze op tafel en zoog ze door haar rietje van haar ijsthee, om vooral haar koraalrode lippenstift niet te bezoedelen. 'Hmm,' zuchtte ze, 'zó verfrissend.' Ik nam een slok van de mijne en stak chips in mijn mond. Het was dikke ribbelchips, en het kraakte luid. Afkeurend haalde Miss Georgia haar neus op.

'Je zei dat je iets had ontdekt,' zei ik. 'Vertel maar.'

Ze reikte onder de tafel en trok een opgevouwen stukje papier tevoorschijn dat ze, zo vermoedde ik, achter haar jarretelkous had gestopt. Ze vouwde het open en ik zag de twee compositietekeningen van Craig Willis, zowel als travestiet als in gewone mannenkleding. 'Ik informeerde even bij wat vrienden – vriendjes en vriendinnetjes – over deze "figuur" waar jij en Jess zich het een en ander over afvroegen.'

'O, maar nadat ik je gesproken had, hebben we hem aan de hand van vingerafdrukken al kunnen identificeren, hoor.' Ik legde uit dat ik de huid van de hand had gevonden en hoe Art die als een handschoen had aangetrokken om zo de vingerafdrukken te kunnen nemen.

'Fa-sci-né-rend, dr. Bill,' zei ze. Het klonk in elk geval gemeend en ik waardeerde het compliment. 'Een van mijn vriendjes herkende de tekening – de normale dan, niet die in die truttige Dolly Parton-outfit. Die vent is helemaal geen travo; die klootzak is een *chicken hawk*, een "kiekendief", sorry dat ik het zo moet zeggen, dr. Bill.'

'Kiekendief? Wat is een kiekendief?'

'Een vogel. En ook een pedofiel. De kiekendief scheert omlaag en grist kleine baybykipjes mee. Er is zelfs een kiekendiefbelangengroep: NAMBLA, zo noemen ze zich. Staat voor: *North American Man-Boy Love Association*. De NAMBLA vindt dat mannen seks met jongens van elke leeftijd mogen hebben, zolang het maar met instemming van de jongen gebeurt.' Ze zweeg even, en voegde eraan toe: 'Wat "instemming" voor een kind van zes ook mag betekenen.'

'Je lijkt aardig op de hoogte te zijn,' zei ik.

Miss Georgia wendde haar hoofd af. Toen ze me weer aankeek, ontwaarde ik een diepgeworteld verdriet in haar ogen. 'Je kent die boom toch wel waar ze het in de bijbel over hebben, die boom van goed en kwaad?' Ik knikte verbijsterd; Art en ik hadden er het een paar weken geleden, een eeuwigheid, toevallig ook nog over gehad, en in dezelfde context. 'Jaren geleden werd ook ik verleid om in wat fruit te happen, zeg maar. Zodra je daarvan eet, kom je er de rest van je leven niet meer van af, dr. Bill.'

Opeens had ik met haar te doen, maar ik wilde niet vorsen en kon ook even geen elegante manier bedenken om uiting te geven aan mijn gevoelens. In plaats daarvan vertelde ik haar dat Craig Willis in Knoxville wegens kindermisbruik was gearresteerd, kort voordat hij naar Chattanooga verhuisde. Ze knikte. 'Kijk, dat bedoel ik dus,' zei ze. 'Die avond bij Alan Gold's vertelde ik je al dat ik iemand in zo'n zielige travo-outfit van z'n levensdagen niet meer zou vergeten.'

'Dus een kiekendief kan nooit een travestiet zijn?'

Voor de tweede keer in evenzoveel minuten leek Miss Georgia opeens even niet op haar gemak. 'Zeg nooit nóóit, dr. Bill. Er lopen heel wat verknipte figuren rond op deze wereld. En travo's zijn soms wel het meest verknipt.' Ik keek Miss Georgia even goed aan, zoekend naar een glimp van ironie, maar bespeurde niets daarvan. 'Maar dat vriendje van me zegt dus dat hij zich deze vent helemaal niet in vrouwenkleren kan voorstellen.'

'Maar zo was hij wel gekleed toen hij stierf,' wierp ik tegen.

'Toen hij z'n laatste adem uitblies, of toen jullie hem vónden?'

'Maar wat is dan de...' Opeens zag ik waar ze heen wilde. 'Je denkt dat degene die hem vermoordde hem met een bepaald doel in vrouwenkleren heeft gehesen?'

'Hm-hmmmm.'

'Waarom?'

'Jij bent het forensisch genie, dr. Bill. Wat denk je zelf?'

'Om het er als een haatmoord uit te laten zien?'

'Zie je wel, schat. Je weet het best! Het kwartje moet alleen even vallen. Net als toen het kwartje viel en je wist dat je Miss Jess helemaal zag zitten.'

'Maar de dader wist dat hij een pedofiel was, dus kan het nog steeds een haatmoord zijn.'

'Ja, en nee,' was haar reactie. 'Een ander soort haat maakt het dus tot een ander soort misdrijf.'

In mijn hoofd begon langzaam maar zeker iets helder te worden. 'Een ander soort haat dus, en een andere manier van vermoorden, dat betekent dus...' Miss Georgia spoorde me met een bemoedigende knik aan. 'Dat betekent dus een ander soort dader. Iemand die om een andere reden iemand anders vermoordt.'

'Dr. Bill, wat ben je toch briljant.'

'Hou op, zeg,' zei ik. 'Nu klink je echt uit de hoogte.' Haar schaterlach weerkaatste door de koffieshop. Weer werd er in onze richting gekeken. 'Dus in plaats van een of andere heikneuter die bij de aanblik van een man in vrouwenkleren meteen naar zijn geweer grijpt, moeten we op zoek gaan naar iemand die pedofielen haat, en die misschien wraak op iemand heeft willen nemen?'

Miss Georgia keek bedenkelijk. 'Je denkt aan een klein jochie dat uit moorden gaat?' Ze schudde haar hoofd. 'De slachtoffers van die vent zijn daar nog lang niet oud genoeg voor. Bovendien, een misbruikte jongen zou zelf weleens een kindermisbruiker kunnen worden. Bagger stroomt altijd omlaag, zeggen we hier in Chattanooga. Jullie in Knoxville misschien niet. Want hoger gelegen, en zo.'

'Nou, met Craig Willis ging het duidelijk bergafwaarts,' bevestigde ik.

'Maar als het niet een van zijn eigen slachtoffers was, wie dan wel?' Miss Georgia sloeg haar ogen ten hemel en trommelde met haar vingers op het tafelblad. Eindelijk drong het tot me door. 'Een ouder,' zei ik. Ik dacht meteen aan mijn kleinzoons en hoe razend ik zelf zou zijn als iemand hen zou misbruiken. 'Of een grootouder.' Ik dacht aan Art, aan zijn onderhuidse woede jegens de monsters die hij dag in, dag uit, op internet volgde, en aan wat hij me had verteld over de agent die Craig Willis had betrapt terwijl die zich aan een jongetje, ene Joey Scott, vergreep. Ik vroeg me af hoe het voor die agent moest zijn geweest om te zien dat Willis, zonder zelfs maar voor de rechter te zijn verschenen, weer op vrije voeten was gekomen. 'Of een gefrustreerde agent.'

Stralend keek Miss Georgia me aan. 'Kijk, nu laat je dat megabrein van je eindelijk eens werken, dr. Bill.' Ze zoog nog eens aan haar rietje en fronste. 'Dit rietje geeft me totaal geen bevrediging. Ik denk dat ik dat zuigen een beetje ben verleerd.' Ze knipoogde naar me, tuitte haar lippen en liet deze weer over haar rietje zakken. 'Ach, wat kan mij het ook bommen,' klonk het opeens op een wat omfloerster toon. Ze legde het rietje op tafel, bracht haar glas naar haar mond en leegde het in drie grote, door haar adamsappel benadrukte slokken. Ze zette haar glas neer en keek me aan met een blik die ik nog niet eerder had gezien. Ze leek opeens verlegen, bang, en ontdaan van de maniertjes en het vertoon waar ze zich tot nu toe bijna voortdurend achter had verscholen. 'Dr. Bill, mag ik je iets vragen? Het is nogal een persoonlijke aangelegenheid.'

Ik kon me moeilijk voorstellen wat er nog persoonlijker kon zijn dan de gespreksronde waar Miss Georgia zojuist naar hartelust doorheen was gebanjerd. Ik knikte behoedzaam. 'Ga je gang.'

'Ik heb een paar operaties gehad. Deze borsten, misschien dat ze je zijn opgevallen?' Ik knikte weer. 'Als een eerste stap, snap je? Alvast een voorproefje, om te kijken of ik het wel zie zitten om een echte vrouw te worden.'

'En?'

'Ik denk dat ik er helemaal voor wil gaan.'

'En dat "helemaal" betekent wat ik denk dat het betekent?'

'Als je denkt: Lorena Bobbitt, dan denk je goed,' was het antwoord. 'Maar het is veel gecompliceerder. Een geslachtsveranderende operatie, zo noemen ze het. En denk maar niet dat ze de hele boel gaan snoeien, hoor. Ze trekken het binnenstebuiten, zeg maar, met ook nog flink wat plooiwerk. De zak met knikkers wordt geleegd en ze verwijderen het grootste deel van de hydrauliek, als je begrijpt wat ik bedoel. Maar daarna maken ze een vagina en zelfs een kleine clitoris, met zenuwuiteinden en alles.' Ze keek dromerig. 'Ik heb foto's gezien. Ik zou eruit kunnen zien als een echte vrouw. En ook kunnen vrijen als een echte vrouw. Alles, behalve ongesteld zijn en kinderen krijgen, maar ja, wie zit daar nu op te wachten?'

'Het klinkt anders behoorlijk ingrijpend, die operaties,' vond ik. 'Je weet zeker dat je dat wilt?'

'Heel zeker, dr. Bill. Al sinds bij mij de puberteit toesloeg, probeer ik uit dit mannenlijf te stappen. Het zit gewoon niet lekker, snap je?'

'Tja, zelf vind ik het wel meevallen. Voor jou zal dat anders zijn. Maar je wilde me iets vragen?'

'In het Medical Center van Knoxville werkt een plastisch chirurg die behoorlijk goed schijnt te zijn. Hij is opgeleid in Frankrijk, bij de chirurg die deze hele operatie heeft bedacht.' Ze aarzelde even. 'Een tijdje geleden heb ik een afspraak gemaakt. Als ik aan de beurt ben, en alles achter de rug is...' Ze zweeg.

'Ja?'

'Kom je me dan opzoeken in het ziekenhuis, dr. Bill?'

Ik schoot in de lach. 'Dat is het? Dat was wat je me bijna niet durfde te vragen? Godsamme, Miss Georgia, ik zal met geen paard zijn tegen te houden.'

Toen we even later weer naar mijn doodsaaie witte auto liepen, haakte ze haar arm in de mijne. Toen ik instapte, boog ze zich naar me toe en gaf ze me een kus op mijn wang. Ik kuste de hare. Hij voelde glad en zacht, als die van een echte vrouw, en het was het meest vertroostende en warmste moment sinds ik vijf dagen daarvoor Jess' onteerde lichaam op de Bodyfarm had aangetroffen.

Ik besloot om niet de snelweg naar Knoxville te nemen, maar om een andere route te pakken, in de hoop dat het mijn gedachten een beetje van Jess zou kunnen afleiden. En dus nam ik de U.S. 27, die ongeveer achthonderd meter vanaf het zeeaquarium met zijn glazen dakconstructie stroomafwaarts de rivier overstak. Het was al jaren geleden sinds ik voor het laatst de U.S. 27 had genomen. Sindsdien was deze snelweg voor het grootste deel vierbaans, maar de omgeving was eigenlijk altijd onveranderd gebleven. De weg liep min of meer parallel aan de I-75. Beide liepen vanuit Chattanooga in een noordoostelijke hoek omhoog, maar terwijl de I-75 door het breedste en vlakste deel van Tennessee liep, voerde de U.S. 27 zo'n 32 kilometer naar het westen, langs de voet van Walden Ridge, de mond van de woeste Chickamauga Gulch en de oostelijke helling van het Cumberland Plateau.

Na zo'n veertig minuten rijden vanuit Chattanooga passeerde ik Dayton en spontaan hield ik links aan, richting het zakendistrict. Aan de noordrand van het vier huizenblokken tellende centrum zag ik links een mooi, oud gerechtsgebouw van twee verdiepingen, opgetrokken uit baksteen, met een even zo hoge klokkentoren die hoog boven het gebouw uitstak.

Het voelde bijna letterlijk als een stomp in mijn maag: dit was het gerechtsgebouw waar William Jennings Bryan en Clarence Darrow de zaak John Scopes hadden behandeld, de leraar scheikunde die in 1925 was gearresteerd omdat hij de evolutieleer doceerde. Had mijn onderbewuste me met opzet deze route ingefluisterd, zodat ik langs deze historische plek zou komen, een omstreden plek en symbool van een discussie die tegenwoordig nog net zo hevig was als tachtig jaar geleden? Waarschijnlijk wel, zo leek me.

Langs Main Street was nog volop parkeerruimte en – dit als onweerlegbaar bewijs dat Dayton maar een klein stadje was – zonder dat er ook maar een parkeermeter te bekennen viel. Ik parkeerde recht tegenover het gebouw en wandelde over het schaduwrijke gazon naar de hoofdingang. Links daarvan stond een levensgroot bronzen beeld op een voetstuk. Volgens de inscriptie betrof het hier William Jennings Bryan, senator en driemaal presidentskandidaat, bijgenaamd 'The Great Commoner' vanwege zijn affectie voor het gewone volk. Bryan, destijds al bekend vanwege zijn grimmige uitspraken over de nihilistische implicaties van de evolutieleer, mocht aantreden als woordvoerder namens de aanklagers. Ik keek om me heen en zocht naar een tweede standbeeld, namelijk dat van de hoofdadvocaat die Scopes verdedigde: Clarence Darrow. Net als Bryan gold ook Darrow als een gigant. Zijn bewonderaars noemden hem 'The Great Defender' en zijn tegenstanders 'Attorney for the Damned'. Als Darrow hier in de vorm van een standbeeld vertegenwoordigd was, dan stond hij in elk geval op een goed verborgen plek.

Terwijl ik mijn gedachten over deze plastische ongelijkheid liet gaan, verscheen er een wat oudere heer uit het gerechtsgebouw. Hij liep naar me toe en groette me. 'Waar staat Darrow?' vroeg ik. 'Het lijkt me toch dat beide advocaten hier een standbeeld verdienen.'

'Als iemand met het geld over de brug komt, zetten we hem er graag bij, hoor,' antwoordde de man. Hij bleek de onbezoldigd curator te zijn van het Scopes Trial-museum in het souterrain. Het gerechtsgebouw was net gesloten, maar toen de man hoorde dat ik van buiten de stad kwam en graag even de rechtszaal wilde bekijken, was hij zo hoffelijk me niet alleen de rechtszaal, maar ook het museum te laten zien.

Mijn binnentreden in de rechtszaal was een stap terug in de tijd. De zaal nam de gehele eerste verdieping in beslag. Overal hoge ramen en een *stamped-tin* metalen reliëfplafond dat een perfect contrast vormde met de gebutste houten vloer. Zelfs de zitplaatsen, oude aan de vloer verankerde houten stoelen in auditoriumstijl, waren origineel. Ik nam plaats op een van de stoelen voorin en beeldde me in hoe Darrow en Jennings elkaar, en elkaars principes, verbaal te lijf gingen: Darrows standvastige geloof in de vrijheid van het individu en het recht op zelfbeschikking versus Bryans hardnekkige geloof in de noodzaak van goddelijke verlossing. Met hun openingspleidooien hadden ze al meteen hun posities ingenomen. 'Niet Scopes,' zo verklaarde Darrow, 'maar de beschaving staat hier terecht.' Bryan zette zelfs nog zwaarder geschut in: 'Als de evolutie wint, is het gedaan met het christendom.'

Dat de hele zaak vooral een mediaonderwerp was, wist ik al jaren, maar wat ik me pas goed realiseerde nu ik de stukken in het museum in het souterrain bekeek, was hoe minutieus het van begin tot eind als een publiciteitsstunt was georkestreerd. De anti-evolutiewet van Tennessee uit 1925 viel niet te ontkennen, en hetzelfde gold voor het voornemen van de ACLU, de American Civil Liberties Union, om dit aan te vechten. De rechtszaak zelf was bijna puur theater, het geesteskind van de lokale zakenlieden, kamer van koophandeltypes die op deze manier het stadje Dayton op de kaart hoopten te zetten. Toen ook in andere, grotere steden in Tennessee de protesten tegen de nieuwe wet weerklonken, wisten de Dayton-promotors op slinkse wijze de procesdatum op te schuiven zodat Knoxville en Chattanooga niet met de eer zouden gaan strijken. Zelfs de gedaagde, de ernstige John Scopes, speelde een spel: hij doceerde scheikunde, en geen biologie, en was overgehaald om de rol van educatieve martelaar op zich te nemen als een bijdrage aan de economische redding van het stadje. Verscheidene studenten werden voorzichtig gemanipuleerd om te bevestigen dat, jawel, de heer Scopes inderdaad had gedoceerd dat de mens afstamde van aapachtige voorouders. Toen tijdens het proces op een gegeven moment een formeel punt aan de orde kwam dat de aanklacht tegen Scopes nietig dreigde te verklaren, haastte Darrow – the Great Defender! – zich het hof ervan te verzekeren dat de verdediging die weg niet wilde bewandelen. Hij hoopte dat hij de zaak zou verliezen zodat hij verder kon procederen, tot het Amerikaanse hooggerechtshof aan toe. Kortom, het nobele script van *Inherit the Wind* ten spijt, was deze cruciale zaak binnen de Amerikaanse rechtsspraak net zozeer doorgestoken kaart als een professionele worstelwedstrijd.

Geheel volgens de opzet delfde de evolutie in Dayton het onderspit en leek het christendom te zegevieren. Maar zelfs toen vertoonde de victorie weinig glans. Bryan – die in de getuigenbank had plaatsgenomen om het waarheidsgehalte van de bijbel te verdedigen – werd in de pers geportretteerd als een 'meelijwekkende, murw geslagen bokser'. Zes dagen na het proces overleed de Great Commoner thuis in zijn woning, ergens in Dayton.

Te ontdekken hoe grondig deze 'toonaangevende' rechtszaak als een schijnproces was voorbereid, voelde lichtelijk deprimerend. Het betreurde me te moeten zien dat ons rechtssysteem net zo gevoelig was voor eigenbelang en publieksmanipulatie als, bijvoorbeeld, verkiezingscampagnes. Aan de andere kant plaatste deze hele ontmaskering mijn bananen- roomtaart in een breder historisch perspectief. Als Bryan de 'Great Commoner' was en Darrow de 'Great Defender', misschien – heel misschien – dat de geschiedenis dr. Brockton dan als de 'Grote Slagroomtoef' zou boekstaven. Met een beetje geluk zou ik op z'n minst een sponsor- contract met dr. Oetker kunnen binnenslepen.

37

Toen ik op de ochtend na Jess' begrafenis ontwaakte, was het daglicht dat door de stoffige horren van het vakantiehuisje viel zelfs grauwer dan gewoonlijk. Ik rolde me om op mijn harde matras en drukte mijn neus tegen het raam. Turend door het groezelige glas en het stof en de spinnenwebben van de hor, meende ik – hoewel het moeilijk te zien was – donkere wolken boven de boomtoppen te zien scheren. Wat inhield dat het redigeren van mijn boek binnenshuis zou moeten gebeuren, bij het licht van een petroleumlamp. Hoewel het een romantisch beeld leek – terug naar de tijd van Abe Lincoln, zeg maar – wist ik dat een hele dag naar kleine lettertjes turen me uiteindelijk op een paar stijve schouders en een knallende koppijn zou komen te staan. Terwijl ik worstelde met de keuze, een depressie als ik niet zou doorwerken versus koppijn en een stijve nek als ik dat wel deed, ging plots het mobieltje af dat Jeff me had geleend. PRIVÉGESPREK meldde het displaytje, en dus overwoog ik niet op te nemen. Stel dat een journalist het nummer had weten te achterhalen. Maar bij de derde toon besloot ik dat ik me overdreven paranoïde gedroeg. Iemand wilde me spreken. Ik wilde weliswaar alert blijven, maar ik wilde niet dat de achterdocht met me aan de haal ging.
'Ja?'
'Bill? Met Art.'
Ik voelde dat mijn schouders zich ontspanden, niet alleen omdat het geen journalist was, maar ook omdat het iemand was die nog altijd vertrouwen in me had. Ik had het nummer op Arts voicemail en op die van Miranda ingesproken, en had het ook aan Peggy, mijn secretaresse, Burt DeVriess en zijn assistente Chloe doorgegeven. Dit kringetje, plus Jeff, leek de optelsom van de weinige mensen op wier loyaliteit en vertrouwen ik nog kon bogen. Het was niet veel, maar het was prima volk om aan mijn kant te hebben. Met als ranzige uitzondering Burt DeVriess, maar hij was wel een cruciale toevoeging.
'Hallo Art, hoe staat het met de pedofielenjacht?'
'Ik heb gisteren een afspraakje gemaakt met een van mijn vriendjes. We zouden elkaar in de cafetaria van het winkelcentrum treffen. Hij is niet komen opdagen. Ik voel me afgewezen.'

'Je denkt dat hij onraad ruikt? Dat hij doorheeft dat Tiffany in werkelijkheid een smeris is?'

'Misschien. Maar volgens mij is hij gewoon wat schichtig. Gisteravond stuurde ik hem een gekwetst e-mailtje, en hij schreef me terug om zijn excuses aan te bieden. Een of andere suffe smoes over druk op het werk. Soms vereist het twee of drie pogingen om die gasten over de streep te trekken, hoewel ik me afvraag of ze niet gewoon bang zijn of dat ze misschien nog een greintje geweten hebben. Maar ik heb hem laten weten dat we elkaar een weekje of zo met rust moeten laten.'

'Je speelt verstoppertje?'

'Nee. Ik ben er even mee gekapt, eigenlijk. Ik dacht, misschien is er een nuttiger en mooiere taak voor mijn onderzoekstalenten weggelegd.'

'Nuttiger en mooier dan pederasten betrappen? Wat is er nou beter dan dat?'

'Uitzoeken wie Jess heeft vermoord. Uitzoeken wie jou daarvoor laat opdraaien. Ik heb de hele week vrij genomen. Kunnen we niet een plan bedenken of zoiets?' Arts generositeit verbaasde en emotioneerde me. 'Bill? Ben je daar nog?'

Ik moest even mijn keel schrapen voordat ik verder kon praten. 'Ja, ja. Ik ben er nog. Bedankt, Art. Bedankt.'

'Jij zou voor mij toch hetzelfde doen?'

'Ja,' antwoordde ik. 'Zeker weten.'

'Nou, dan staan we dus quitte. Heb jij al een paar briljante ideeën over hoe we deze afgrijselijke moordenaar kunnen pakken?'

'Tot dusver nog niet.'

'Geeft niks. Ik ging daar ook niet van uit. Maar gelukkig voor ons, heb ík wel iets te bieden.'

'Gelukkig maar. En?'

'Ik krijg het maar niet uit mijn hoofd dat de moord op Willis en de moord op Jess op de een of andere manier met elkaar verbonden zijn. Excuses voor de woordspeling. Jess had net Willis' naam aan de media bekendgemaakt en dat is de enige zaak waar jij samen met Jess aan werkte. Ja toch?'

'Klopt. Ik moet de hele tijd aan Willis' moeder denken. Het was zo vreemd, zoals ze zich gedroeg. Alsof het feit dat hij dood was haar minder kon schelen dan de manier waarop Jess hem in de media had beschreven. Bijna alsof zijn reputatie belangrijker was dan zijn leven.'

'Maar rouw is een merkwaardig fenomeen,' zei Art. 'Mensen uiten hem op de gekste manieren. Het zou een vreemde vorm van ontkenning kunnen zijn geweest.'

'Misschien. Maar in dat geval zou de moord op Jess daar een verlengstuk van kunnen zijn,' opperde ik. 'Eerst werd Jess aangevallen, daarna volgde de ultieme afrekening. Het zou passen bij de dreigbrief die bij mij dwars door het raam vloog.'

'Maar je zei toch dat die van een van die protesterende creationisten afkomstig was?'

'Daar leek het wel op, ja. Wie weet probeerde ze me op een dwaalspoor te brengen. Maar goed, er is nog een mogelijkheid.'

'Namelijk?'

'De agent die Craig Willis op heterdaad betrapte. Gezien het feit dat hij binnenstormde, zich niet aan de procedures hield en Willis zelfs lichtelijk hardhandig aanpakte, lijkt hij me nogal een rouwdouwer. Zou hij in staat zijn geweest om Willis om te leggen toen de zaak werd geseponeerd?'

'Wie weet,' meende Art. 'De scheidslijn tussen een goeie en een slechte smeris is soms behoorlijk dun. Je overtreedt hier en daar een regeltje, en voor je het weet, zet je de hele boel naar je eigen hand. Maar toch, van het afmaken van een pedofiel naar het vermoorden van een lijkschouwer om een forensisch wetenschapper ervoor te laten opdraaien, lijkt me nogal een stap.'

'Hmmm. Dat klinkt inderdaad nogal extreem,' gaf ik toe.

'Moet je horen,' ging hij verder, 'als ik hem eens opspoor en een praatje met hem maak? Wie weet heeft hij een paar vermoedens over andere figuren die Willis graag dood zagen, en of ze ook tot dat andere gedoe in staat zouden zijn.'

'Wil je dat ik met je meega?'

'Nee,' was het antwoord. 'Laat mij maar met hem praten. Smerissen onder elkaar. Maar denk je dat je een risico loopt als jij even bij mevrouw Willis langsgaat?'

Ik voelde me onzekerder dan ik wenste toe te geven. 'Ik red me wel,' zei ik, hopend dat Art wel beter zou weten en het me toch zou ontraden. Niet dus.

'Laten we elkaar bijpraten na de lunch. Rond enen geef ik je een belletje, tenzij jij me voor bent. O, je weet waar mevrouw Willis woont?'

'Eh, nee.'

'Geen punt. Ik heb toevallig haar adres bij de hand.' Hij las het op. Ze woonde in een straat met kleine bungalows bij de West High School. Ik kende de buurt goed.

Blij te zijn verlost van een dag turen bij een flakkerend licht, at ik eerst een kom Cheerios Honey Nut, die ik ondanks Jeffs protesten had gekocht, nam ik daarna snel een douche in het badhuis en hees ik me ten slotte in een kaki broek en een poloshirt voor de rit naar Knoxville. Nog steeds was ik de best geklede gast in het park – voor mij een waarlijk verbijsterende eer – maar van mijn zondagse pak (en detentiekleding) was ik in elk geval terug bij *casual*.

Een van de rijstroken van de I-75 was afgesloten wegens wegwerkzaamheden en dus was het filerijden geblazen. De rit naar Knoxville, normaliter een halfuurtje, nam ditmaal bijna een uur in beslag. Ik nam de afslag Papermill Drive, dankzij een uitgebreide knooppuntaanpassing al sinds een paar jaar eveneens een flessenhals, en vervolgde mijn weg door de slingerende woonstraten naar Sutherland Avenue, de belangrijkste toegangsweg naar West High en de buurt waar mevrouw Willis woonde. Net toen ik aan de overzijde van de straat voor haar woning mijn auto had geparkeerd, verscheen ze in de deuropening. Ze droeg werkkleding; een spijkerbroek, een afgedragen T-shirt en laarzen, met in haar hand een heggenschaar. Ze liep naar een bukshaag langs de voortuin en fanatiek ging ze de nieuwe uitlopers te lijf.

Mijn fototoestel lag in het middenvakje naast de passagiersstoel. Impulsief haalde ik het tevoorschijn en ik zoomde in op haar gezicht. Ze keek bijna net zo kwaad als de dag toen ze mijn werkkamer was binnengestormd, en in gedachten zag ik de worsteling weer helemaal voor me. Kijk, dacht ik bij mezelf, ik durf te wedden dat die vrouw één vat razernij is. Een moeder wier zoon uiteindelijk een pedofiel blijkt die daarna vermoord wordt... welke moeder zou daar niet behoorlijk haatdragend van worden? Ik maakte wat foto's, borg de camera op en stapte uit.

'Mevrouw Willis,' riep ik vanaf de overkant, 'zou ik even met u mogen praten?'

Langzaam draaide ze zich om. Op het moment dat ze me herkende, werden haar ogen fel. 'Wat wilt u?'

'Ik wil even met u praten over dr. Carter,' zei ik.

'Dr. Carter is dood,' beet ze me toe. 'En dat is maar goed ook. En u draait daarvoor de bak in, en ook dat doet me deugd.'

'Ik heb dr. Carter niet vermoord,' zei ik. 'Daar had ik helemaal geen reden voor.'

'Interesseert me geen donder. Ik ben blij dat ze dood is en ik hoop dat u de doodstraf krijgt. Volgens de krant gaan ze daar misschien op aansturen.'

Het gesprek verliep niet bepaald zoals ik had gehoopt. Ik probeerde te bedenken wat brigadier John Evers zou doen als hij mevrouw Willis zou ondervragen, maar het enige wat me te binnenschoot was het gevoel van zijn knie die zich tussen mijn benen drong, koers zette naar mijn kruis en me een extreem opgelaten gevoel bezorgde. Niet een tactiek die ik bij deze mevrouw kon gebruiken, laat staan bij een mevrouw met een heggenschaar in de hand.

'Volgens mij bestaat er misschien een verband tussen de dood van uw zoon en die van dr. Carter,' probeerde ik, in de hoop een beroep te doen op haar moederlijke instincten. 'Dr. Carter en de politie van Chattanooga waren bezig de moord op uw zoon op te lossen toen ze werd vermoord.' Ze zei niets, maar liet wel de heggenschaar naast haar heup zakken. Ik vatte het op als een bemoedigend teken. 'Enig idee wie uw zoon kan hebben vermoord?'

'Ik heb al met die rechercheurs uit Chattanooga gesproken,' was haar antwoord. 'Toen heb ik ook al gezegd dat ik me niet kon voorstellen waarom iemand het op Craig had voorzien.' Zelf kon ik wel wat redenen bedenken, maar het leek me verstandiger om daar nu even niet op in te gaan.

Een opmerking van Miss Georgia Youngblood, iets wat ze me over pedofielen had verteld, schoot me te binnen: bagger stroomt altijd omlaag. Op de een of andere manier associeerde ik het met de uitdrukking 'wat jij hebt geleerd, leer dat een ander', en ik vroeg me af of mevrouw Willis enig licht kon laten schijnen op haar zoons ziektebeeld. 'Mevrouw Willis,' vroeg ik, 'herinnert u zich dat Craig ongeveer tien jaar oud was? Kunt u hem zich op die leeftijd nog herinneren?'

'Natuurlijk,' antwoordde ze. 'Ik herinner me hem op elke leeftijd. Hoezo?'

'Ik dacht, misschien is er in die tijd iets gebeurd. Iets waar hij nogal van is geschrokken, wat hem heeft beroerd.' Haar ogen schoten heen en weer terwijl ze nadacht. Eventjes leek ze iets gevonden te hebben, want ze staarde ineens voor zich uit, en zich verbijtend, wendde ze het hoofd af. 'Een voorval misschien, iets wat de recente gebeurtenissen enigszins zou kunnen verklaren?' verduidelijkte ik.

Ze keek me aan. 'Wat voor voorval? Waar hebt u het over?'

Ik zag geen ander alternatief dan open kaart te spelen. 'Misschien iets waarbij... waarbij een oudere man... iets met Craig heeft uitgespookt. Iets seksueels.' Ze staarde me aan. 'De reden dat ik dit vraag,' stamelde ik, 'is dat wanneer een jongen zoiets overkomt, hij later zelf... misschien...'

Zelfs al had ik de rest van mijn zin kunnen afmaken, dan nog kreeg ik daarvoor niet de kans. Met een lage grom wierp ze zich boven op me, met heggenschaar en al. Gelukkig niet met de punt naar voren, maar zwaaiend als een honkbalknuppel, en gelukkig wist ik nog net op tijd een hand omhoog te brengen om de schaar te onderscheppen. Er volgde een korte worsteling, maar ik was stukken sterker dan zij en het kostte me dan ook weinig moeite haar de schaar te ontfutselen. Daarna viel ze me aan met haar vuisten, net zoals ze bij Jess had gedaan. Ik liet de schaar vallen, greep haar vast, draaide haar met haar rug naar me toe en nam haar in een houdgreep, met haar armen strak omlaag.

'Laat me los!' tierde ze. 'Laat me los of ik ga gillen! Ik gil moord en brand totdat ze u afvoeren, geboeid en wel!'

Daar had ze een punt. Ik kon de aankondiging op het tv-journaal al horen: 'Hij staat al terecht voor één moord. Probeerde dr. Bill Brockton daar vandaag een tweede aan toe te voegen?' Ik liet haar los, maar plaatste wel een voet op de heggenschaar, mocht ze die willen grijpen voor een succesvollere poging. 'Wilt u soms niet weten wie uw zoon heeft vermoord, mevrouw Willis?'

Woest keek ze me aan. Haar borst rees op en neer en de eerste tranen liepen over haar gezicht. 'Natuurlijk wil ik dat,' antwoordde ze. 'Maar geen hond die het wat kan schelen. Of denkt u soms dat ik niet weet hoe de politie denkt over... mensen als Craig?'

Het was een bekentenis, min of meer. 'Wat ze ook mogen denken,' zei ik, 'ze zullen deze zaak hoe dan ook willen oplossen.'

'Gelul. Het zou mij niet verbazen als de smeris die hem arresteerde degene is die hem heeft vermoord.'

Het verbijsterde me dat ze al zo ver was gekomen, hoewel me dat eigenlijk niet zou moeten verbazen. Ongetwijfeld zou ze veel langer de verschillende scenario's hebben overdacht dan Art en ik. 'En wie nog meer?'

Met onverholen minachting keek ze me aan. 'Jeetje, meneer de professor. Goh, eens even denken.' Ze schudde haar hoofd. 'Een gedane zaak. Niks geen dader te vinden. En nou opgedonderd, en laat ik u niet meer zien! Zo niet, dan bel ik de politie. Sterker nog, als u niet over een halve minuut bent verdwenen, bel ik de politie. En anders misschien daarna!'

Ik bukte en pakte de heggenschaar. Opeens keek ze angstig. Ik wierp hem onderhands over de heg tot vlak voor haar veranda, voor het geval ze me nogmaals te lijf wilde gaan. Vervolgens liep ik met een opgeheven hand achteruit, stak de straat over en stapte weer in mijn Taurus. Eerst vergrendelde ik de portieren, daarna startte ik de motor. Terwijl ik voorzichtig wegreed van het trottoir keek ik even achterom en zag ik nog net dat mevrouw Willis me de heggenschaar achterna gooide. Het ding kletterde hard tegen de kofferbak, en ik wist dat er op die plek een flinke put in de lak zou zitten. Gelukkig is het een huurauto, stelde ik mezelf gerust, maar ik herinnerde me opeens dat ik geen aanvullende verzekering had genomen.

Toen ik de buurt ver genoeg achter me had gelaten, piepte ik Art op. Hij belde meteen terug. 'Zo, hoe ging het bij mevrouw Willis?'

'Niet zo goed,' antwoordde ik.

'Je bedoelt dat ze niet heeft bekend?'

'Bijvoorbeeld.'

'Hoe nog meer?'

'Laten we zeggen dat als je alleen een heggenschaar hebt, de hele wereld er opeens uitziet als een heg.'

'Aha, op die manier.'

'Ja.'

'Zit alles er nog aan?'

'Ja. Alleen ben ik het laatste restje van mijn waardigheid kwijt. Heb jij nog kunnen praten met de meneer die Craig Willis op heterdaad betrapte?'

'Nog niet. Laten we het erop houden dat hij wat moeilijk te bereiken is.'

'Omdat?'

'Omdat hij sinds vier maanden in Irak zit. Bij de National Guard. Meteen na de zaak-Willis werd zijn eenheid opgeroepen.'

'Verdomme. Dat pleit hem dus vrij, hè?'

'Kijk, ik wist wel dat je talent voor recherchewerk had. Heb je nog een alternatief plan?'

'Misschien,' antwoordde ik. 'Maar ik ben er niet kapot van. Zeg maar wat je ervan denkt.' Ik legde het uit.

Ook Art kon het niet echt bekoren, maar we waren het erover eens dat we uiteindelijk maar gewoon door de zure appel heen moesten bijten.

38

*I*k lunchte in de buitenlucht aan een picknicktafeltje in Tyson Park, een lange groenstrook met bomen, vlak bij de universiteit, en was net bezig met het verorberen van een bij een drive through-saladbar gekochte sandwich toen mijn mobieltje ging. BURTON DEVRIESS NV, meldde mijn displaytje. Ik nam op en was blij verrast de stem van Chloe te horen in plaats van die van Burt. 'Dr. Brockton?' Maar mijn zeepbel spatte al meteen uiteen. 'Meneer DeVriess wil met u praten. Kunt u even blijven hangen, dan verbind ik u door.'

'Tuurlijk, Chloe,' zuchtte ik, 'hoewel ik liever jou aan de lijn heb.'

'Maar hij wil u spreken. Ik hoop dat het een beetje goed gaat met u?'

'Ik ben nog steeds een vrij man, dus het had erger kunnen zijn.'

'Zo mag ik het horen. Hier komt meneer DeVriess.'

Ik bleef hangen. Dat laatste gebeurde vaak de laatste tijd, meestal aan de rand van de afgrond. 'Bill? Met Burt. Hoe is het?'

'Vraag me dat aan het eind van het gesprek nog maar eens. Wat is er?'

'Kun je vanmiddag langskomen? Ik wil twee bewijsstukken doornemen waarop we zijn gestuit.'

'Wat voor bewijs?'

'Positief bewijs, en negatief bewijs. Welke wil je het eerst horen?'

'Ach, doe eerst maar het slechte nieuws.'

'Het is een bewijsstuk waarmee de aanklager driftig zal gaan zwaaien. Het is de videoband van de bewakingscamera op het dak van het Medical Center.'

'De camera die inzoomde op het hek van de Bodyfarm.'

'Precies. Zo'n drie uur voordat je het alarmnummer belde, filmde die camera een voertuig dat verdomd veel op jouw pick-up lijkt, en via de poort het terrein opreed.'

'Laat me herhalen wat ik Evers al heb gezegd: gewoon onmogelijk. Ik was daar niet. Ik zweer het je, ik was daar niet.'

'Hoe dan ook, ik heb een kopie bekeken en ik moet zeggen, als het de jouwe niet is, dan lijkt het bijna een imitatie. Kan iemand hem die nacht misschien hebben geleend zonder dat je het wist?'

'Ik denk het niet,' antwoordde ik. 'Overdag staat hij meestal op de oprit

en 's avonds zet ik hem in de garage. En de garagedeur maakt nogal herrie als je hem opent. Ik weet bijna zeker dat ik wakker zou zijn geworden.'
'Hmm. Ik weet niet of het verstandig is om dit in de getuigenbank te berde te brengen. Afijn, ik heb een audio- en video-expert geregeld die de originele band gaat bestuderen om te kijken of er redenen zijn er vraagtekens bij te zetten. Misschien wel goed als jij daar ook bij bent.'
'Ik zou hem graag willen bekijken,' zei ik. 'Ik kan gewoon niet geloven hoe grondig de kaarten tegen me in stelling worden gebracht. En het goede nieuws? Levenslang zonder voorwaardelijk, in plaats van de doodstraf?'
'Ha,' riep hij, en hij lachte zowaar even. 'Ben blij dat je je gevoel voor humor nog niet kwijt bent. Nee, het is iets positiever dan dat. Iets wat we kunnen gebruiken om gerede twijfel te zaaien in de hoofden van de jury.'
'O? Vertel op.'
'Het zijn de voicemails die Jess ontving nadat ze op tv was verschenen toen ze het voor jou en de evolutieleer opnam,' vertelde hij.
'Van die vent die dreigde haar allerlei nare dingen aan te doen? Het verbaast me dat ze die niet meteen heeft gewist.'
'Misschien leek het haar toch verstandiger ze nog even te bewaren, mocht hij haar blijven lastigvallen,' zei Burt. 'Zodat ze tegenover de telefoonmaatschappij kon bewijzen dat dit niet zomaar wat geintjes van een paar kwajongens waren.'
'Hoe dan ook, ik ben blij dat ze die heeft bewaard,' zei ik.
'Ik ook,' vond Burt. 'De expert die ik heb geregeld, zou in staat moeten zijn om jouw stem te vergelijken met die op de voicemails en kunnen vaststellen dat jij niet achter die dreigtelefoontjes zit.' Hij zweeg even. 'Bill, er is toch geen reden dat we daarvan af zouden moeten zien, hè?'
Ik had een momentje nodig om de achterliggende implicatie te vatten. 'Jezus, Burt, natuurlijk niet. Ik heb die telefoontjes niet gepleegd.'
'Ik wilde er gewoon even zeker van zijn. Ik heb ze beluisterd. Die stem lijkt niet op de jouwe, en ook zijn manier van praten is heel anders. Het is nogal heftig: sadistische, seksueel georiënteerde bedreigingen, en ook wat behoorlijk zieke doodsbedreigingen. Als ik in de jury zat en ik hoorde een of andere griezel haar zo bedreigen, dan zou ik echt betwijfelen of dit afkomstig was van die rustige dr. Brockton.'
'Je denkt dat de jury denkt zoals jij?' vroeg ik.
'Nee zeg, absoluut niet. Niemand denkt zoals ik. Maar ik ben wel in staat om als een jury te denken als het moet.'
'Laten we hopen dat jouw kristallen bol je wat dit betreft niet in de steek laat.'

'Het is een selffulfilling prophecy: ik zaai eerst wat twijfel en ga die daarna eens flink bemesten.'

Ik had Grease al vaak genoeg in actie gezien om te weten wat hij bedoelde, en hoe bekwaam hij daarin was. 'Bemesten, hoe? Met een paar vrachtladingen bullshit?'

'Doc, nu kwets je me toch echt,' klonk het. 'Mijn bullshit is zo ongelofelijk rijk van samenstelling, daar heb je niet meer dan een schepje van nodig.'

Nu was het mijn beurt om te lachen. 'Hoe laat verwacht je jouw expert?'

'Om twee uur. Komt jou dat uit?'

'Wat moet ik anders doen? Als docent ben ik geschorst en sinds mijn arrestatie heeft de politie me niet bepaald overladen met forensische zaken.'

'Verdomd kortzichtig van die lui,' was Burts oordeel. 'Ik zie je om twee uur.'

De twee uren daarop gleden tergend langzaam voorbij. Uiteindelijk kon ik niet langer wachten en reed ik om kwart over een naar het kantoor van DeVriess. Na zelfs de omweg rondom de universiteitscampus te hebben genomen, reed ik toch nog zo'n twintig minuten te vroeg de parkeergarage van de Riverview Tower in. Nou, jammer dan, dacht ik bij mezelf. In het ergste geval zal ik wat langer in de wachtkamer moeten zitten. En of je nu daar zit, of elders, maakt niet uit. Misschien wel beter, eigenlijk: Chloe is altijd aardig voor me.

Terwijl ik in de lift stapte en op de knop voor DeVriess' verdieping drukte, viel mijn oog op een tengere man die een grote kist op wieltjes mijn kant op duwde. Je hoefde geen geleerde te zijn om te weten dat hij de trap niet zou nemen, en dus hield ik de liftdeur voor hem open. De kist, of eigenlijk twee kisten boven op elkaar, bonkte over de drempel de liftcabine in. 'Dank u,' zei de man. Hij hijgde en transpireerde, en oogde te tenger om een bezorger te kunnen zijn. Aan zijn overhemd en stropdas te zien leek hij eerder een of andere deskundige. Het feit dat het een nepdasje was, deed bij mij het vermoeden rijzen dat de stevige zwarte kisten computerspullen of iets dergelijks moesten bevatten.

'U hebt heel wat spullen bij u,' zei ik.

'Ja. Weegt een stuk zwaarder dan ik zelf weeg. En ook de vliegtickets zijn een stuk duurder dan de mijne, gezien alle boetes voor overgewicht.'

'Computerspullen?'

'Bijna,' was het antwoord. 'Audio- en videoapparatuur. Plus een computer.' Dat verklaarde waarom hij even op het liftpaneel had gekeken, maar geen knop had ingedrukt: hij moest naar dezelfde verdieping als ik. Ik stond op het punt mezelf aan hem voor te stellen, maar wist opeens even geen correcte manier te bedenken. 'Hallo, ik ben Bill Brockton, moordverdachte'? Of anders misschien: 'Goh, ik hoop maar dat u goed genoeg bent om me te redden van de elektrische stoel'? In plaats daarvan besloot ik mijn aandacht op hém te richten. 'Waar gebruikt u dat voor?'

'Ik hou me bezig met forensische audiovisuele analyse.'

'Zoals het opwaarderen van opnames?'

'Zelf gebruik ik dat woord liever niet in de rechtszaal,' zei hij. 'Zo lijkt het net alsof ik er iets aan toevoeg. Maar wat ik eigenlijk doe, is dingen juist weghalen: achtergrondgeluiden, ruis en andere storende signalen wegfilteren om een zo helder mogelijk beeld en geluid te krijgen.'

'Hoe groot is zo'n verschil?'

'Het zal u verbaasd doen staan. Of misschien wel teleurstellen, als u vaak naar CSI kijkt. In dat soort series lijkt video-analyse op tovenarij: ze pakken wat slechte, wazige beelden, zoomen in met een factor tien en opeens zien we een haarscherp beeld. In het echte leven werkt het toch anders: als je begint met een slechte camera en een versleten tape, dan kun je nooit met een perfect resultaat eindigen. Maar de tv doet mensen het tegengestelde geloven.'

'Ik geloof dat ze dat het CSI-effect noemen, zo heb ik weleens gehoord,' zei ik.

'Precies. De kijkers, de jury's, verwachten nu wonderen van de wetsdienaren. Ze denken allemaal dat deze superdeluxe instanttechniek die een of andere scriptschrijver uit zijn duim heeft gezogen werkelijk bestaat. En als een aanklager niet in staat is om met iets dergelijks in de rechtszaal op de proppen te komen, hebben ze de neiging het bewijs te negeren.'

'En de verdediging?' vroeg ik.

'Grappig,' zei hij. 'Op tv zijn het bijna altijd de aanklagers en de politie die de konijnen uit de hoge hightech-hoed toveren, en dus verwacht de jury meer toeters en bellen van hen dan van de verdediging.'

Het gaf me enige troost.

Bij Burts verdieping aangekomen, stopte de lift. Ik hield de knop van de liftdeur ingedrukt terwijl mijn medepassagier zijn spullen met een bonk over de drempel manoeuvreerde. Daarna wrong ik me langs hem heen zodat ik de deur naar Burts kantoorsuite voor hem kon openhouden.

'Dank u,' zei hij. 'Heel vriendelijk van u.'

'Misschien dat u in de toekomst nog iets voor mij kunt betekenen,' zei ik met een glimlach.

Chloe leek verbijsterd nu ze me samen met de video-expert binnen zag komen. 'Jee, hallo, dr. Brockton. U bent vroeg.'

'Weet ik,' reageerde ik. 'En kijk eens wie ik in de buurt van Gay Street aantrof?' Ze keek even niet-begrijpend. 'Grapje, Chloe. We belandden toevallig samen in de lift.'

Haar opluchting was bijna voelbaar. 'Hallo, u bent vast meneer Thomas,' zei ze. 'Welkom in Knoxville. Ik ben Chloe Matthews, assistente van meneer DeVriess. Ik hoop dat u een goede vlucht hebt gehad?'

'Prima,' antwoordde hij. 'We hebben een aardig tijdje boven Atlanta gecirkeld. Er hing een zware onweersbui, en alle vliegtuigen moesten wachten, dus was het prettig om eersteklas te vliegen.' Ik trok even een wenkbrauw op naar Chloe, maar ze negeerde me. 'En ik had net genoeg tijd om over te stappen op de vlucht naar Knoxville,' vertelde meneer Thomas verder. 'Gelukkig hebben ook mijn spullen de weg naar hier weten te vinden, want anders zouden jullie weinig aan me hebben.'

'En u hebt al kennisgemaakt met dr. Brockton,' stelde ze vast.

'Niet helemaal,' zei ik. 'In de lift hadden we het over tv versus de praktijk.'

'O, laat me u dan even aan elkaar voorstellen,' zei ze. 'Dr. Brockton, dit is Owen Thomas, onze audiovisuele expert. Meneer Thomas, dit is dr. Bill Brockton. Hij is...' stamelde ze.

'... de reden van uw komst hier,' maakte ik de zin af.

'Een beroemd forensisch wetenschapper, wilde ik zeggen!' verbeterde ze me.

Ik glimlachte. 'Chloe, in liegen ben je niet erg bedreven. Meneer Thomas, ik word beschuldigd van een misdrijf. Een moord zelfs. De aanklager beweert dat op videobanden van een bewakingscamera te zien is dat ik met mijn pick-up het lichaam naar de plek rijd waar het later werd aangetroffen. Ik hoop dat u kunt aantonen dat ze het bij het verkeerde eind hebben.'

Owen Thomas keek wat ongemakkelijk en ik kon het hem niet kwalijk nemen. 'Ik zal mijn best doen om de beelden helder te krijgen,' zei hij. 'Wat we zien, is wat erop staat, meer niet. Zoals ik meneer DeVriess al heb verteld, beschouw ik mezelf niet in dienst van de aanklager dan wel de verdediging, maar als iemand die helderheid moet verschaffen over de feiten.'

'Helemaal mee eens,' zei ik. 'Zo denk ik er ook over, weet u, als ik zelf tenminste niet terechtsta voor moord. Als forensisch antropoloog word ik meestal gebeld door de aanklager, maar nog niet zo lang geleden getuigde ik voor Grea... meneer DeVriess, en hielp hem daarmee een onschuldige vrij te pleiten van moord. Ik hoop dat hij dat nu ook weer voor elkaar krijgt.'

Burt DeVriess verscheen om de hoek van de gang en beende de receptie in. 'Zo, zitten jullie een beetje zonder mij te vergaderen?' Hij schudde mijn hand en stelde zich aan Owen Thomas voor.

'Laten we naar de vergaderkamer gaan,' stelde hij voor. 'Da's beter dan mijn werkkamer. Daar is het veel te licht om die videoband goed te kunnen bekijken.'

De vergaderkamer bevond zich aan de andere kant van de gang, tegenover Burts werkkamer. Het was een binnenruimte zonder ramen, met uitzondering van een matglazen wand ter afscheiding van de gang, die Burts handelsmerk vormde. Erdoorheen viel nog aardig wat daglicht, maar hij liet wat jaloezieën zakken. 'Donker genoeg zo?'

'O, meer dan genoeg,' antwoordde Owen Thomas. Burt knipte een paar art-decomuurlampjes aan en de ruimte kreeg iets *high design*-achtigs, waarbij zelfs het lichtpatroon een sculptuur leek. Gezien de Bentley, het eersteklasvliegticket en deze ambiance bekroop me het vermoeden dat mijn voorschot van twintigduizend dollar waarschijnlijk pas de eerste aanbetaling was.

'Hoe lang hebt u nodig om de boel op te stellen?' vroeg Burt.

'Zeven minuutjes,' antwoordde Owen Thomas. Dus toch een nerd, zoals zijn nepdasje al verried.

'Goed, dan zijn we zo terug. Bill, loop even met me mee, dan gaan we het eens over onze strategie hebben.' Ik volgde hem naar zijn werkkamer, waar de rij ramen een regenfront onthulde dat als een grijze, ondoordringbare muur over het rivierkanaal naderde. Het slokte de spoorbrug op, daarna de gracieuze bogen van de brug op Henley Street en ook de felgroene binten van de brug op Gay Street, de favoriete plek voor Knoxvilles suïcidalen.

Als betoverd keek ik toe terwijl het regenfront de rivier, de oevers en zelfs het stadscentrum leek weg te gummen. Het was alsof de grijze wolken de rand van de aarde markeerden. Opeens werd de kantoortoren gegeseld door vlagen regen. De kracht van het water en de windvlagen deden de ramen trillen. Ik deed een stap naar achteren, in de richting van de deur. 'Knijp je hem nooit, hier, als het zo tekeergaat?'

Op het moment dat Burt uit het raam keek, schoot een bliksemschicht over de heuvels langs de verre oever van de rivier. Een glimlach deed zijn gezicht rimpelen en ik kon hem de seconden horen tellen: 'één-Mississippi, twee-Mississippi, drie-Mississippi, vier-Mississippi', totdat de donderslag de ramen deed schudden. 'Neuh,' antwoordde hij. 'Ik ben gek op stormen. Ik wou dat ik wat van die natuurkracht in een flesje kon stoppen, voor in de rechtszaal.'

'Volgens mij doe je dat ook,' zei ik. 'Tijdens die paar kruisverhoren die je me afnam, vloog mijn haar bijna in de fik.'

'Kom op, doc. Ik heb je in de getuigenbank altijd met zijden handschoentjes aangepakt.'

'Dan was jij de ijzeren vuist die daarin zat.'

Hij glimlachte en schudde zijn hoofd. 'Kijk maar wat ik met een paar van onze getuigen van plan ben. Dan zul je pas beseffen hoe omzichtig ik jou heb aangepakt.'

'Dus op wie heb je het voorzien? Weet je al wie door de aanklager zullen worden opgeroepen?'

'Een paar namen, niet allemaal. Ze zullen vooral Evers naar voren schuiven. Meestal presteert hij goed in de rechtszaal. Hij is grondig, ziet er goed uit – dat is belangrijk, geloof het of niet – en hij laat zich niet snel van zijn stuk brengen. Dan zullen ze nog een paar haar- en vezeldeskundigen laten vertellen over de vondst van jouw haar in het huis, en in het bed van dr. Carter. En haar bloed en de plukjes haar op de lakens uit jouw huis.' Die lakens voelden nog steeds als een nachtmerrie waaruit ik maar niet kon ontwaken. 'Wat voor ons, denk ik, het nadeligst zal zijn, is dr. Garlands getuigenverklaring over de autopsie. Jess heeft heel wat moeten doorstaan voordat ze overleed, en de jury zal eropuit zijn om iemand daarvoor te laten boeten.'

'En ik ben hun enige keus.'

'Helaas wel, ja,' stelde hij vast. 'In deze voer je een campagne zonder oppositie.'

'Dus hoe vechten we terug? Jezus, als ik in die jury zat, zou ik waarschijnlijk mezelf schuldig verklaren.'

'We laten de zaken onbetwist die we niet kunnen weerleggen en we zetten onze tanden in de rest. We laten onbetwist dat haarplukjes en vezels afkomstig van jou zijn aangetroffen in haar bed en dat jouw sperma in haar vagina is gevonden.'

'Maar dat staat volkomen los van haar dood,' protesteerde ik. 'Dat was een nacht van pure...' Ik zweeg. Het zou te goedkoop, te banaal hebben geklonken, als een gedrukt zinnetje op een valentijnskaart.

'Ze hoeven alleen maar de schijn te wekken dat die twee zaken wél iets met elkaar te maken hebben,' doceerde Burt. 'Zij beschouwen het misdrijf als een toneelstuk met drie bedrijven: in het eerste bedrijf heb je iets met haar, in het tweede laat ze je vallen voor haar ex, in het derde vermoord je haar in een vlaag van jaloerse razernij. Allemaal heel simpel, en bij een jury valt zoiets goed. De officier van justitie zal de nadruk leggen op de bewijslast die deze versie van de gebeurtenissen lijkt te schragen. Door een deel van die bewijslast tijdens het pleidooi van de aanklager niet aan te vechten, zal die dus minder benadrukt worden, en dus voor de jury minder zwaar wegen.'

'En zodra wij aan de beurt zijn?'

'Als wij aan de beurt zijn, zullen we met een veelvoud van theorieën komen, verwijzend naar andere figuren die van dr. Carter af wilden: haar ex, familieleden van verdachten die dankzij haar toedoen achter slot en grendel verdwenen, de predikant of wie het ook was die haar die nare voicemails stuurde. Jongen, zodra wij klaar zijn, zal de jury zich zelfs afvragen of het niet de rechter of de officier van justitie is geweest. Onthoud, het is niet aan ons om de dader te ontmaskeren; wij hoeven alleen gerede twijfel te zaaien dat jij het bent geweest.' Hij keek op zijn horloge, een Europees ogend geval dat waarschijnlijk de helft van mijn voorschot had gekost. 'Oké, laten we eens kijken of die videomeneer zijn drieduizend dollar per dag waard is.'

'Drieduizend per dag?' piepte ik. 'Jezus, dat is tweemaal zoveel als wat ik jou factureerde om Eddie Meacham vrij te pleiten.'

Hij glimlachte. 'En de helft van wat ik jou factureer. Je hebt gelijk, het is inderdaad een behoorlijk bedrag.' Zijn intercom piepte. 'Ja, Chloe?'

'Er is een agent, hier,' zei ze. Ik moet een angstig gezicht hebben getrokken, want ik zag dat Grease een kalmerend gebaar naar me maakte.

'Verzoek hem even plaats te nemen en zeg dat we hem te woord zullen staan zodra we klaar zijn met het analyseren van de videoband.' Nadat Chloe de verbinding had verbroken, beantwoordde hij de vraag die van mijn gezicht viel af te lezen. 'Hij heeft de band van de bewakingscamera bezorgd. De politie vertrouwde mij die band niet toe, wil je dat geloven?' Ik lachte. 'Nou, ik moet mijn mening over de politie van Knoxville behoorlijk bijstellen, in positieve zin.'

Hij stak zijn tong naar me uit – niet echt een gebaar dat je van een peperdure advocaat in een krijtstreep verwacht – en ging me door de gang voor naar de vergaderkamer.

Daar was de helft van de tafel inmiddels ingenomen door apparatuur. Ik zag een Panasonic-videorecorder en een computertoetsenbord, maar dat bleek met een uit de kluiten gewassen tv te zijn verbonden. Dat gold ook voor een rank, verticaal apparaatje ongeveer ter grootte van een ingebonden boek. Aan de achterzijde van de behuizing van geborsteld aluminium ontsproot een kluwen van draadjes. AVID MOJO, zo luidde de naam van het geval. Ook stond er een microfoon op een standaard.

'Laten we voordat we de band bekijken eerst een stemopname van de doctor maken,' opperde Burt. Owen knikte.

'Wat voor stemopname?' vroeg ik.

'We beschikken over de dreigementen op de voicemail van dr. Carter,' legde Grease uit. 'We willen het aannemelijk maken dat degene die deze

boodschappen insprak, ook degene zou kunnen zijn die haar vermoordde. En daarom hebben we nu een opname van jouw stem nodig, met
dezelfde tekst, dezelfde woorden, zodat we jou van de lijst kunnen schrappen. Voor een jury zal dit behoorlijk zwaar moeten wegen.'

Hij knikte even naar Owen, die het eerste bericht afspeelde, de ene ranzige bedreiging na de andere. Jess had al gezegd dat het nogal plastisch was,
maar de details had ze me bespaard. 'Dit krijg ik echt niet uit mijn strot,'
zei ik.

'Je zult wel moeten,' zei Burt. 'We moeten appels met appels vergelijken:
jouw stem die dezelfde woorden uitspreekt, met dezelfde intonatie, hetzelfde tempo. Maak je geen zorgen, we zullen dit niet in de rechtszaal
afspelen.'

'Is er een kans dat de aanklagers daarom kunnen vragen?'

'Dan zou ik meteen zwaar protest aantekenen. Ik denk dat ik zoiets kan
tegenhouden. Het zou immers irrelevant zijn en tot vooroordelen kunnen
leiden.'

'Ik voel me hier echt niet gemakkelijk bij,' zei ik.

'Je zou je een stuk ongemakkelijker voelen als de jury instemt met een
negatief vonnis, doc. Bovendien kunnen deze berichten ons in de richting
van de ware dader sturen. Door aan te tonen dat jij deze dreigementen
niet hebt ingesproken, kunnen we de politie misschien stimuleren om
andere theorieën te onderzoeken.'

Ik was er nog steeds niet blij mee, maar ik deed wat van me werd gevraagd.
Elk bericht vereiste meerdere pogingen van mijn kant – ik struikelde over
sommige woorden en zinsdelen, zó weerzinwekkend waren ze – maar uiteindelijk lukte het me. De eerste berichten waren een litanie van seksuele
perversiteiten, de laatste waren ontaarde, vrouwvijandige doodsbedreigingen. 'Bah,' zei ik toen ik eindelijk klaar was. 'Zoals ik me nu voel, zou ik
mezelf het liefst willen onderdompelen in een bad met ontsmettingsmid-
del. Ik moet er niet aan denken hoe Jess zich gevoeld moet hebben.'

Owen had met een strak gezicht naar zijn computerscherm gestaard, maar
ook hij leek opgelucht dat we deze weerzinwekkende taak achter de rug
hadden. Hij sloot het programma af waarmee hij mijn stem had opgenomen, trok de microfoon los en rolde netjes het snoertje op. 'Goed, dat was
dat,' zei hij. 'Laten we nu eens bekijken wat er op de videoband te zien valt.'
DeVriess drukte op een intercomknopje van een telefoontoestel dat
gevaarlijk dicht naar de rand van de tafel was geschoven. 'Chloe, wil jij die
agent even naar de vergaderkamer begeleiden? Dank je.' Daarna keek hij
Owen aan. 'Vertel eens iets over dit systeem.' Zijn ogen gleden naar het
nepdasje. 'Even in het kort, graag.'

Mocht Owen zich beledigd hebben gevoeld, dan liet hij daar in elk geval niets van merken. 'Dit is een kant-en-klaarsysteem dat dTective heet,' legde hij uit. 'Gemaakt door Ocean Systems. Ze gaan uit van een Avid video-editingsysteem – waar ook de meeste tv-programma's op gemonteerd worden – en ontwikkelen hard- en software die speciaal is toegespitst op forensisch werk. Er zijn al meer dan duizend van deze systemen verkocht aan politieafdelingen in heel de VS, onder andere aan de politie hier in Knoxville. De meeste daarvan zijn desktop- of *rackmount*-systemen. Deze hier noemen ze de kofferversie. Zelf noem ik hem "de herniabezorger".' Hij had dus een zeker gevoel voor humor. Fijn om te weten.

Chloe verscheen in de deuropening en liet een geüniformeerde agent binnen die een videoband bij zich had. Owen stak zijn hand uit om het doosje aan te nemen, waarop de agent de wenkbrauwen fronste en hem met tegenzin de videoband overhandigde.

Owen trok het doosje open en bestudeerde de inhoud. 'Dit is dus de originele band?'

'Ja,' antwoordde Burt alsof de agent lucht was. 'U moest eens weten wat voor moeite ik heb moeten doen om hem te bemachtigen. De officier van justitie en de politie bleven maar volhouden dat een kopie net zo goed was. Ik vertelde hun dat de oorspronkelijke band toch het beste bewijs was, en ik heb hen er nog eens op gewezen dat we juridisch gezien recht hebben op het beste bewijsmateriaal.'

Hij knikte. 'Absoluut. En dat zal ik u zo meteen laten zien.' Hij klikte met de muis, en het scherm lichtte op. Ik had verwacht dat er een tv-achtig beeld door het oog van de bewakingscamera te zien zou zijn, maar in plaats daarvan keek ik naar een gewoon Windows-scherm, net als op mijn eigen computer, behalve dan dat hier heel wat meer icoontjes op te zien waren dan het handjevol op de mijne, en waarvan ik de meeste bovendien niet herkende. Hij klikte er een aan, en het scherm vulde zich met een reeks dikke horizontale lijnen, een paar donkere cirkels die een beetje op een kaart van de nachtelijke hemel leken, en een rechthoekje. Daarna stak hij een hand uit, en Burt gaf hem het doosje. Hij nam de band eruit, keek even naar de zijkant en fronste. Met de nagel van een duim verwijderde hij vervolgens een klein zwart lipje.

'Hé!' blafte de agent, 'waar bent u verdomme mee bezig?'

'Dat is het opnamelipje,' legde Owen uit. 'Als je er zeker van wilt zijn dat de tape niet per ongeluk wordt gewist of wordt overgespeeld, dan moet dit lipje worden verwijderd. Uw collega had dat al meteen moeten doen toen hij de band ontving.' Hij duwde de band in de recorder en drukte de afspeeltoets in. Het venstertje op zijn computerscherm kleurde blauw en er waren cijfers te zien, net als wanneer ik thuis een band in de recorder liet glijden. Vervolgens verschenen de eerste opnamen, een reeks van ogenschijnlijk los van elkaar staande beelden die allemaal achter elkaar voorbijflitsten. Maar al na een paar seconden ontwaarde ik een patroon. De beelden kwamen nu in vaste volgorde voorbij. Ik herkende ziekenhuisingangen, parkeergarages en – de meest opvallende – de ingang van de Bodyfarm. Het was alsof willekeurige bladzijden uit wel tien verschillende boeken tot één exemplaar bijeen waren gebonden en je voortdurend tien, twaalf bladzijden verder moest bladeren om de draad van het verhaal weer op te pakken. Plotseling flitste mijn pick-up een paar keer voorbij en mijn hand schoot naar de pauzetoets. Maar Owen boog zich naar me toe en sloeg mijn hand weg.

'Afblijven,' commandeerde hij. 'Af-blijven.' De agent greep me bij de arm en trok me een meter naar achteren.

'Ik wilde hem alleen maar bij de pick-up stopzetten,' verweerde ik me.

'Laat de knoppen met rust,' beval Owen. 'Elke keer als je een band stopt of weer laat draaien, beschadig je hem. Doe dat vaak genoeg en je hebt uiteindelijk alleen maar sneeuw.' Hij keek even Burts kant op. 'Wat dus een van de redenen is dat ik het vervelend vind als er cliënten bij aanwezig zijn. Ze maken het altijd een stuk lastiger.'

'Het spijt me,' zei ik. 'Het zal niet meer gebeuren, ik beloof het. Ik wist het gewoon niet.'

'Oké,' klonk het met tegenzin, en vervolgens iets toegeeflijker: 'Oké, maar denk eraan, u bent voorwaardelijk vrij.' Het klonk alsof ik toch niet de gang op zou worden gestuurd.

'Nou,' reageerde ik, 'da's in elk geval een stuk beter dan de dodencel.'

Hij grinnikte even, en Burt schoot in de lach. De agent fronste de wenkbrauwen. 'Over een minuutje zullen we de beelden een voor een kunnen bekijken,' legde Owen uit. 'Maar eerst bekijk ik gewoon de band om alles te optimaliseren. Dan gaan we digitaliseren, opslaan op de harde schijf van de computer, en daarna kunnen we de band net zo vaak stilzetten en verder laten spelen als we maar willen, zonder dat het schadelijk is. Duidelijk?'

'Duidelijk,' herhaalde ik. 'Sorry.'

'Mocht het u interesseren, de politie begaat deze fout voortdurend,' zei hij met een verontschuldigende blik naar de agent. 'Ze spoelen door naar het moment waarop een misdrijf plaatsvindt – een gewapende winkeloverval of een bankroof – en dan begint het afspelen, terugspoelen, beeldje voor beeldje, waarna de band in de rechtszaal opeens niet meer te gebruiken valt. Ik speel de band twee, hooguit drie keer af zonder die ook maar ergens te stoppen.'

Terwijl hij verder praatte en de beelden langsflitsten, hanteerde hij met een geoefende hand de muis, en de cursor schoot van het ene pulldownmenu naar het andere. Ondertussen zag ik kleine veranderingen in de voorbijschietende beelden ontstaan: donkere beelden werden lichter, vage objecten verdwenen naar de achtergrond en een paar van de kleuren leken te vervagen terwijl juist de details in zwart-wit werden verscherpt. Na een paar minuten veranderden de donkere, nachtelijke beelden in zonovergoten plaatjes en zag ik politieauto's en geüniformeerde agenten op de Bodyfarm. Owen keek Burt aan: 'Is dit het eind van de reeks?' Burt knikte, waarna Owen de stoptoets indrukte, de band terugspoelde naar het begin en de afspeeltoets weer indrukte.

'Hoe kunnen we uit deze warboel iets concreets destilleren?' vroeg ik terwijl de beelden opnieuw de revue passeerden. 'Het lijkt wel of ze een hele stoet camera's met slechts één recorder hebben verbonden.'

'Dat is dus precies het geval,' bevestigde hij. 'Dat noemen ze "multiplexen". Zo spaar je een hoop geld uit aan recorders en bandmateriaal. Idealiter zou je voor elke camera een aparte band moeten laten meelopen waarna je ze allemaal archiveert. Maar dan zit je uiteindelijk met zo'n zeventigduizend banden per jaar.'

'Dat zijn er heel wat,' moest ik erkennen.

'Een videocamera schiet dertig beeldjes per seconde en het lijkt erop dat ze daar zestien camera's hebben. Dus in dit systeem pikt elke camera één beeldje per halve seconde. Geen slecht compromis.'

'Maar het is één grote warboel,' zei ik.

'Geduld, mijn vriend. In dTective zit iets wat "Deplex" heet, die demultiplext de beelden, scheidt ze van elkaar, alsof je een touw ontrafelt en je uiteindelijk de afzonderlijke strengen overhoudt. Op die manier kunnen we de beelden van elke camera uiteindelijk afzonderlijk bekijken.'

Nadat hij de nachtbeelden in hun geheel op de harddisk had opgenomen, spoelde hij de band opnieuw terug, liet hem uit het apparaat schuiven, borg hem weer op in het doosje en gaf hem aan de agent. 'Zo, we zijn klaar, hartelijk bedankt.' De agent knikte, en aarzelde even, bijna alsof hij hoopte dat hij erbij mocht blijven, maar hij draaide zich ten slotte om en verdween.

'U bent klaar?' vroeg ik. 'Maar we hebben nog helemaal niets bekeken.'

'Ik bedoelde alleen te zeggen dat ik klaar ben met het digitaliseren,' legde Owen uit. 'Nu gaan we met deze digitale kopie aan de slag. En als er ondertussen iets vreselijk misgaat, dan verliezen we alleen maar een kopietje, niet het origineel.'

'Waarom werkt de camerabeveiliging van de universiteit nog altijd met videobanden,' vroeg ik, 'als je je bedenkt dat je zelfs met homevideoca-mera's al op geheugenkaarten en harddrives kunt opnemen?'

'Opslagruimte en beeldkwaliteit,' was het antwoord. 'Een uur aan beeld zou neerkomen op 72 gigabyte aan opslagruimte. Vermenigvuldig dat met 24 per dag, dertigmaal per maand en al snel zul je een supercomputer nodig hebben om dat allemaal op te slaan. Door de beelden te compri-meren kun je ruimte winnen, maar daarmee gaan er wel details verloren. Om even een niet-technische vergelijking te maken, de beeldkwaliteit ver-valt, zeg maar, van een print op glossy fotopapier naar een krantenfoto, die, als je er goed naar kijkt, eigenlijk weinig meer is dan een korrelige ver-zameling puntjes. Inderdaad worden steeds meer bewakingssystemen digitaal,' gaf hij toe, 'maar bijna alle grote casino's van Las Vegas – waar miljoenen aan de beveiliging wordt besteed – geven nog steeds de voor-keur aan band.' Hij klikte nog wat, en op het scherm verschenen zestien beeldjes op postzegelformaat. 'Goed. Dit zijn de zestien cameraposities, door de *deplexer* van elkaar gescheiden. Het lijkt erop dat wij camera negen moeten hebben.' Hij klikte op de thumbnail waarop de ingang van de Bodyfarm te zien was, badend in het schijnsel van de lantaarns op het parkeerterrein, waarna het beeld groter werd, tot het ongeveer het halve scherm vulde.

Hij scrolde de band verder, en terwijl een paar auto's langs de rand van het beeld schoten, stelde ik vast dat de deplexer inderdaad de beelden bij elkaar had gezocht die bij deze camera hoorden. 'Niet te geloven,' zei ik. 'Hoe doet ie dat?'

Owen keek me over zijn schouder aan. 'Daar hebben we een beetje een nerdachtige technische term voor,' antwoordde hij met een nerveus glim-lachje. 'We noemen het "magie".'

Plotseling verscheen er een pick-up in beeld die behoedzaam het hek van de Bodyfarm naderde. Daar wachtte hij even en terwijl ik de zijkant van de auto bekeek – een bronskleurige General Motors pick-up met een bij-passende huif – voelde ik de bodem onder mijn voeten wegzakken. 'Godsamme,' hijgde ik geschrokken. 'Hoe is dit in hemelsnaam...' Evers had me verteld dat op de band mijn pick-up te zien was, maar tot op dit moment had ik durven hopen dat hij abuis was.

Het bestuurdersportier ging open en alle drie bogen we ons naar het scherm. De sfeer in de kamer was net zo geladen als het onweer buiten, en mijn hart bonkte nu zo hevig in mijn keel dat ik het bijna achter op mijn tong kon voelen. Zou ik zo meteen mijn eigen gezicht in beeld zien? Inmiddels ging ik daar al min of meer van uit.

Maar in plaats daarvan kreeg ik helemaal geen gezicht te zien. De man, het leek tenminste een man, droeg een petje dat diep over zijn ogen was getrokken. Verder een donkere broek en een lichtkleurig overhemd. Hij hield zijn hoofd in een vreemde hoek omlaag. 'Stop even,' zei ik, en ik zoog het beeld in me op. 'Hij wéét het,' zei ik. 'Hij weet dat er een camera is. Hij weet zelfs waar die hangt. Kijk hoe hij de hele tijd zijn gezicht afgewend houdt.'

De constatering wond me op. Voor het eerst sinds de dood van Jess voelde ik een lichte verschuiving; ik had iets om mee aan de slag te gaan, een piepklein stukje van de puzzel. Ik was niet langer puur machteloos. 'Klootzak,' siste ik tegen de man die Jess had vermoord en mij ervoor wilde laten opdraaien. 'Zielig stuk verdriet, ik zal je krijgen.'

Met mijn wijsvinger gaf ik Owen kordaat een seintje dat hij de band weer verder kon laten lopen. De man liep naar het hek en rommelde wat met het slot. Daarna zwaaide hij het hek een dikke halve meter open en liep naar de houten binnenpoort. 'Hij heeft sleutels,' constateerde ik. 'Die klootzak heeft een sleutelbos. Wie ís die vent, verdomme!' In gedachten liep ik het lijstje met namen af van de mannen die sinds het slot voor de laatste keer was vervangen, een paar jaar geleden, een sleutel van het terrein hadden ontvangen. Dat waren er slechts een handjevol: een paar faculteitsmedewerkers en een stuk of vijf promovendi, en het leek ondenkbaar dat een van hen Jess kon hebben vermoord en dit mij in de schoenen wilde schuiven.

Opeens schoot me iets te binnen. Het voelde als een elektrische schok. 'Spoel terug, spoel terug,' zei ik haastig. 'Laat me het nog even terugzien.' Ditmaal was ik niet uit op het gezicht, maar op borsten, heupen, een vrouwelijk loopje. Zaten we hier naar Miranda te kijken? Ze had de sleutels van het terrein en zelfs die van mijn pick-up, en een paar maanden geleden had ze op een dag een beetje jaloers geleken op Jess. Was die jaloezie verworden tot iets veel sinisters? Ik kon het niet geloven, maar ik kon ook niet om de mogelijkheid heen. Terwijl ik het silhouet en het loopje van de bestuurder bestudeerde, moest ik tot mijn opluchting en schaamte vaststellen dat dit duidelijk een man was.

'Wat is er?' vroeg Burt. 'Zag je iets?'

'Nee,' antwoordde ik. 'Ik was er even bang voor, maar ik heb me vergist.' De man klom weer in de auto en reed achteruit weg uit beeld. 'Waar gaat hij heen?' vroeg Burt.

'Hij staat te dicht bij het hek,' antwoordde ik. 'Hij moet eerst even achteruit, want anders krijgt hij het hek niet open. Zelf zou ik die fout nooit maken.' En Miranda ook niet, die kende dat hek wel.

'Mooi,' zei Burt. 'Ik zal je daar tijdens mijn kruisverhoor zeker naar vragen.'

'Maar zal de aanklager dan niet tegenwerpen dat ik dit juist expres deed om de indruk te wekken dat het een ander moest zijn geweest?'

'Misschien,' antwoordde hij, 'maar als je slim genoeg bent om opzettelijk zo stom te handelen, zou je dan niet ook slim genoeg moeten zijn om niet met je eigen auto daar te verschijnen?'

'Ho even,' lachte ik. 'Je hebt me nu al in de war gebracht.'

Hij glimlachte en maakte een kleine buiging. 'Verwarring, mijn vriend, is slechts een hink-stap-sprong verwijderd van gerede twijfel.'

De man verscheen weer in beeld, nu lopend maar wederom met het hoofd omlaag en iets naar rechts kijkend, weg van de camera. Hij zwaaide het hek naar buiten en de houten poortdeur naar binnen toe open, stapte de pick-up weer in en reed voorzichtig naar binnen. Daarna sloot de houten poort zich weer achter hem. Burt wees op de tijdklok, rechtsbovenin: 05.03 uur. 'Slim,' vond Burt. 'Zo vroeg dat er nog geen hond op straat is.'

'En in het ziekenhuis begint de ochtenddienst pas om zeven uur,' voegde ik eraan toe.

'En toch weer vroeg genoeg om de bewaker achter het scherm de indruk te geven dat die vreemde dr. Brockton vandaag wel erg vroeg uit de veren is. Die jongens weten toch allemaal hoe je pick-up eruitziet?'

'Reken maar,' antwoordde ik. 'Ze hebben me daar al honderden keren naar binnen zien rijden. Man, ik heb zo'n beetje de hele campus- en ziekenhuisbeveiliging over het terrein rondgereden.'

'En op een of andere manier weet deze meneer dat,' zei Burt. 'Weet hij dat ze je auto zullen herkennen.'

Owen scrolde weer wat verder, totdat de man de houten poort weer opende en naar buiten reed. Ditmaal reed hij ver genoeg om ruimte over te houden om ook het hek te sluiten. Terwijl hij beide ingangen afsloot, bekeek ik de pick-up wat aandachtiger. Ditmaal stond hij een beetje opzij, in de richting van het parkeerterrein en met de neus wat omlaag, waardoor het dak wat beter zichtbaar was. 'Krijg nou wat,' mompelde ik. 'Stop!'

'Wat?' vroeg Burt.

'Kijk eens naar dat dak.'

'Wat is daarmee?'

'Wat is die donkere vlek?'

Owen klikte met de muis, maakte het beeld wat lichter en maakte het tweemaal zo groot. 'Het is een schuifdak.'

Ik lachte en schaterde het uit. Volkomen hysterisch.

'Wat is er zo grappig?' vroeg Burt.

'Mijn pick-up... hééft... helemaal geen... schuifdak!' hijgde ik.

'Zeker weten?'

'Nou en of ik dat zeker weet. Het was een optie, maar wel eentje van vijfhonderd dollar, en ik zat gewoon te veel op de centen.'

Burt, Owen en ik gaven elkaar een high five.

'Man, ik voel me opeens een heel stuk beter,' sprak ik opgelucht.

'Ik ook,' reageerde Burt. 'Nu gelóóf ik je zelfs.'

'Eerst niet dan? Je wekte anders niet die indruk.'

'Het is een vorm van beleefdheid,' legde hij uit. 'Mijn cliënten beweren altijd onschuldig te zijn. Ik doe altijd alsof ik hen geloof. Maar weinigen vertellen de waarheid.' Hij keek me recht in de ogen. 'Doc, ik waardeer het echt dat jij een van die uitzonderingen bent.'

Owen schraapte zijn keel. 'Zijn we klaar met de emoties? Zullen we dan nu de rest bekijken?'

'Prima,' zei ik. 'Laten we eens zien wat er verder nog te ontdekken valt.' Ik voelde dat de opwinding zich meester van me maakte, dezelfde opwinding die ik vaak voel op een plaats delict en ik in ontbindend vlees en beschadigde botten aanwijzingen begin te ontdekken.

We werden beloond met nog eens een handjevol details waarmee de bewering van de aanklager dat dit mijn pick-up was, duidelijk kon worden weerlegd. Deze wielen hadden vijf spaken; de mijne, zo wist ik, want ik had er onlangs een moeten laten vervangen, hadden er zes. Eén koplamp scheen in een rare rechtse hoek omlaag. 'Dat is mooi,' zei Owen. 'Het lichtpatroon van koplampen is net zo uniek als vingerafdrukken. En tenzij de uwe er net zo bijstaan, is dit heel overtuigend bewijs. Als we een pick-up kunnen vinden met een dergelijk patroon, dan zitten we gebeiteld.'

'En zelfs als ons dat niet lukt,' vulde Burt aan, 'dan kunnen we docs eigen pick-up 's nachts op diezelfde plek filmen en aantonen hoe de lichtbundels afwijken, nietwaar? En ook aantonen dat hij geen schuifdak heeft?'

'Klopt,' antwoordde Owen. 'Dit zal de jury verpletteren. Jury's zijn dol op dit soort dingen. Dit kan bijna tippen aan *CSI*.'

Ik misgunde hem zijn drieduizend dollar per dag niet langer. Hij had het zojuist meer dan verdiend, zo leek me. Sterker nog, hij had het hele bedrag dat ik tot dusver aan Burt DeVriess kwijt was volledig waargemaakt. 'Ga je nu Evers en de aanklager inlichten of bewaar je het tot in de rechtszaal?' vroeg ik Burt.

'Om precies te zijn zal ik een verzoek tot seponeren indienen zodra ik Toms verslag binnen heb. De pers zal even op onze hand zijn, maar de rechter zal de zaak niet seponeren. Te veel bewijsmateriaal. Geen enkele normale rechter zal een zaak willen seponeren tegen iemand wiens bed doordrenkt was met het bloed van zijn dode geliefde.' Hij schudde zijn hoofd. 'Jammer dat die lakens niet zomaar in het niets zijn verdwenen.'

'Ik speel het volgens de regels,' zei ik en opeens schoot me iets te binnen. 'Maar dat wist die vent ook. Daar rekende hij op: dat ik dus de politie zou bellen nadat ik die lakens had aangetroffen. Zo gaf hij me de strop waarmee ik mezelf zou verhangen, wist hij.'

'Daarmee weten we dan weer wat meer over hem,' stelde Burt vast. 'Wie weet schiet je in de kleine uurtjes opeens een naam te binnen. En misschien dat Evers ditmaal een wat vriendelijker gesprekje met ons wil voeren. Wie weet gaat hij eens nadenken over andere mogelijke daders, zal hij zijn net wat verder uitwerpen.'

Burt gaf Owen een klap op de schouder. Die schrok hevig, ofwel vanwege de kracht waarmee het gebeurde, dan wel vanwege het vrijpostige karakter ervan. 'Goed, ik denk dat we voor vandaag wel klaar zijn,' zei Burt. 'Hoe snel kan ik uw rapport ontvangen?'

'Ik schrijf het uit in het vliegtuig en dan e-mail ik het vanavond naar u. Is dat snel genoeg?'

'Ja, dat is prima. Dank u. Chloe zal contact met u opnemen zodra de procesdatum bekend is. Ondertussen ga ik aan dat gerechtelijk verzoek werken.' Terwijl Owen Thomas de vergaderruimte verliet, trok Burt met een harde ruk de jaloezieën omhoog, en het licht viel met bakken naar binnen; het zuivere, heldere zonlicht dat meestal op een hevige lentebui volgt. Ik vatte het op als een goed voorteken.

39

Na het kantoor van DeVriess te hebben verlaten bleef ik nog even in de koele duisternis van de parkeergarage hangen om te besluiten waar ik heen zou gaan. Mijn rendez-vous met Art, en het klusje voor die avond, lieten nog enige uren op zich wachten. Normaliter zou ik gewoon mijn werkkamer op de campus opzoeken, slechts een paar kilometer hiervandaan, of naar huis gaan, slechts zo'n negen kilometer verderop. Maar in het eerste geval was mij verzocht me daar niet meer te vertonen, en in het tweede geval wilde ik hoe dan ook de pers mijden die me daar zou opwachten, zo vreesde ik.

Ik had mijn koffertje bij me, volgepropt met vakliteratuur die me zou helpen bij het redigeren van mijn studieboek over botten van ledematen. Maar waar kon ik werken? De stadsbibliotheek leek me te openbaar, te open en bloot, net als Riverview Terrace, het restaurant aan de andere kant van de vallei, tegenover Burts kantoor. Te worden aangegaapt, aangewezen, gestoord, misschien zelfs iemand die me sterkte zou willen wensen, wat niet waarschijnlijk was, was wel het laatste waarop ik zat te wachten. Uiteindelijk reed ik terug naar Tyson Park, waar ik op een overdekte picknickplek, voor het geval dat de bewolkte lucht weer regenachtig werd, mijn aantekeningen op een ietwat kleverig tafeltje uitspreidde.

Niet lang daarna dook er een auto op die stopte voor mijn toevluchtsoord. Ik keek even op, net lang genoeg om het vignet en de zwaailichtbak van een surveillanceauto te herkennen, waarna ik me dubbel zo aandachtig op mijn aantekeningen concentreerde. Na tien oneindige minuten naast mijn Taurus te hebben geprutteld, reed de auto weer verder, maar in de drie uren daarna kwam hij nog regelmatig langsgereden. Hun waakzaamheid maakte dat ik me tegelijk een beetje schuldig en onterecht bespied voelde. Ik vroeg me af of daklozen dat ook zo ervoeren, individuen wier dagen zich aaneenregen zonder uitzicht op een comfortabele, gastvrije plek waar ze hun tijd konden doorbrengen. Ik had tenminste nog geld in mijn portemonnee en een dak boven mijn hoofd – twee daken, als je het zomerhuisje in Norris meerekende – maar geen van beide voelde als een thuis.

Ik dwong mezelf om me te concentreren op de botten van de menselijke arm en het menselijk been. In de twintig jaar sinds ik de eerste editie had voltooid, was de Amerikaan gemiddeld een paar millimeter langer geworden, en daarmee dus ook het dijbeen en de andere botten van de ledematen. Met als gevolg dat een dijbeen dat twintig, dertig jaar geleden nog onomstotelijk als mannelijk zou zijn vastgesteld, vandaag de dag net zo goed van een lange vrouw kon zijn. Het waren slechts kleine, maar niet onbelangrijke verschillen. Ik dacht weer aan de creationisten en hoe zij deze trend zouden verklaren. Stel dat we naar Gods evenbeeld waren geschapen, zouden Jennings Bryan en zijn volgelingen daar dan uit afleiden dat ook God steeds langer werd?

Het lezen en redigeren hielden me bezig totdat de avond was gevallen. Toen het te donker was om nog iets te kunnen lezen of zien, pakte ik mijn spullen, startte ik mijn auto, verliet het park en reed weg over de Strip, het stukje Cumberland Avenue met zijn restaurants en bars die zich tegen de periferie van het universiteitsterrein schurkten. Ik bezocht de deli waar ik rond het middaguur ook al iets had besteld. De kalkoensandwich had goed gesmaakt en het feit dat het een drive-through-winkel was, verschafte me wat privacy. Ditmaal had ik wel zin in wat anders en vermetel bestelde ik een broodje cornedbeef om daarna, als compensatie voor mijn onbezonnen keuze, het verste, donkerste hoekje van het parkeerterrein op te zoeken en het daar op te eten. De sandwich smaakte prima, maar ik was er niet bij met mijn gedachten. Ik zag niet bepaald uit naar wat me zo meteen te doen stond, en mijn enige troost was dat Art er ook aan meedeed. Halverwege de sandwich had ik geen trek meer en ik stopte het broodje terug in de zak. Daarna reed ik met lood in mijn schoenen naar het hoofdbureau van politie, waar Art me al opwachtte onder de vlaggenstok die baadde in het voetlicht. Zwijgend stapte hij in – ook hij keek er bepaald niet naar uit – en ik reed weg in de richting van Broadway Street en Old North Knoxville.

Eerder op de dag had ik Susan Scott gebeld om erachter te komen hoe laat haar zoontje naar bed ging. 'Joey gaat om halftien naar bed,' had ze verteld. 'Meestal kijken we om halfnegen eerst *America's Funniest Home Videos* en dan lees ik nog een hoofdstukje voor uit Harry Potter. Om kwart voor tien slaapt hij meestal wel.'

'Ik besef dat het laat is,' had ik gezegd, 'maar zouden mijn vriend Art en ik om tien uur even mogen langskomen? Ik vind het vervelend het u te moeten vragen, maar ik vind het belangrijk. En graag op een tijdstip dat uw man er ook bij is.'

Ze had geaarzeld, en ik kon haar bijna horen weifelen of ze niet naar het waarom moest vragen. Dat deed ze niet, en daar was ik dankbaar voor, aangezien mijn uitleg niet minder dan gestoord dan wel angstaanjagend zou hebben geklonken. 'Goed,' had ze besloten. 'Bobby moet vaak overwerken, zoals u al weet, maar meestal is hij rond achten, negenen wel thuis. Ik zal het verandalicht aandoen zodra Joey naar bed is.'

Het was halftien toen Art en ik langs het trottoir tegenover het huis van de familie Scott stopten. Achter alle ramen scheen de amberkleurige gloed van de huisverlichting. Het verschafte het oude victoriaanse huis de uitstraling van een traditionele ansichtkaart: *Oost west, thuis best, gezelligheid kent geen tijd*, of iets ander sentimenteels. Bepaald geen plek voor gebroken harten en gebutste kinderzieltjes, zou je denken. Zwijgend bleven we zitten. Ik worstelde met mezelf en vroeg me af of dit eigenlijk wel nodig was. Ik wist tamelijk zeker dat Art zich deze vraag nu ook stelde. Na een paar minuten werd in een van de kamers op de eerste verdieping het licht uitgedraaid. Even later floepte de verandalamp aan. Er viel net genoeg licht in de wagen om Art wat uit te lichten. Zijn gezicht stond treurig en tobberig. 'We kunnen ook gewoon weer wegrijden. De boel laten voor wat hij is,' zei ik.

Er viel een lange stilte. 'Kan,' antwoordde hij uiteindelijk. 'Denk vooral niet dat ik dat niet wil. Maar stel dat we ditmaal de andere kant op kijken, wat gebeurt er dan de volgende keer? En daarna? Zodra je eenmaal een grens overschrijdt, wordt het steeds gemakkelijker en weet je uiteindelijk niet eens meer waar die grens lag. Samen hebben we jarenlang netjes volgens de regels gehandeld. Daar geloofden we in, ook al leken ze niet altijd even eerlijk. Dat weet jij ook. Daarom heb je Evers gebeld, in plaats van dat je die lakens verbrandde of ze om een steen wikkelde en daarna in de rivier gooide.'

'Ik weet het,' zei ik. 'En kijk toch eens hoe gunstig dat voor me heeft uitgepakt, hè?'

'We zijn er nog niet. Het is nog te vroeg om het systeem af te serveren. Je hebt een gewiekste advocaat en als er iemand is die twijfel kan zaaien in de hoofden van een jury dan ben jij het wel.'

'Tja,' zei ik met meer dan een vleugje ironie. 'Het beste rechtssysteem ter wereld. Met als toppunt mijn advocaat, Grease DeVriess.'

'Hallo, ik zei niet dat het perfect is,' verweerde Art zich. 'Maar in dit geval zou Grease het systeem weleens een dienst kunnen bewijzen door zich uit de laagste krochten van de hel naar een middenniveau op te trekken.'

'Als Grease met het zuiveren van mijn naam kan rekenen op een beter plekje in het hiernamaals, dan weet ik niet of ik deze zaak wel wil winnen,' mompelde ik. Art grinnikte zacht. 'Je bent een goed mens, Bill. Ben je er klaar voor?'

'Nee. Maar we kunnen het maar beter achter de rug hebben.'

We stapten uit en sloten zachtjes de portieren. Verderop in de straat blafte een hond, waarna de stilte terugkeerde. Traag slenterden we het tuinpad op en bestegen we het trapje van de veranda. Ik klopte zacht op de voordeur, die bijna meteen werd geopend. Nerveus keek Susan Scott ons aan. Haar man, Bobby, stond achter haar. Ze had verteld dat hij aannemer was, maar aan zijn postuur te zien was hij niet alleen opzichter maar verrichtte hij veel van het werk nog zelf. Hij was ongeveer 1.88 meter, breedgeschouderd en met gespierde armen. Ik zag een beginnend bierbuikje, maar daaronder huisde desalniettemin het lichaam van een atleet. Hij schudde Art de hand, die lichtelijk ineenkromp. Toen hij de mijne schudde, wist ik waarom.

We mochten plaatsnemen op de bank, de bank waar Art en ik op hadden gezeten toen we een week eerder Susan over Craig Willis' dood kwamen inlichten. Zelf namen ze ieder plaats in twee aparte stoelen die dicht bij elkaar stonden. Tussen de twee stoelen in vonden hun handen elkaar.

'Ik weet even niet waar ik moet beginnen,' zei ik. 'Misschien dat jullie me onlangs op het nieuws hebben gezien.' Allebei knikten ze opgelaten. 'Iemand is hard bezig om de indruk te wekken dat ik de moordenaar van dr. Carter ben, en dat lijkt verdomd aardig te lukken. We willen weten wie dit doet, en waarom.'

Susan leek het niet helemaal te begrijpen, en dat kon ik haar niet echt kwalijk nemen. 'Toen u me belde, vertelde u dat u informatie had over Craig Willis,' zei ze.

'Dat klopt,' antwoordde Art. 'En volgens ons zou er een verband kunnen bestaan tussen die zaak en de moord op dr. Carter.'

'Hoe kunnen die twee zaken in hemelsnaam iets met elkaar te maken hebben?' vroeg Bobby zich af.

'Dat is nog een beetje onduidelijk,' reageerde Art. 'Maar de moord op dr. Carter volgde direct op het bekendmaken van de identiteit van Craig Willis, na ons onderzoek. Zijn moeder was nogal geëmotioneerd over de nieuwsberichten omtrent de dood van haar zoon. Voor haar voelde het alsof dr. Carter zijn naam had bezoedeld.'

'Hallo zeg,' onderbrak Bobby hem, 'die vent was een hufter.'

'Bobby!' riep zijn vrouw verschrikt.

'Ik kan er niets aan doen, Sue. Je weet dat het zo is, en jij denkt er net zo over. Ik ben blij dat hij dood is, en ik had graag gewild dat de kranten de rest van het verhaal er ook bij hadden vermeld.'

'De dag vóór haar dood was dr. Carter op mijn werkkamer van de universiteit. Op een gegeven moment stormde de moeder van Craig Willis naar binnen en viel ze dr. Carter aan. We moesten de campuspolitie bellen.'

Geschrokken sloeg Susan een hand voor haar mond. 'U denkt dat zij dr. Carter misschien heeft vermoord?'

'Dat weten we niet,' zei Art. 'Maar we zijn wel bang dat mevrouw Willis misschien wat labiel is en een risico kan vormen voor iedereen die iets met de zaak rond haar zoon te maken heeft.' Hij reikte in zijn overhemdzak en haalde een foto tevoorschijn. Het was een van de foto's die ik eerder die dag buiten voor de woning van mevrouw Willis had genomen. 'U hebt haar toevallig niet in deze buurt gezien, of in de buurt van Joey's school?' Hij gaf de foto aan Bobby Scott. Die pakte hem aan met zijn vrije hand, bekeek hem even en schudde zijn hoofd. Daarna gaf hij hem door aan zijn vrouw, die hem een stuk langer bekeek. Ook zij schudde ten slotte haar hoofd en gaf de foto weer aan Art. Hij bekeek de foto, hield hem onder de schemerlamp naast de bank en bewoog hem wat heen en weer zodat het licht over het oppervlak danste. Zijn gezicht versomberde en ik kon de tranen in zijn ogen zien opwellen. En zelf voelde ik ze ook al opkomen. 'Meneer Scott,' vroeg Art, 'wanneer hebt u in uw duim gesneden? En hoe kwam dat?'

Bobby Scott keek wat verward, en vervolgens nerveus. 'Op het werk. Ik was wat elektriciteitsdraden aan het strippen. Een week geleden, denk ik.'

'Ik denk eerder een week of drie, vier geleden,' zei Art. 'Was dat vlak voor de avond dat u niet thuiskwam? Het is alweer aardig genezen, zou ik zeggen, afgaand op deze duimafdruk, hier...' Het gezicht van Bobby Scott werd rood. 'Mag ik uw duim even bekijken?' Scott trok zijn hand los van die van zijn vrouw, maar toonde Art niet zijn duim. In plaats daarvan liet hij beide armen op de stoelleuningen rusten en ging wat voorover zitten alsof hij elk moment overeind kon springen. De vechten-of-vluchtenreflex manifesteerde zich in elk geval als een veer die tot het uiterste gespannen was.

De ogen van zijn vrouw gleden van haar man naar Art, en ten slotte naar mij. 'Wat heeft dit te betekenen?' vroeg ze. Ik kon zien hoe de verwarring en de paniek zich van haar meester maakten. 'Kan iemand me even vertellen wat hier allemaal aan de hand is?' Haar stem beefde als een strakgespannen snaar die elk moment kon knappen.

'Toen Craig Willis werd vermoord,' vertelde ik, 'werd zijn penis er afgesneden en in zijn mond gestopt. Er zat een bloederige duimafdruk op. De duim vertoonde een behoorlijk grote snee in het midden.'

Ze draaide zich om en keek haar man aan. De blikken die nu werden uitgewisseld – haar angstige, stilzwijgende vragen; zijn geïrriteerde uitvluchten – het werd me bijna te veel. Ze begon te beven en te huilen. 'O, god. Bobby...' jammerde ze. 'Wat heb je gedáán! Hoe kon je ons dit aandoen! O god... Elke keer als ik denk dat het niet erger kan worden...' Ze balde een hand tot een vuist en beet zo hard op haar wijsvinger dat ik vreesde dat de huid elk moment kon openbarsten. 'Ik kan het niet meer aan,' snikte ze. 'Ik kan het niet. Ik kán het niet! Ik heb het zo geprobeerd. Zo verdomd hard. Maar ik trek het niet meer!'

Bobby Scott viel op zijn knieën voor haar neer. Ook hij huilde nu. 'Schatje, het spijt me zo! Ik deed het voor Joey! En voor al die andere kinderen van wie ik wist dat ze net zo veel leden als hij. En ook voor jou en mij, was mijn gedachte. Het leek me de enige weg voor nog een beetje gerechtigheid, zodat ik eindelijk eens van die voortdurende woede zou zijn verlost. Ik had nooit kunnen denken... kunnen dromen... O, lieverd, het spijt me zo. Het spijt me zo!' Snikkend begroef hij zijn hoofd in haar schoot. Verbijsterd bleef ze roerloos zitten. Dit is het moment waarop de liefde overwint of ophoudt, dacht ik bij mezelf. Ten slotte legde ze haar handen op zijn hoofd, streelde door zijn haar en boog ze zich iets voorover om hem in haar armen te nemen en tegen haar boezem te drukken, waarna ze samen hun verdriet verwerkten.

Toen ze uitgehuild waren, wat enige tijd vergde, richtte Bobby zijn hoofd op en draaide hij zich om naar Art. 'En wat nu? Gaat u me arresteren?'

'Nee,' antwoordde Art. 'Ik denk dat u zich het beste vrijwillig kunt melden om een bekentenis af te leggen.' Op zijn gezicht verscheen even een grimas, maar toen knikte hij weloverwogen. 'Het kan zelfs minder slecht uitpakken dan het lijkt,' legde hij Susan uit. 'Met een goede advocaat en een redelijk begripvolle aanklager is een aardige strafvermindering mogelijk. Hij kan over een jaar of twee weer vrijkomen. Een andere mogelijkheid, stel dat hij voor de rechter verschijnt, is vrijspraak. Sommige jury's verkiezen een hogere vorm van gerechtigheid boven de letter van de wet, en zelfs rechercheurs en aanklagers hopen daar soms op. Ik garandeer niets, maar als politiefunctionaris zou ik daar bij deze zaak op hopen. En als ouder weet ik wel hoe ik zou oordelen als ik in de jurybank zat.'

'En ik ook,' viel ik Art bij. 'Ik moet je nog iets vragen, Bobby. Ik denk dat ik het antwoord al weet, maar ik moet het toch vragen. Heb jij dr. Carter vermoord? Om je sporen uit te wissen?'

Hij schudde zijn hoofd. Zijn gezicht was een slagveld van emoties, maar zijn blik was open en eerlijk. 'Nee, natuurlijk niet,' antwoordde hij. 'Ik zou nooit een onschuldig iemand kunnen doden. Ik vind het heel erg dat ze is vermoord.' Hij wees naar de foto die Art nog steeds, al sinds een

eeuwigheid, zo leek het, in zijn hand hield; de foto die we hadden gebruikt om stiekem een vingerafdruk van hem te krijgen. 'En zij?'
'Misschien is ze er link genoeg voor,' antwoordde ik, 'en misschien ook
wel gek genoeg, maar het feit is dat ze niet sterk genoeg is. Ik heb dat vandaag ontdekt toen ze me met een heggenschaar te lijf ging. Degene die dr.
Carter heeft vermoord, heeft haar zo'n vijftig meter heuvelopwaarts moeten dragen. Nergens sleepsporen te zien. Een vrouw van zestig zou dat
echt niet hebben gekund. Ik vraag me zelfs af of ik het gered zou hebben.
Het moet dus een behoorlijk sterke vent zijn geweest. En bovendien is er
op de beelden van de bewakingscamera duidelijk een man te zien.'
Opnieuw schudde hij zijn hoofd. 'Ik zweer u op het leven van mijn zoon
dat ik dr. Carter niet heb vermoord.'
'Ik geloof u,' zei ik. 'Volgens mij bent u een eerlijk mens, een fatsoenlijke
vent die over zijn grenzen werd gejaagd. Mag ik nog iets vragen?' Hij knikte zwijgend. 'Waarom juist dat van god verlaten pad in Prentice Cooper
State Forest? Dat zal een heel werk zijn geweest, en riskant bovendien.'
Een vreemde, treurige glimlach flitste even over zijn gelaat. 'Joey en ik
hebben daar ooit gekampeerd. Het was kort voordat hij... We liepen over
dat pad en op een gegeven moment zagen we die plek van het waterschap
aan de overkant van het ravijn. De volgende dag, voordat we naar huis
zouden gaan, hebben we daar nog rondgewandeld. Het was de laatste keer
dat ik Joey echt gelukkig heb gezien. Echt gelukkig.'
'Het zal niet gemakkelijk zijn, maar ik denk dat jullie het misschien wel
zullen redden. Ik hoop dat jullie het in elk geval zullen proberen.' Ik keek
even naar Susan, die er nog altijd als verbijsterd bij zat. 'Jullie moeten wel
erg veel van elkaar houden,' voegde ik eraan toe. 'En jullie hebben elkaar
nog steeds nodig. En Joey zijn ouders.'
We kletsten nog wat, over advocaten, gerechtelijke procedures, de ins en
outs en valkuilen van het onnodig complexe 'Rube Goldberg'-achtige
karakter van het gerechtelijk apparaat, waarna Art en ik afscheid namen.
Op de rand van het trottoir keek ik even achterom. Ze stonden op de veranda: twee donkere silhouetten, omkranst door het amberen licht, een
arm om elkaars middel geslagen. Ondanks de zware tijden die hen nog te
wachten stonden, voelde ik toch enige afgunst. Zij hadden elkáár.
De terugrit naar het hoofdbureau van politie van Knoxville verliep zwijgend. Zonder een woord te zeggen stapte Art ten slotte uit en hij slofte
naar zijn auto. Hij leek opeens tien jaar ouder en vermoeider dan ik hem
ooit had gezien. Wellicht zou hij van mij hetzelfde hebben gedacht als ik
degene was geweest die onder het onverbiddelijke licht van de natriumlampen de straat overstak.

Ik treurde tijdens de hele rit naar mijn vakantiehuisje in Norris. Maar voor het eerst sinds de dood van Jess was dat niet langer alleen om haar, of uit zelfmedelijden. De horizon van mijn verdriet had zich inmiddels voldoende verbreed om ook aan anderen plaats te bieden en me in staat te stellen te erkennen dat mijn eigen verdriet verre van uniek was en bepaald niet de zwaarste last was die een mens soms moest dragen.

40

O m zeven uur de volgende ochtend ging mijn mobieltje. Ik moest even op de tast om me heen zoeken om het ding in het vroege ochtendlicht van het zomerhuisje te kunnen vinden. 'Bill? Met Burt. Luister, ik heb gisteravond het rapport van Owen Thomas ontvangen. Geweldig nieuws. Afgezien van een analyse van de camerabeelden en een filmpje met daarop duidelijk de verschillen tussen jouw pick-up en de *mystery truck* – want zo noemen we hem vanaf nu – heeft hij nog wat extra stemanalyses verricht die verdomd interessant zijn.'

'Interessant, hoezo?'

'Nou, na te hebben vastgesteld dat jouw stem niet op Jess' voicemail staat, heeft hij wat tv-items over de demonstratie van de creationisten gedownload. Een van hen – de advocaat die daar de touwtjes in handen heeft – gebruikte tijdens het interview op straat een paar van dezelfde woorden als die vent op Jess' voicemail. En dus kon Owen het een en ander vergelijken.'

'Jennings Bryan uitte schuttingtaal en doodsbedreigingen op tv?'

'Nee, nee. Je moet denken aan woorden als "de" en "we". Plus nog wat combinaties, zoals "zal wensen" en "had nooit", geloof ik. Hoe dan ook, het is geen afdoende bewijs, maar afgaand op de frequentiepatronen en de ruimte tussen twee woorden zegt hij dat er een gerede kans bestaat dat die voicemailberichten voor Jess van Bryan afkomstig zijn geweest. Dus we dragen het over aan de officier van justitie en aan brigadier Evers en dringen aan op nadere ondervraging van deze meneer. Eens kijken of ze hem dagvaarden en hem zullen opdragen die teksten woordelijk te herhalen, net zoals jij van Owen moest doen. Doet Evers dat niet, dan krijgt hij er tijdens de zitting van mij van langs, en zal ik het er voor de jury op laten lijken dat de politie andere verdachten negeerde om jou de zaak in de schoenen te kunnen schuiven. En in de tussentijd kan ik misschien nog even een vriendelijk babbeltje met de heer Bryan maken om te kijken of hij die zaak tegen jou kan laten varen.'

'Je bedoelt, hem chanteren?'

'God verhoede!' riep Burt. 'Wij strafpleiters omschrijven dergelijke onderhandelingsstrategieën liever als een "alternatieve geschiloplossing". Klinkt een stuk ethischer.'

'Kun je in je verzoek om seponeren ook de stemanalyse aanvoeren?'
'Nee, want die heeft niet dezelfde status als de videoanalyse. De aanklager beweert niet dat jouw stem op die voicemail staat, maar wél dat jouw pick-up op die bewakingscamera te zien is. Maak je geen zorgen, dat verzoek is stevig onderbouwd. Zoals ik al zei, ga ik er niet van uit dat het zal worden gehonoreerd, maar het zal ons zeker goed van pas komen. Tenminste, als je wilt meehelpen.'
'Meehelpen? Hoe dan?' In mijn hoofd hoorde ik een alarmbelletje afgaan. 'Ik wil deze bewijsstukken aan de publieke opinie presenteren, om voorafgaand aan de rechtszaak eerst jouw reputatie weer wat te zuiveren, om meteen wat twijfel te zaaien. Ik wil een persconferentie beleggen en mijn verzoek tot seponeren, het videomateriaal en Owens bevindingen voorleggen aan de media.'
Al bij talloze zaken was ik getuige geweest van Burts persconferenties, en zoals altijd had ik zijn flamboyante vertoon ongepast gevonden. En dat was nog steeds het geval. 'Is dat echt nodig?' vroeg ik.
'Of het nodig is? Nee,' was zijn antwoord. 'Zal het ons helpen? Absoluut. Tot dusver is alles wat er aan de media is vrijgegeven, afkomstig geweest van de aanklager of van de politie. En tot dusver sta jij erbij als de gedoodverfde dader.' Toegegeven, daar had Burt een punt. 'De beelden van de beveiligingscamera, in combinatie met Owens rapport op schrift en zijn dvd met daarop de grootste verschillen tussen jouw pick-up en de mystery truck, zullen iedereen duidelijk maken dat jij het slachtoffer bent van een geraffineerd spel.'
Het klonk goed, maar ik wist dat niet iedereen zou reageren zoals Burt voorspelde. Sommigen zouden juist reageren zoals ik zelf altijd deed, namelijk door zijn hele optreden af te doen als het bespelen van het publiek. 'Ik weet het niet, Burt.'
'Bill, jij betaalt me – en goed ook – om op mijn ervaring en juridische expertise te kunnen rekenen, nietwaar?'
'Ja.'
'Mijn expertise en ervaring fluisteren me in dat dit een cruciale stap is naar een sterke verdediging. Een strafproces vindt niet plaats in een vacuüm. De rechter, de aanklagers en ik staan bijkans op ons hoofd om de indruk van het tegendeel te wekken; dat we hier een jury hebben die zich niet door de media laat beïnvloeden. De waarheid is dat dit onzin is, en dat weten we allemaal. We staan hopeloos achter, Bill. Het wordt tijd voor een paar goeie voorzetten.'
Ik moest er nog steeds weinig van hebben, maar op zich sneed het hout. Net zoals dat gold voor zijn strategieën voor zijn eerdere cliënten, ver-

moedde ik, en ik moest er weer aan denken dat je niet over iemand moet oordelen als je niet eerst zelf in zijn schoenen hebt gestaan. Op dit moment voelde het alsof ik in behoorlijk onwelriekend schoeisel bezig was aan een marathon, met een onaangenaam soppend gevoel tussen mijn tenen. 'Verdomme,' mopperde ik. 'Oké, ga je gang maar.'

'Ik denk dat we ook nog een paar extra stappen in de richting van jouw eerherstel moeten zetten,' zei hij.

'Wat voor stappen?' Het woord benadrukte nog eens dat soppende gevoel tussen mijn tenen.

'Ik wil dat je erbij bent op de persconferentie. En daarna ga je terug naar je echte woning. Je moet uit je isolement komen.'

'Kom op, Burt. De camera's waren niet weg te slaan, van de plaats delict, van mijn huis, bij mijn arrestatie, en wederom van mijn huis. Hoe kun je van mij verwachten dat ik in zo'n glazen kooi ga wonen?'

'Zodra we dit verzoek indienen en de videoanalyse vrijgeven zal de belangstelling enorm zijn,' antwoordde Burt, 'maar die zal binnen 24 uur zijn weggeëbd en daarna zal het tot aan de zitting rustig blijven. Je moet je weer als een onschuldige gaan gedragen. Neem een voorbeeld aan Bill Clinton, Ronald Reagan, Dick Cheney en al die andere hoge pieten uit Washington. Zelfs al worden ze van allerlei kwaads beschuldigd, ze blijven lachen en zwaaien naar de camera's. En de burger denkt: "Zo'n aardige man – die kan dit soort afschuwelijke dingen nooit op zijn geweten hebben!"'

'Moet ik tijdens die persconferentie nog vragen beantwoorden?'

'Nee. Daar zal ik meteen een stokje voor steken. Je brengt gewoon even een hand omhoog, met een spijtige blik omdat ik je verbied om commentaar te leveren. Het hoort allemaal bij het spelletje, Bill. Als je het zo kunt opvatten, voelt het misschien wat minder ondraaglijk. En al ben je maar een béétje toegeeflijk en gun je ze wat plaatjes zodat ze weer iets hebben voor die gapende leegte die ze elke avond moeten vullen, dan zullen ze je niet langer als de schurk portretteren. Je zult versteld staan over hoe de toon zal veranderen. Ik heb het al zo vaak meegemaakt.'

'Goed, raadsman. U wint.'

'Da's mooi, want Chloe heeft alle nieuwsmedia al op de hoogte gebracht.' Ik schudde slechts mijn hoofd. 'Ongelooflijk. Waar spreken we af, Machiavelli? En hoe laat?'

'Op mijn kantoor, om kwart voor twee. We lopen naar het provinciehuis om daar om twee uur het verzoek in te dienen, en daarna houden we buiten meteen de persconferentie. Op die manier hebben de tv-zenders ruim de tijd om hun item vanavond nog op beide journaals te krijgen.'

'En je denkt echt dat het ons zal helpen?'

'Het zal wel moeten,' was zijn antwoord. 'Dit kan weleens onze enige kans zijn voor de rechtszaak begint. Zodra de officier van justitie ziet dat we terugvechten, kan hij ons misschien restricties opleggen. Of misschien dat de rechter daar zelf toe zal besluiten. Hoe dan ook, we moeten nu voor een homerun gaan.'

Om halftwee reed ik de parkeergarage onder de Riverview Tower in. Eenmaal boven werd ik hartelijk verwelkomd door Chloe. 'Klaar voor uw close-up?'

'Wrijf het er maar lekker in, ja. Ik vind dit echt verschrikkelijk.'

'Ik weet het,' zei ze. 'Niet iedereen geniet van de schijnwerpers zoals meneer DeVriess. Maar het zal uw zaak goeddoen. Echt. Een vriendin van me werkt voor de *News Sentinel* en ze zegt dat dit hét onderwerp op de redactie is. Ze hebben alleen al drie onderzoeksjournalisten aan het werk gezet om die pick-up te vinden en om andere invalshoeken te bedenken die ze wellicht over het hoofd hebben gezien. O, en we hebben al telefoontjes gehad voor *Larry King* en *20/20*.'

'*Larry King*? *20/20*? Hoe hebben die hier zo snel lucht van gekregen?'

'We hebben al vaker een opzienbarende zaak gehad,' legde ze uit. 'Het gebeurt niet vaak dat we de landelijke media erbij halen, en dus weten ze dat het wel een goed verhaal moet zijn.'

'Heer, wat heb ik over me afgeroepen? Ik had mezelf nooit door hem moeten laten overhalen.'

'Juist wel,' was haar reactie. 'Mag ik u misschien iets toevertrouwen?' Ik knikte behoedzaam. 'Maar als u tegen meneer DeVriess verklapt dat ik het heb gezegd, word ik ontslagen.'

'Ik zwijg als het graf,' beloofde ik, en ik hield als een padvinder drie vingers omhoog.

'Onze cliënten kunnen niet altijd op mijn respect rekenen, en ik moet soms weinig hebben van wat meneer DeVriess voor hen doet. Maar u bent anders. En dat weet hij. Wat hij voor u doet, zou weleens uw redding kunnen zijn.' Opeens keek ze verlegen. 'En de zijne ook, als u begrijpt wat ik bedoel.'

'U bedoelt, ter compensatie voor een paar zaken uit het verleden? Een verlossing?'

Ze knikte.

'Nou, er hebben zich wel vreemdere dingen voorgedaan,' reageerde ik. 'Vooral de laatste tijd.' Ik hoorde de deur van DeVriess' werkkamer opengaan en het geklik van Italiaanse schoenen in de gang. Ik bracht een vinger naar mijn lippen en knipoogde even samenzweerderig naar Chloe. Ze knipoogde terug. Ik hoopte dat haar gebaar, inclusief de genereuze gedachte erachter, me door de surrealistische speltactiek voor het komende uur kon loodsen.

'Hou vol,' moedigde Burt me aan terwijl de lift de lobby bereikte. 'Loop kwiek en laat je niet afleiden. Toon een glimlach, maar overdrijf niet, en knik zo nu en dan even naar de camera's. Hou bij elke derde of vierde vraag even beleefd een verontschuldigende hand omhoog.' Met deze instructies in het achterhoofd stapten we het trottoir van Gay Street op, waar een meute verslaggevers ons al opwachtte. Ik zag camera's van alle lokale tv-stations, en ook van CNN en Fox News. Verder telde ik nog een stuk of tien persfotografen en tegen de honderd toeschouwers, schatte ik. Waar kwamen die vandaan? En waarom waren ze hier?

Ik hield me strikt aan Burts instructies, deels in de hoop zo het gewenste effect tot stand te brengen en deels om iets te doen te hebben in plaats van de benen te nemen of mijn gezicht in de plooi te houden als een dominee die in een bordeel in de val is gelopen. Terwijl we naar het provinciehuis liepen, weerde Burt alle vragen af, en bleef hij alleen even staan met de korte mededeling dat 'zodra we dit verzoek om seponeren hebben ingediend, komen we met een verklaring, en zullen we kopieën verstrekken van het ontlastende bewijsmateriaal waar we ons verzoek op hebben gebaseerd'.

Het indienen van het verzoek bij de griffie nam maar liefst één minuut in beslag. Het rechtbankpersoneel keek Burt licht aanmatigend aan – het had dit al talloze keren meegemaakt – maar ik zag dat ik hier en daar aandachtig werd beloerd. Toen we het gebouw hadden verlaten, leidde Burt de mediameute naar een paar treden langs de rand van het plein, waar hij – en ik – ons enigszins boven de massa konden verheffen. Het spervuur van vragen was bijna niet te volgen. Burt hief beide handen op en gebaarde om stilte. Als op een teken zwaaide een kluwen van microfoonhengels tot vlak boven zijn hoofd in positie. 'We hebben zojuist een verzoek ingediend ter seponering van alle aanklachten jegens dr. Bill Brockton,' zei hij. 'We beschikken over belangrijk nieuw bewijsmateriaal dat – in tegenstelling tot wat de aanklager beweert – onweerlegbaar aantoont dat het niét de pick-up van dr. Brockton was die in de uren kort voordat het lichaam van dr. Carter werd aangetroffen het terrein van de Bodyfarm opreed.' Weer een spervuur van vragen, maar Burt negeerde het en ging verder met zijn verhaal. 'De pick-up, de mystery truck, werd bestuurd door iemand die het niet alleen op het leven van dr. Carter had voorzien, maar ook op de reputatie van dr. Brockton. Als we het raadsel rond deze pick-up kunnen oplossen, dan is daarmee ook het raadsel rond de moord op dr. Carter opgelost.' DeVriess keek even opzij, en Chloe stapte naar voren uit de menigte. 'Deze persmappen bevatten enige aanvullende informatie, waaronder technische details van de videoanalyse, plus een dvd met daarop haarscherp de beelden van de beveiligingscamera en een uitlichting van de onomstotelijke verschillen tussen de pick-up van dr. Brockton en de mystery truck.' Hij knikte even naar Chloe, die de glimmend zwarte mappen begon uit te delen waarop, zag ik, in gouden letters de naam van Burts advocatenkantoor in reliëf gedrukt stond. De Bentley-versie van een persmap, bedacht ik me met een wrange glimlach.

Burt was bepaald nog niet klaar met zijn verhaal. 'We doen een dringend verzoek op de rechtbank om alle aanklachten te seponeren,' sprak hij op een toon die op de kansel niet zou misstaan. 'We doen een beroep op de officier van justitie om dr. Brockton niet langer als zondebok te gebruiken. En we verzoeken de politie van Knoxville om deze mystery truck en de ware moordenaar op te sporen en hem voor dit verschrikkelijke vergrijp voor de rechter te brengen.' Terwijl deze laatste woorden nog nazinderden, pakte hij me bij een elleboog en sleurde hij me praktisch mee terug naar zijn kantoor.

Het was een eenvoudig script, professioneel voor het voetlicht gebracht en briljant in zijn uitwerking. Tijdens het tv-journaal van halfzes, dat ik in de woonkamer van mijn eigen huis aanschouwde, zapte ik langs alle lokale tv-kanalen en hoorde ik flarden als 'mystery killer', 'mysterieuze moordenaar' zo vaak langskomen dat ik de tel kwijtraakte.

We hadden nog niet gewonnen, nog lang niet, maar DeVriess had gelijk: het was tijd dat ik me als een onschuldige ging gedragen, en dankzij zijn optreden was dat nu mogelijk geworden.

4I

Het was tien uur toen mijn mobieltje ging. Ik keek even op de nummerherkenning om te zien wie het was. Tot mijn verwondering vermeldde het displaytje kengetal 423: Chattanooga. Behoedzaam nam ik op. 'Hallo?'

'Dr. Bill? Zeg, je was op tv vanavond!'

'Hé, hallo, Miss Georgia. Goh, ik wist niet dat ik ook het nieuws van Chattanooga heb gehaald.'

'Nee, schat, het was op het journaal van Knoxville. Daar zit ik namelijk nu, net als jij. Mijn mobieltje denkt alleen dat hij nog steeds in Chattanooga is. Hoe gaat het, dr. Bill?'

'Hoe het met me gaat? Tja, eens kijken,' antwoordde ik. 'De vrouw voor wie ik leek te gaan vallen, is vermoord; iets waar ik nu zelf van word beschuldigd; ik mag me niet meer op de universiteit vertonen en mijn kleinkinderen schreeuwen moord en brand als ze me zien. Het goede nieuws is dat mijn achterbakse advocaat de hoofdattractie op alle lokale tv-stations is en dat een video-expert kan aantonen dat het niet mijn pick-up is geweest die in de vroege uren het terrein van de Bodyfarm opreed toen Jess' lichaam daar werd achtergelaten. Dus het had een stuk slechter met me kunnen gaan, denk ik.'

'Miss Jessamine krijgen we helaas niet meer terug, dr. Bill, maar al die andere hoofdpijn raken we heus wel kwijt, hoor. Wacht maar af.'

Ik wist even niet welke rol Miss Georgia zichzelf aanmat bij het oplossen van deze zaak, maar ik waardeerde haar vertrouwen in me. 'Laten we het hopen, Georgia,' zei ik. 'En hoe gaat het met jou?'

'Tja, eens kijken,' aapte ze me na. 'Mijn klok-en-hamerspel is gesnoeid, ik heb honderd hechtingen onderin en ik heb mijn zijden stringetje verruild voor een dikke incontinentieluier. Maar ik word nu een echte vrouw, dr. Bill, dus maak je over mij geen zorgen. Het doet retezeer daarbeneden, maar het is een positieve pijn. De arts zegt dat ik over een paar dagen naar huis mag.'

'Gefeliciteerd,' zei ik. 'Ik ben blij voor je dat je nu eindelijk hebt waar je al zo lang naar verlangde.'

Op dat moment ging mijn vaste telefoon. 'Moet je niet opnemen, poekie?'

'Laat het antwoordapparaat dat maar doen,' besloot ik. 'Waarschijnlijk een journalist of iemand die me voor moordenaar of heiden wil uitschelden.' Maar toen mijn begroeting was afgespeeld, was ik verbaasd de stem van Garland Hamilton te horen. 'Bill, ben je daar? Met Garland. Bill, als je thuis bent, neem dan alsjeblieft op.'

'Georgia? Het spijt me, maar ik moet even opnemen.' Ik legde mijn mobieltje neer en reikte naar de hoorn.

'Ik neem aan dat je dus niet thuis bent. Luister, ik heb iets dat een nieuw licht werpt op de moord op Jess Carter,' hoorde ik hem inspreken, 'en ik dacht...'

Ik griste de hoorn van de haak. 'Garland? Met mij, ik ben thuis. Wat heb je te melden? Vertel.'

'Bill! God, wat ben ik blij dat je er bent! En nog gefeliciteerd trouwens; ik zag het nieuwsitem over die camerabeelden. Het zal je enorm helpen.'

'Dank je,' zei ik. 'Laten we hopen dat je gelijk hebt. Oké, vertel maar eens wat je hebt ontdekt.'

'We kunnen dit beter niet over de telefoon bespreken,' zei hij. 'Is het te laat om nog even bij je langs te komen? Lig je al in bed?'

'Nee,' antwoordde ik. 'De laatste tijd slaap ik niet zo veel. Te veel spoken achter het behang.'

'Ik begrijp het. Strikt genomen mag ik helemaal niet met je praten, maar ik heb hier een knaller waarmee je reputatie in één klap gezuiverd kan worden.'

'Jezus. Garland, zeg op.'

'Ik moet het je laten zien. Is het goed als ik nu even langskom? Of wil je liever tot morgen wachten?'

'God, nee zeg. Als je nieuwe informatie over de moord op Jess hebt, kom dan nu meteen, alsjeblieft.'

'Oké. Ik bel nu vanuit de auto; ik heb net het lijkenhuis verlaten. Ik weet dat je ergens in Sequoyah Hills woont, maar die buurt is voor mij een doolhof, vooral 's avonds. Kun je blijven hangen en me over de telefoon de weg wijzen?'

'Tuurlijk. Waar zit je nu?'

'Ik kom net van de Alcoa Highway af, en ik rij nu in westelijke richting naar Kingston Pike. Ik ben bijna bij het verkeerslicht van Cherokee Boulevard.'

'Oké, sla daar links af.' Ik loodste hem vanaf dat punt via een reeks afslagen langs met klimop begroeide villa's en moderne, glazen kubussen. Ik moest mijn ogen sluiten om de route in gedachten voor me te zien. Ik had hem door de jaren heen al zo vaak gereden en ik lette allang niet meer op straatnamen of oriëntatiepunten. Ten slotte gidste ik hem mijn straat in en ondertussen keek ik door het woonkamerraam alvast naar buiten. 'Oké, ik zie je koplampen. Ik hang nu op, dan knip ik het verandalicht voor je aan.' Zo gezegd, zo gedaan, en even later hoorde ik de doffe klap van het portier van zijn Tahoe.

Ik verwelkomde hem bij de voordeur en schudde hem de hand. 'Bedankt voor je komst,' zei ik. 'Ik kan je gewoon niet zeggen hoeveel ik het waardeer. Kom binnen, ga zitten, en vertel me in hemelsnaam wat je hebt ontdekt.'

'Wacht even,' zei hij. 'Je weet dat ik het flink aan de stok zal krijgen met de officier van justitie als hij erachter komt dat ik hier ben.' Ik knikte. 'Je hebt toch niemand gewaarschuwd, hè?'

'Nee. Hoe zou dat moeten dan? Tot een halve minuut geleden had ik je de hele tijd aan de telefoon.'

'En dat bericht op je antwoordapparaat? Dat zou ik voor de zekerheid maar wissen. Zo meteen staat de politie weer met een huiszoekingsbevel voor je deur.'

'Echt? Goh, daar zou ik zelf nooit aan hebben gedacht,' zei ik. Ik liep naar het antwoordapparaat en wiste de laatste boodschap. 'Als crimineel zou ik geen knip voor de neus waard zijn.'

Daar moest hij om lachen. 'Nou en of, Bill, zeg dat wel. Zeg dat wel.'

'Oké, voor de draad ermee. Wat is het? Wat heb je voor me?'

'Ik denk dat je maar beter even kunt gaan zitten,' zei hij. 'Je zult je oren niet geloven.' Ik ging zitten. 'Wat zou jij zeggen als ik je vertel dat ik het pistool bezit waarmee Jess is vermoord?'

Ik zat doodstil in mijn stoel, maar mijn hersens werkten op volle toeren. 'Ik zou zeggen... dat is waanzinnig,' antwoordde ik. 'Waar lag het? Wie vond het? Heeft de politie al ballistisch onderzoek gedaan? Zaten er vingerafdrukken op?'

'Er zijn vingerafdrukken.'

'Heeft de politie ze al nagetrokken? Hebben ze iemand?'

'Daar hebben ze nog geen gelegenheid voor gehad. Maar ik kan je beloven dat ze in het systeem op een naam zullen stuiten.'

'Hoe weet je dat zo zeker?'

'Omdat het de jouwe zullen zijn.'

Ik staarde hem aan in een poging het te begrijpen, maar tevergeefs. 'Ik begrijp het niet.'

'Nee. Maar dat komt wel.' Hij reikte achter zijn rug en trok een klein handvuurwapen tevoorschijn dat hij op mijn borst richtte. 'Dit is het moordwapen,' klonk het. 'Hiermee heb ik Jess doodgeschoten. En nu ben jij aan de beurt. Niet helemaal de ondergang die ik voor je in gedachten had; alleen al de gedachte je achter de tralies te zien, tussen moordenaars en verkrachters die dankzij jouw toedoen daar terecht zijn gekomen, was al heerlijk. Maar je advocaat en die video-expert van hem hebben de kans op een veroordeling behoorlijk ondermijnd. Vandaar dus dat het me beter lijkt om op plan B over te schakelen.'

Opeens vielen de stukjes op hun plaats, en ik vervloekte mezelf dat ik geen seconde achterdocht had gekoesterd jegens Garland Hamilton, de grote, sterke Garland. De enige wiens werk en rampspoed zowel met Jess als met mij te maken hadden. Hij wist waar de bewakingscamera's van het ziekenhuis waren geplaatst, wist hoe je een lijk van aanwijzingen kon voorzien, wist hoe mijn pick-up eruitzag, kende mijn gewoonten, kende mijn positieve kanten goed genoeg om die tegen mij te gebruiken. Hij wist zelfs waar in het Forensic Center de reservesleutel van het terrein van de Bodyfarm werd bewaard. 'Jij hebt Jess vermoord, en je wilt mij voor de moord laten opdraaien? Waarom? Uit wrok?' vroeg ik vertwijfeld.

'O, wrok is nog veel te zacht uitgedrukt,' antwoordde hij. 'Het komt veel meer in de buurt van meedogenloze haat of doortrapte wraak. Was het niet Hamlet die zei: "Wraak kan het best koud worden opgediend"? Nou, dit staat al maanden in het koelvak. Je hebt geen idee hoe vernederend het voor mij was om vanwege die Ledbetter-autopsie door jou te kijk te worden gezet. Niet één, maar twee keer: eerst in de rechtszaal, en daarna nog eens voor het medisch tuchtcollege, mijn beroepscollega's.'

'Maar ze hebben je je vergunning toch niet afgenomen?' zei ik. 'Wat voor schade heeft dit jou nu berokkend? Je hebt immers je baan teruggekregen.'

'Slechts tijdelijk. Dat werd door het tuchtcollege duidelijk gemaakt toen ik mijn straf moest aanhoren. De gouverneur gaf de voorzitter van de gezondheidsraad persoonlijk de opdracht om mij eruit te werken. En mijn reputatie krijg ik nooit meer terug. Die is verknald. Dankzij jou.'

'Dat je jegens mij wrok koestert, kan ik begrijpen,' mompelde ik peinzend. 'Maar waarom Jess?'

Op het moment dat hij glimlachte, was het alsof een kille hand mijn ziel omvatte. 'Waarom Jess? Om zo veel redenen.' Hij keek me wat schuin aan. 'Wist je dat ze op het punt stond om lijkschouwer van de staat Tennessee te worden?' Ik schudde van nee. 'Alle lijkschouwers van Tennessee vallen binnenkort onder één overkoepelende organisatie, en er werd een dringend beroep gedaan op de mooie, slimme dr. Carter om het hoofd van deze organisatie te worden. Dus over een halfjaar zou ik eruit liggen, en zou voor Jess de rode loper worden uitgerold. Meer nog dan voor mij destijds. Het verbaast me dat je dat niet wist.'

'Het waren mijn zaken niet,' antwoordde ik. 'Ze had helemaal geen reden om mij dat te vertellen.'

'Dan heeft ze je waarschijnlijk ook niet op de hoogte gebracht van het feit dat we ooit een korte flirt hebben gehad.'

'Met jou? Wanneer?' De gedachte alleen al maakte me misselijk.

'Ongeveer een jaar geleden. Vlak nadat ze van haar man was gescheiden. Maar ik moest vooral begrijpen dat het een wip uit wraak was geweest. Dat heb ik haar nooit vergeven. Maar een lekker lijf, dat had ze zeker, hè, onze Jess?'

Ik vloog op hem af, maar hij haalde uit met zijn pistool en gaf me een knietje in mijn kruis. Ik plofte weer neer in mijn stoel.

'Wil je de derde reden nog weten, de voornaamste reden dat ik Jess heb vermoord?'

'Ja. Waarom?'

'Om jou.'

'Om mij?'

'Om jou. Je begon voor haar te vallen, en zij voor jou. Zo werd zij jouw achilleshiel, je kwetsbaarste plek. Ik volgde je naar haar woning in Chattanooga. Omdat ik op dat moment toch werkloos was, had ik tijd zat om jou in de gaten te houden. Ik zag je die treden naar haar voordeur op dansen als een tiener bij een afspraakje, zag hoe ze de deur opende en jou binnenliet. Jezus, ik hoorde jullie boven in haar slaapkamer zelfs kreunen. Het vereiste al mijn wilskracht om niet zelf naar binnen te lopen en jullie allebei in haar bed overhoop te knallen. Maar ik concentreerde me op de hoofdprijs.'

'En wat was die hoofdprijs, Garland?'

'Jou laten lijden.'

'Nou, daar ben je dan goed in geslaagd,' zei ik. 'Maar als jij mij ook vermoordt, dan zal de politie deze kogel vergelijken met de kogel die Jess fataal werd. En dan zullen ze weten dat haar moordenaar óók de mijne was.'

Hij lachte en schudde zijn hoofd. 'Zoals je al zei, als crimineel zou je geen knip voor de neus waard zijn, Bill. Jij wordt niet vermoord, jij slaat de hand aan jezelf. Heel tragisch allemaal: Bill Brockton tot zelfmoord gedreven door schuldgevoelens over zijn moord op dr. Carter, zijn wanhoop over zijn verloren reputatie, zijn angst om in de gevangenis te belanden, tussen oude vrinden die nog een appeltje met hem te schillen hebben.'

'Donder op,' zei ik. 'Ik zal nooit zelfmoord plegen.'

273

'Oké, noem het dan zelfmoord met assistentie. Op het pistool zal de technische recherche jouw, en alleen jouw, vingerafdrukken aantreffen. De autopsie, míjn autopsie, zal kruitschroeiplekjes en zelfs een mooie ronde afdruk op de huid vinden waar je de loop tegen je schedel gedrukt hield voordat je de trekker overhaalde.' Terwijl hij het zei, duwde hij zijn pistool tegen mijn slaap. 'Je zuurverdiende reputatie van de ene op de andere dag aan diggelen, het is echt verschrikkelijk, hè Bill? Nu kunnen we daar allebei over meepraten.' Hij glimlachte even en voegde eraan toe: 'Net zoals we dat nu allebei over Jess kunnen...'

De aanblik van Garland deed me walgen, en ik wendde mijn hoofd af. Op dat moment kreeg ik een sprankje hoop. Het was het groene lampje op mijn mobieltje, het lampje dat om de paar seconden even oplicht als je met iemand in gesprek bent. Georgia! schoot het door me heen. Ik had met haar over mijn mobiele telefoon gesproken toen Hamilton belde, en ik had niet opgehangen. Kon het zijn dat ze nog steeds aan de lijn hing? God, laat het zo zijn dat ze meeluistert; laat iemand me alsjeblieft hier horen sterven. Laat iemand alsjeblieft de waarheid weten, smeekte ik in gedachten.

De kans was klein, maar het was de enige die ik had. 'Vertel me dan maar eens hoe je haar hebt vermoord,' zei ik.

'Met plezier,' was het antwoord. 'En zo bedoel ik het ook. Waar wil je dat ik begin?'

Het was dezelfde vraag die ik Burt DeVriess had gesteld op de avond dat ik hem in de arm had genomen. 'Bij het begin van het einde,' antwoordde ik. 'Toen je haar ontvoerde, of haar huis binnendrong, of wat je verder ook deed toen je in actie kwam.'

'Hmmmm.' Het klonk alsof hij terugdacht aan iets moois. 'Het was op die avond van jullie etentje in By the Tracks. Je kent die rij winkeltjes tegenover het restaurant? Ik stond daar achter een van die pilaren op het trottoir, pal naast haar auto. Ze kwam in haar eentje het restaurant uit gelopen, drukte op de deurontgrendeling van haar auto en stapte in. Daarop verscheen ik vanachter die pilaar en stapte ik tegelijk met haar in. Het was zo makkelijk.'

'En toen? Waar heb je haar naartoe gebracht? Naar je huis?'

'Ik heb een grote wijnkelder, een betonnen ruimte in een betonnen kelder. Heel veilig, heel rustig. Geen geluidje dat binnendringt, geen geluidje dat ontsnapt.'

Ik overwoog even om verder te wroeten naar Jess' dood, maar ik had er de moed niet voor. De details aanhoren van haar lijdensweg, het zou te zwaar zijn voor me. 'Het haar en de vezels – mijn haar, mijn vloerbedekking, mijn beddensprei – hoe heb je die vóór de autopsie op haar lichaam weten te krijgen?' vroeg ik vervolgens.

'Heb ik niet,' was het antwoord. 'Ik voegde het alleen toe aan het autopsierapport, maar verzamelde ze pas de volgende dag. Die steen door de ruit van je voordeur?' Ik knikte. Het briefje dat eraan was vastgebonden, had de toon van een anti-evolutionist, en dus was ik ervan uitgegaan dat hij van een van de creationistische demonstranten afkomstig was geweest. 'Mijn kleine paard van Troje,' aldus Hamilton. 'Door die kapotte ruit kon ik gemakkelijk naar binnen reiken en de deur van binnenuit opendoen, wat bloed en wat haar op je lakens achterlaten, wat van jouw haar verzamelen en de politie informeren dat ik die op het lichaam van Jess had aangetroffen. De politie had geen enkele reden om mij te wantrouwen.'

Net toen ik wilde vragen waar hij een pick-up op de kop had weten te tikken die er bijna hetzelfde uitzag als de mijne om Jess mee naar de Bodyfarm te vervoeren, klonk er op de boekenplank naast hem een reeks piepjes. Het was mijn mobieltje dat waarschuwde dat de batterij bijna leeg was. Ik vervloekte mezelf dat ik het eerder die dag niet in mijn auto had opgeladen. Met een ruk draaide Hamilton zich om naar de plek waar het geluid vandaan kwam en zijn ogen ontwaarden het knipperende lampje. Terwijl hij me onder schot bleef houden, deed hij een paar stappen opzij, pakte het mobieltje en hield het tegen zijn oor. Daarna klapte hij het dicht. 'Klootzak... Jouw tijd is op.' Hij stapte op me af en zette het pistool tegen mijn slaap.

Op dat moment werd er aangebeld. Allebei schrokken we op, en het verbaasde me dat zijn wijsvinger niet spontaan de trekker had overgehaald. 'En nu?' vroeg ik.

'Helemaal niets,' antwoordde hij. 'Verroer je niet en hou je stil, want anders knal ik je neer.'

'Dat was je toch al van plan,' zei ik. 'Waarom zou ik jou er niet toe dwingen nu we een getuige binnen gehoorafstand hebben?'

'Domme klootzak, ik ga vrijuit, wat er ook gebeurt,' siste hij. 'Jij belde míj, totaal overstuur en vol zelfmoordplannen. Ik ben zo snel mogelijk hiernaartoe gereden om je op andere gedachten te brengen. Net toen ik je wilde overhalen om mij je pistool te overhandigen, werd er aangebeld. Jij raakte in paniek en haalde de trekker over. Er is geen scenario te bedenken dat ik niet zal kunnen verklaren.'

Er werd hard op de voordeur gebonkt. 'Bill! Ben je wakker?' De stem kwam me bekend voor, maar toch kon ik hem niet helemaal thuisbrengen. 'Bill?' Het klonk nu harder. 'Hé, Bill! Oké, hou je gereed...'

'Nu!' hoorde ik opeens. Het dichtstbijzijnde woonkamerraam spatte uiteen en de hele wereld leek te ontploffen. Ik had het gevoel dat ik viel, maar het beeld dat op mijn netvlies bevroor – zelfs op het moment dat ik voelde dat ik op de vloer plofte – was gek genoeg dat van mijn voordeur, met Garland Hamilton naast me en zijn hand en de contouren van zijn pistool nog net zichtbaar vanuit mijn ooghoek. Zo voelt het dus om te sterven door een schot in het hoofd, dacht ik.

En opeens bewoog alles weer, net op tijd om een politie-eenheid in kogel-vrije vesten en met automatische pistolen in de aanslag via de voordeur mijn woning binnen te zien stromen. Een van hen wierp zich op me en twee van zijn collega's grepen Garland Hamilton vast, die al net zo ver-dwaasd leek als ik. Nog eens twee agenten hielden hun wapen op zijn borstkas gericht.

'Woning is veiliggesteld,' meldde een van de agenten in zijn portofoon die schuin onder zijn kraag was bevestigd. 'Verdachte is aangehouden. Geen gewonden.'

Even later beende brigadier John Evers – wiens stem ik zo-even had opge-vangen – de kamer in. Hij nam het bizarre tafereel in ogenschouw en bekeek Hamilton een lang moment aandachtig. Daarna bukte hij zich om me overeind te helpen. 'Gaat het?'

'Ik geloof van wel,' antwoordde ik. 'Ik dacht dat ik zojuist door mijn hoofd was geschoten. Niet dus.'

Hij lachte. 'Flitsgranaten. Altijd weer fijn als ze het ook echt doen.'

'Waar komen jullie in hemelsnaam vandaan?'

'Daarvoor moet u ene Miss Georgia Youngblood bedanken,' antwoordde hij. 'Ze hoorde u via haar mobieltje in gesprek met Hamilton, belde ver-volgens vanuit het Medical Center via een vaste lijn het alarmnummer, gaf aan de meldkamer uw naam en de mijne door, en hield daarna haar mobieltje tegen de hoorn van de telefoon. Vanuit de meldkamer werd ik doorverbonden, en zo kon ik vrij snel met een overvalsteam ter plekke zijn.'

'Niet te geloven,' zei ik. 'Jullie waren net op tijd.'

'Volgens mij hebt u van mij een excuus tegoed, doc.'

Ik glimlachte. 'Het doet me goed dit van u te horen, maar eigenlijk is dat niet nodig. Elke goeie rechercheur zou tot dezelfde conclusie zijn geko-men als u. Ik begon verdorie mezelf bijna te verdenken. En u hebt zojuist op het nippertje mijn leven gered. Ik hoop alleen dat u tegen dit stuk ongeluk net zo'n sterke zaak kunt opbouwen als u tegen mij deed.'

'Ik denk dat ons dat wel zal lukken,' reageerde Evers. 'Alle meldingen op het alarmnummer worden geregistreerd. We hebben Hamiltons bekente-nis dus op band staan.'

'Betekent dit dat de rechtszaak niet doorgaat?'

'De uwe is van de baan, ja,' was het antwoord. 'Maar die van hem gaat nu pas beginnen.' Evers grijnsde, en voor de derde keer binnen één week hoorde ik hem een verdachte op zijn rechten wijzen. Alleen was het ditmaal voor Hamilton bedoeld, en niet voor mij.

Epiloog

Mijn armen en benen protesteerden terwijl ik de kruiwagen het pad opduwde dat vanaf de open plek van de Bodyfarm naar de plek voerde waar ik die noodlottige ochtend het lichaam van Jess had aangetroffen. Dit was mijn derde vracht aarde, en ik had zo-even al een vracht met zand, ongebluste kalk en turfmolm omhooggeduwd. De grond rondom de voet van de pijnboom was bijna zwartgekleurd door de vluchtige lichaamszuren die uit het onderzoekslichaam waren gesijpeld. Het betekende dat de grond inmiddels zo verzuurd was dat er ten minste een jaar, misschien wel twee, niets meer zou groeien als de natuur niet een handje werd geholpen. En ik wenste juist begroeiing.

Bijna had ik de boom omgehakt, wetend dat ik de aanblik ervan voor altijd zou koppelen aan Jess' lichaam en het verlies. 'Dat móét ook,' had Miranda gezegd toen ik haar had verteld dat ik de boom wilde vellen en ik de herinnering letterlijk met een kettingzaag aan zestig centimeter dikke plakken wilde zagen. 'Ik weet dat het nu nog rauw is, en misschien blijft dat wel zo. Maar ze verdient het om te worden herinnerd, en niet alleen om de leuke, gemakkelijke dingen. Haar leven was vervlochten met de Bodyfarm. Net als haar dood. Wis dat niet uit. Zoek naar een manier om dat te respecteren.'

Het vergde een tijdje om het op me te laten inwerken. Maar uiteindelijk besefte ik dat Miranda gelijk had, en dat het belangrijk was. En verrassend wijs bovendien. Hoe kon iemand half zo oud als ik twee keer zo veel wijsheid aan de dag leggen? Dat laatste had ze luchtig terzijde geschoven. 'Ik kende haar niet zo goed als jij,' had ze geantwoord, 'wat het voor mij een stuk helderder maakt is: zij, jij; jij in verhouding tot haar. Meer is het niet. Jij weet dat ook, alleen besef je dat nog niet omdat het nog onder te veel verdriet begraven ligt.' Ook nu weer stond ik versteld van haar inzicht.

'Oef,' hijgde ik toen ik strompelend de laatste meters naar de voet van de boom overbrugde. Ik liet de kruiwagen zijwaarts omkieperen, en de helft van de aarde viel in een kleine berg naast de andere bergjes aarde, zand en turfmolm. In de kruiwagen lagen twee spades om de rest eruit te scheppen.

'Ik heb het nog aangeboden, maar nee, meneer moest het zo nodig in zijn eentje doen,' zei Art.

'Hij wil zijn handen laten wapperen,' legde Miranda uit, die de andere schop gebruikte. 'En zijn demonen uitdrijven.'

Art bekeek me van top tot teen. 'Dat de handen uit de mouwen steken goed voor je kan zijn, begrijp ik. Maar dat je last hebt van demonen?'

'Dat klinkt misschien wat dramatisch,' antwoordde ik. 'Het helpt om lichamelijk bezig te zijn. En misschien ook om dat te overdrijven: spierpijn verdringt zielenpijn. Het leidt me in elk geval af van de pijn die ik vanbinnen voel.'

Art en Miranda begonnen de tuinaarde met de andere bergjes te vermengen en die rond de wortels van de jeneverbesstruik en de lepelboom te harken die we bij de voet van de pijnboom hadden geplant. 'Deze moet je wel elke dag water geven, hoor,' zei Art. 'Het is eigenlijk veel beter om ze in de winter te verplanten, als ze in rust zijn.'

'Weet ik,' antwoordde ik. 'Maar ik vond het belangrijk om het nu te doen. Wacht je te lang met een gedenkteken, dan vervaagt de herinnering langzaam, word je gemakkelijker afgeleid, kom je er misschien nooit meer toe.' Ik keek daarbij naar Miranda. Ze keek aandachtig terug terwijl ik het zei en ze glimlachte. Ook ik glimlachte en gaf haar een dankbaar knikje.

Art stopte even, leunde op zijn schop, reikte in zijn achterzak, trok een zakdoek tevoorschijn en veegde zijn gezicht en nek droog. 'Waarom duurt het zo lang? Denk je dat ze verdwaald zijn?'

'Neuh,' antwoordde ik. 'Waarschijnlijk staat ze te flirten met de steenhouwer.' Precies op dat moment hoorde ik vanaf het parkeerterrein het doffe geluid van twee riante autoportieren die werden dichtgeslagen. 'Over de duivel gesproken,' zei ik, 'volgens mij zijn ze er.'

Even later werd mijn vermoeden bevestigd door een stem die vanaf de poort heuvelopwaarts dreef. 'Dr. Bill? Joe-hoe! Waar hangen jullie uit, dr. Bill?'

'We zijn hier, Miss Georgia,' riep ik terug. 'Volg het bospad. En kijk uit waar je loopt!'

Even later wiebelde Miss Georgia in beeld. Bij elke stap zakten haar naaldhakken een beetje weg. 'Dr. Bill, schat, je moet hoognodig eens een trottoir aanleggen hier.' Met een geborduurd zakdoekje wapperde ze zichzelf wat koelte toe. 'En wat luchtverfrisser. Bos-nog-an-toe, wat een geur hangt hier, zeg.'

'Sorry,' zei ik. 'We krijgen hier niet vaak dames van jouw kaliber op bezoek. Waar zijn je mannenvrienden?'

'Die komen zo. Ze rusten even uit, halverwege. Het ding dat ze meesjouwen, is behoorlijk zwaar. Tenminste, dat zeggen ze.'

Ik stelde Miss Georgia voor aan Art en Miranda.

Miranda schudde haar de hand. 'Bedankt dat u dr. B. te hulp schoot.'

Miss Georgia glimlachte, maar ik zag ook dat ze Miranda even aandachtig opnam. 'Kind, ook al verliefd op dr. B.?'

Miranda glimlachte terug. 'Dat is maar schijn, om mijn beoordeling wat op te krikken. Ik zou er namelijk flink van balen als ik het op dit punt in mijn onderzoek opeens zonder mijn promotor moest stellen.'

Miss Georgia schoot in de lach. 'Wij zullen het pri-ma kunnen vinden, samen!'

Ik hoorde wat twijgjes knappen en gehijg. Ik zag dat Burt DeVriess en brigadier John Evers via het pad onze kant op kwamen gestrompeld terwijl een groot, vierkant stuk zwart graniet tussen hen in wiegde. 'Jezus, doc, ik hoop maar dat je ook aan reanimatie doet, want ik val bijna flauw van het tillen.'

'Toen je aanbood hem voor me op te halen, heb ik meteen gevraagd of ze hem wat dikker konden maken,' grapte ik. 'Leg hem daar maar neer. Zak door je knieën, niet door je rug.' Samen met Evers zette DeVriess de granieten plaat op de grond. Kreunend en puffend kwam DeVriess weer overeind.

'Honnepon, kan ik je van dienst zijn met wat mond-op-mondbeademing?' vroeg Miss Georgia en gretig kwam ze al een stap dichterbij. Maar met een lach wuifde Burt haar weg.

'Dank je, Miss Georgia, maar ik denk dat ik het wel red zo.'

Evers schudde Art de hand en stelde zich voor aan Miranda, die meteen reageerde. 'Nou, misschien dat ik nog steeds boos op u ben omdat u dr. B. arresteerde.'

Evers haalde zijn schouders op. 'Hé, ik ben maar een domme smeris, hoor. Maar je moet toegeven dat hij eruitzag als een verdachte en praatte als een verdachte.' Miranda knikte met pijn en moeite. 'En als ik u nu eens vertel dat ik gisteren tegenover de grand jury heb getuigd en ze in mijn eentje zover heb gekregen dat ze dr. Hamilton wegens moord met voorbedachten rade en twee pogingen tot moord zullen aanklagen,' zei hij.

Miranda straalde. 'Dat helpt zeker. Laat me vooral weten wanneer de zaak voorkomt, zodat ik hem met rotte tomaten kan bekogelen.'

DeVriess kuchte even in mijn richting. 'Ik zeg het je maar even, maar Hamilton heeft me gevraagd hem te verdedigen...' Ik wendde mijn hoofd af. Het nieuws verbaasde me niet echt. Immers, Grease gold als de meest vechtlustige strafpleiter van Knoxville, en hij was bovendien mijn eigen keus geweest toen ík van de moord op Jess werd beschuldigd. Wat me schokte, was hoe verraden ik me voelde. 'Doc,' sprak hij zacht, 'ik heb zijn verzoek afgewezen.'

'Wat?!'

'Ik heb nee gezegd.' Kijk, dít was nog eens verrassend. Toen een glimlach over mijn gezicht trok, grijnsde hij breed. Ik voelde het tot in het puntje van mijn nek en van daaruit naar mijn schouders uitwaaieren.

'Grease, man, je hebt me mijn vertrouwen in de mensheid weer teruggeschonken! Als ik niet beter wist, zou ik bijna beweren dat je je weer bij het menselijk ras hebt geschaard.'

Hij bracht even een vermanende hand omhoog. 'Ho, ho, denk vooral niet dat ik opeens soft ben geworden,' waarschuwde hij. 'Deze zaak valt niet te winnen. Om te beginnen is er jouw getuigenverklaring over wat hij je vertelde op de avond dat hij je wilde vermoorden. En bovendien ben jij als getuige een natte droom voor de aanklager: niet alleen een grote naam op forensisch gebied, maar ook nog eens onterecht aan het kruis genageld en inmiddels van alle blaam gezuiverd. Verder is er op de vloer van zijn wijnkelder bloed aangetroffen en is er een aankoopbon van het pistool dat hij op Broadway bij een lommerd heeft gekocht.'

'Op Broadway?' vroeg Art. 'Dat zal toevallig toch niet bij Broadway Jewelry & Loan zijn geweest?'

'Ik dacht van wel. Hoezo?'

'Als hij het daar heeft gekocht, dan moet dat bij Tiny zijn geweest, een undercoveragent. Ook weer een goede getuige tegen hem.'

'Zijn karma wreekt zich, zeker weten,' aldus DeVriess. 'Maar wat hem echt aan het kruis nagelt, is de bekentenis die Miss Georgia op haar mobieltje heeft, eh, opgevangen.'

Ik zag dat Art met een glinstering in de ogen naar DeVriess keek. Hij was duidelijk minder vergevingsgezind dan Miranda. 'Nou, ik heb een zaak voor jou die je wél zal aanstaan,' zei hij. 'Ik heb net een veertig jaar oude hopman gearresteerd. Online uitlokking van minderjarigen voor seksueel contact. Hij beloofde Tiffany alle geneugten van de liefde bij te brengen. Toen we zijn auto doorzochten waarmee hij op de afgesproken plek verscheen, vonden we handboeien, een mondprop, een digitale Nikon, en een professionele videocamera.' Vol walging schudde Art het hoofd. 'Hij heet Vanderlin,' liet hij DeVriess weten. 'We hebben hem een uur geleden opgebracht, dus ik weet zeker dat je hem nog kunt inpikken als cliënt.'

DeVriess schudde zijn hoofd. 'Dank je, maar laat maar zitten.' Art staarde hem aan, en keek vervolgens naar mij.

'Wat is er, Burt?' plaagde ik. 'Is deze zaak ook al niet te winnen?'

'O, ik weet zeker dat ik hem zou kunnen winnen,' antwoordde hij. 'Maar op dit moment heb ik mijn handen vol. Ik ben ermee akkoord gegaan om Bobby Scott te verdedigen voor de moord op Craig Willis.'

Ook dit was nieuws. Een jaar geleden had Willis dankzij DeVriess zijn straf weten te ontlopen voor misbruik van Scotts zoontje. 'Ik wil me er verder niet mee bemoeien, hoor,' zei ik, 'maar kunnen ze jou wel betalen? Ik had de indruk dat ze aardig aan de grond zaten, met al die therapierekeningen.'

'We... hebben een regeling getroffen,' klonk het schaapachtig.

'Je doet het pro deo!' riep ik verwonderd. 'Toch? En zeg nu nog maar eens dat je niet soft aan het worden bent.'

'Ben ik ook niet. Eerlijk,' was zijn reactie. 'Denk eens aan de publiciteit die het me oplevert als ik deze zaak win. "Wraakbeluste vader gaat vrijuit", zullen de kranten koppen. "Moord was gerechtvaardigd". Man, als ik zorg dat hij wordt vrijgesproken, kan ik mijn tarief waarschijnlijk wel verdubbelen.'

'Burt, zorg alleen dat je zelf nooit in de getuigenbank terechtkomt,' waarschuwde ik hem. 'Want liegen gaat je slecht af.'

Hij keek wat gegeneerd, maar ook intens dankbaar.

Ik nam Arts schop over en op de open plek tussen de jeneverbesstruik en de lepelboom maakte ik een kleine kuil in de verse aarde. Eenmaal tevreden met het resultaat trok ik een zakje met witte kiezels open dat ik had meegebracht en ik verspreidde de inhoud over het ronde kuiltje, met nog een dikkere laag eromheen. Daarna bukte ik en tilde ik de granieten steen rechtovereind die DeVriess en Evers omhoog hadden gezeuld, zodat hij verticaal kwam te staan. Art en Evers deden een stap naar voren om me te helpen, maar ik schudde mijn hoofd. 'Dank je, maar dit wil ik graag zelf doen.'

Ik liet de steen van het ene hoekpunt op het andere balanceren en manoeuvreerde hem op deze manier naar het bedje met kiezels. Ik was even bezig met de plaatsing, om de plaat netjes in het midden van de kring van kiezelstenen te krijgen, en legde de steen vervolgens plat neer. Ik draaide hem nog iets met de klok mee, en nog een klein beetje terug, zodat hij mooi recht kwam te liggen tussen de pijnboom en de nieuwe aanplant. Ik knielde weer en strooide nog wat kiezels uit, zodat de ruwe randen rondom er ongeveer anderhalve centimeter boven uitstaken.

Ik stond op en deed even een stap naar achteren om het resultaat wat beter te kunnen bekijken. Ondertussen verscheen Miranda rechts naast me. Ik voelde dat ze mijn rechterhand in de hare nam. Daarna voelde ik dat Art, links van me, een arm om me heen sloeg. Evers, DeVriess en Miss Georgia deden nu een stap naar voren. Met z'n allen vormden we een cirkel om de steen, en ik zag dat iedereen elkaar bij de hand hield en het hoofd boog naar de inscriptie in het graniet.

'Slaap zacht, Jess,' fluisterde ik voor de derde keer in evenzoveel weken. We zwegen. Ergens in de lucht hoorde ik het hoge, zoetgevooisde geluid van een spotvogel.

De betovering werd verbroken door het gepiep van een pager. Handen werden losgelaten, reikten in zakken en frommelden aan broekriemen. 'Sorry, het is de mijne,' zei John Evers. Hij stapte weg van het groepje en even later hoorde ik hem zachtjes praten in zijn mobiele telefoon. Toen hij weer verscheen, ving hij mijn blik. 'Dat was de meldkamer,' zei hij. 'Een visser heeft net onder de brug van Henley Street een drijvend lichaam gevonden. Al enige tijd dood, kennelijk.'

'Zelfmoord?'

'Nee, tenzij die vent zichzelf achter in het hoofd schoot toen hij in het water viel. Kunt u een kijkje gaan nemen?'

Al voordat hij de vraag had afgerond, joeg de adrenaline door me heen. 'Laten we gaan kijken,' zei ik, en ik liep al in de richting van de poort. Na een paar stappen bleef ik staan en keek ik achterom. Evers verscheen naast me en ook hij draaide zich om. Miranda, Art, Burt DeVriess en Miss Georgia Youngblood omringden nog altijd Jess' gedenksteen, omringden haar zelf, zo leek het; tegelijkertijd voelde ook ik me omringd door hun aanwezigheid, hun vriendschap, misschien zelfs hun liefde. En niet alleen door hen, maar ook door Jess, om me heen en diep vanbinnen. De indringende kracht, dit geschenk, maakte dat ik even naar lucht hapte.

'Gaat het, doc?'

'Ja,' antwoordde ik. 'Met mij gaat het prima. Prima.'

284

Dankwoord

De vooruitgang binnen de forensische antropologie, die een belangrijke rol speelt in deze boekenreeks, zou niet mogelijk zijn geweest zonder het onderzoek en de experimenten van veel promovendi. Vooral naar hen gaat mijn waardering uit.

Na de verschijning van *Het lijkenhuis* was ik verrast door het aantal mensen die de personages van die eerste roman omarmden. Inmiddels raakte ik, werkend aan ons tweede boek, ook meer gehecht aan onze personages, zelfs zozeer dat ik degenen die in dit nieuwe boek ontbreken, zowaar begin te missen. Terwijl ik rouwde om een van hen, bedacht ik me dat ik geen betere coauteur had kunnen bedenken dan Jon Jefferson.

Mijn oprechte dank gaat bovendien uit naar mijn vrouw Carol voor haar steun. Zij kan de verhalen in de Bodyfarm-reeks maar moeilijk scheiden van de werkelijkheid. Carol beweert de naam van de studente te kennen met wie dr. Brockton in *Het lijkenhuis* een korte maar zinderende kus uitwisselt. 'Carol, het is maar fictie,' zeg ik. 'Art Bohanan is geen fictie,' antwoordt ze.

Dr. Bill Bass

Mijn gesprekken over het vak met Bill Bass, en mijn lunches met Bill en Carol staan hoog op de lijst van de aangename dingen in het leven. Het is altijd weer een genot als de gesprekken aan ons tafeltje de aandacht van andere gasten weten te trekken... of Carol hoogrode wangen bezorgen. Art Bohanan, ook in het dagelijks leven een expert op het gebied van vingerafdrukken en een voorvechter van de rechten van het kind, heeft zich meer dan hoffelijk getoond door ons inzage te geven in een aantal van zijn zaken en drijfveren, en we voelen ons dan ook vereerd om dit boek op te dragen aan de nagedachtenis van zijn zoon. Tom Evans en Tim Snodderly, rechercheurs van de politie van Knoxville, stelden ruimhartig hun tijd en kennis beschikbaar, evenals het personeel van de penitentiaire inrichting van Knox County, met name brigadier Robert Anderson.

Vanaf de beklaagdenbank van de rechtszaal bracht strafpleiter David Eldridge – net zo gewiekst als Burt DeVriess, maar een stuk minder glibberig – me het een en ander bij over strategieën van de verdediging, terwijl assistent-officier van justitie Jennifer Welch me vanuit de gelederen van de aanklagers de gordiaanse knoop van de rechtsgangprocedures hielp te ontwarren.

De technologie achter de forensische wetenschap wordt steeds geraffineerder. Vandaar dat mijn dank ook uitgaat naar forensisch audio- en video-experts Tom Owen, Doug Perkins en John Laycock van het bedrijf Ocean Systems.

Elaine Giardino, parochieleidster van de St. Paul's kerk in Chattanooga gaf me een uitgebreide rondleiding langs alle hoeken, gaten en trappenhuizen van haar prachtige kerk. En dankzij Tom Bodkin, forensisch antropoloog van Hamilton County (ook een van dr. Bass' succesvolle protegés), en zijn chef, patholoog-anatoom dr. Frank King, kon ik ook de hoeken en gaten van hun lijkenhuis aldaar verkennen. Bovendien ben ik veel dank verschuldigd aan dr. Sandra Elkins, lijkschouwer voor Knox County en tevens bezitter van een sportwagen, die voor zover ik het kan beoordelen verder geen gelijkenissen vertoont met Jess Carter.

Wat de achtergronden van de Scopes-zaak betreft, ben ik zowel professor Douglas Linder van de rechtenfaculteit van de universiteit van Missouri (die een fascinerende reeks websites over grote rechtszaken bijhoudt) als Scopes-kenner en curator Richard Cornelius van het Scopes Evolution Trial-museum in Dayton, Tennessee erkentelijk.

Verder gaat mijn dank uit naar mijn goede vrienden JJ Rochelle, John Craig, David Brill en Sybil Wyatt, naar mijn zus Sara, die me hielp met mijn verhuizing naar Baltimore, en naar mijn lieve, slimme, energieke en immer capabele Cindy.

Onze literair agent Giles Anderson verricht nog altijd goede daden door ons van de straat en blijmoedig aan de schrijftafel te houden. Bij uitgever William Morrow beschikken we over een geweldig ondersteunend team: redacteur extraordinaire Sarah Durand, publicisten Seale Ballenger, Eryn Wade en Buzzy Porter, marketinggenie Rachel Bressler, de briljante vertegenwoordigers die voor ons de weg naar zo veel boekenplanken hebben geplaveid, en laat ik vooral de lezers niet vergeten die dr. Bill Brockton, Art en de bonte verzameling figuren daaromheen met zoveel warmte in hun hart hebben gesloten.

Ten slotte nog een innig dankjewel aan Seabiscuit, met wie ik alle bladzijden nog eens heb doorlopen, waardoor dit boek nóg vlotter en beter
is geworden. Wát een prachtig, schitterend avontuur.

*Jon Jefferso*n

Blijft u graag op de hoogte van de nieuwste spannende boeken?

Kijk dan op

www.awbruna.nl

en geef u op voor de spanningsnieuwsbrief.

Op deze manier krijgt u steeds als eerste alle informatie
over nieuwe boeken en kunt u gebruikmaken van
aantrekkelijke kortingen en andere lezersacties.
